D1096669

Inscrivez-vous à la newsletter

❀ ❀ ❀ l'esprit d'ouverture ❀ ❀ ❀

Découvrez les livres de la collection L'Esprit d'ouverture,
des ouvrages positifs qui invitent à penser autrement
son existence. De l'apprentissage du bonheur à l'art
d'être bon, de la petite musique du haïku au génie de
l'intuition, de la sagesse de Confucius à un réjouissant
voyage au cœur de la philosophie, des neurosciences à
la psychologie en passant par la spiritualité et la poésie,
une bibliothèque d'idées à la croisée des disciplines et
ouverte sur le monde entier, qui offre des livres pour
changer.

Recevez des informations en avant-première sur les nou-
velles parutions et l'actualité autour des livres.
Découvrez les coups de cœur du directeur de collection,
Fabrice Midal.

Participez aux jeux-concours et autres surprises exclusives.

Pour vous inscrire, connectez-vous sur :
www.espritdouverture.fr rubrique newsletter.

OPÉRATION BONHEUR

Une année pour apprendre à chanter,
ranger ses placards, se battre s'il le faut,
lire Aristote... et être heureux

Vous pouvez consulter le site de l'auteur à l'adresse suivante :
www.gretchenrubin.com

GRETCHEN RUBIN

OPÉRATION BONHEUR

Une année pour apprendre à chanter,
ranger ses placards, se battre s'il le faut,
lire Aristote... et être heureux

Traduit de l'américain
par Daphné Bernard

belfond
12, avenue d'Italie
75013 Paris

Titre original :
THE HAPPINESS PROJECT
Or, why I spent a year trying to sing in the morning, clean my closets, fight right, read Aristotle, and generally have more fun
publié par Harper, une marque de HarperCollins Publishers, New York.

Si vous souhaitez recevoir notre catalogue
et être tenu au courant de nos publications,
vous pouvez consulter notre site internet :
www.belfond.fr
ou envoyer vos nom et adresse
aux Éditions Belfond,
12, avenue d'Italie, 75013 Paris.
Et, pour le Canada,
à Interforum Canada Inc.,
1055, bd René-Lévesque-Est,
Bureau 1100,
Montréal, Québec, H2L 4S5.

ISBN 978-2-7144-5039-5

Pour ma famille

Samuel JOHNSON : *Comme dit le proverbe espagnol : celui qui veut rapporter chez lui la richesse de l'Inde, doit la porter en lui.*

James BOSWELL,
Vie de Samuel Johnson

Aucune obligation n'est aussi sous-estimée que l'obligation d'être heureux.

Robert Louis STEVENSON

Préface

L'Opération Bonheur est une méthode destinée à vous aider à changer votre vie. La première partie du livre vous permettra de mettre le doigt sur ce qui vous fait plaisir mais aussi sur ce qui vous culpabilise, vous irrite, vous ennuie, vous désespère. Vient ensuite l'élaboration d'une Liste de Bonnes Résolutions où vous déterminerez les actions concrètes qui vous remonteront le moral et vous rendront plus heureux. Arrive enfin le stade vraiment passionnant : la façon d'appliquer ces bonnes résolutions et de ne plus s'en éloigner.

Ce livre raconte *mon* Opération Bonheur – mes efforts, les leçons que j'en ai tirées. Votre objectif peut paraître différent du mien, mais rares sont les personnes qui ne pourront pas tirer profit de cet ouvrage.

Bien sûr, comme ce livre est l'histoire de *mon* parcours, il se fait l'écho de ma situation personnelle, de mon caractère, de mes intérêts. « Dans ce cas, êtes-vous en droit de vous demander, puisque l'Opération Bonheur est propre à chacun, que va m'apporter la méthode de Gretchen Rubin ? »

Eh bien, figurez-vous que j'ai découvert lors de mes recherches que j'apprenais bien plus des exemples particuliers que des grands principes universels ou des résultats d'études récentes. Ainsi, un lexicographe plein d'humour atteint du syndrome de La Tourette, une sainte tuberculeuse, un romancier russe hypocrite et l'un des Pères fondateurs de l'Amérique, Benjamin Franklin pour ne pas le nommer, ont été mes guides les plus précieux. Impensable, non ? Pourtant, c'est la pure vérité.

J'espère que la lecture de mon Opération Bonheur vous encouragera à entamer votre propre démarche. Où que vous soyez, où que vous me lisiez, c'est le moment de commencer. Alors allons-y !

Premiers pas

J'ai toujours voulu m'améliorer.

Un jour, j'arrêterai d'entortiller mes cheveux, de porter mes tennis à longueur de journée, de manger la même chose tous les jours. Je me rappellerai les anniversaires de mes copines, j'apprendrai à utiliser Photoshop sur mon ordinateur, j'interdirai à ma fille de regarder la télé pendant le petit déjeuner. Je lirai tout Shakespeare. Je passerai plus de temps à rire et à m'amuser, je serai plus courtoise, je visiterai des musées. Je n'aurai plus peur de prendre le volant.

Par une banale matinée d'avril, une pensée affreuse me traverse l'esprit : je risque de gâcher ma vie. En regardant par la vitre du bus où s'écrase la pluie, je vois les années défiler et je me demande : « Finalement, qu'est-ce que j'attends de la vie ? C'est simple... je veux être *heureuse* », me dis-je. Sans avoir jamais réfléchi à ce qui pourrait me rendre heureuse ni à la façon d'y parvenir.

Résumons : j'ai de quoi être contente de mon sort. Je suis mariée à Jamie, l'amour de ma vie. Un bel homme brun et grand. Nous avons deux filles délicieuses, Eliza, sept ans, et Eleanor, un an. Écrivaine, après avoir été avocate, je vis à New York, ma ville favorite. Je m'entends parfaitement avec mes parents, ma sœur et ma belle-famille. Je suis entourée d'amis. Je jouis d'une bonne santé. Je n'ai pas à me teindre les cheveux. Mais, trop souvent, je houspille mon mari ou le réparateur télé. La moindre critique professionnelle me met en transe. Je laisse tomber mes vieilles connaissances, je me fiche en colère pour un rien, j'ai des coups de déprime, de spleen, de fainéantise, des vagues de culpabilité.

Soudain, par la fenêtre du bus, j'aperçois une femme dans la rue – à peu près de mon âge – qui essaie à la fois de tenir un parapluie, de regarder l'écran de son portable et de manipuler une poussette où trône une gamine emmitouflée dans un ciré jaune. *C'est moi !* me dis-je. Moi aussi, j'ai une poussette, un portable, un réveil, un appartement, des voisins. En cet instant, je suis dans mon bus habituel qui traverse ma ville d'est en ouest. Voilà ma vie, mais je n'y pense jamais.

Non, je ne suis pas dépressive. Et je ne souffre pas de la crise de la quarantaine, plutôt d'un malaise, sorte de mécontentement perpétuel et d'absence de certitudes.

Si parfois je suis insatisfaite, ayant le sentiment de passer à côté de quelque chose, je n'en oublie pas moins à quel point j'ai de la chance. Quand je me réveille au milieu de la nuit, ce qui m'arrive souvent, je passe d'une chambre à l'autre pour contempler mon mari enroulé dans les draps et dormant du sommeil du juste ou mes filles enfouies sous leurs peluches favorites, parfaitement en sécurité. Je possède tout ce que je désire sans pour autant m'en réjouir. Me plaignant pour un rien, me faisant un monde d'ennuis passagers, consciente de me battre contre moi-même, je n'apprécie pas ma situation exceptionnelle. Pendant des années, j'ai été hantée par une parole de Colette : « Quelle vie merveilleuse fut la mienne. Si seulement je m'en étais rendu compte plus tôt ! » Je ne veux pas me retourner sur mon passé et me dire, à la fin de ma vie ou après une catastrophe majeure : « Oh, comme j'étais heureuse *à cette époque*, quel dommage de ne pas m'en être aperçue. »

Cela mérite réflexion. Comment me forcer à me sentir heureuse au quotidien ? Comment devenir une meilleure épouse, une meilleure mère, une meilleure écrivaine, une meilleure amie ? Comment oublier les petits désagréments de la vie ordinaire et me fixer des buts plus élevés ? Moi qui oublie souvent d'acheter du dentifrice, comment pourrais-je envisager d'intégrer de si hautes perspectives à mon train-train quotidien ?

Tandis que le bus roule au pas, j'ai du mal à suivre le flot de mes pensées. « Il faut que je m'en sorte, dès que j'aurai un peu de temps libre. Je vais me fixer le bonheur pour objectif. »

Mais je n'arrête pas de courir. Dans ma vie de tous les jours, j'ai du mal à me souvenir de ce qui est important. Si je veux parvenir à mon objectif, je dois me *libérer*. Dans un flash, je me vois passer un mois dans une ravissante île balayée par le vent, à ramasser des coquillages, à lire Aristote, à écrire mon journal sur d'élégantes feuilles de parchemin. Chimère ! Soyons réaliste : il me faut réussir sans tout bouleverser, *ici* et *maintenant*. En changeant simplement ma vision des choses.

Tout d'un coup, dans ce bus bondé, je comprends deux choses : oui, je peux être plus heureuse, mais ma vie ne changera que si je la prends en main. À ce moment précis, je décide de consacrer une année entière à l'édification de mon bonheur.

Cela s'est passé un mardi. Le mercredi après-midi, ma table de travail croule sous les livres empruntés à la bibliothèque. L'espace me manque. Mon petit bureau, perché en haut de notre immeuble, est déjà envahi de documents pour la biographie des Kennedy que je rédige et de notes de la maîtresse d'Eliza me tenant au courant des sorties de l'école, d'une épidémie d'angine et d'une collecte alimentaire.

Impossible donc de mettre mon projet à exécution dans l'immédiat. J'ai beaucoup à apprendre avant de commencer mon année de bonification. Après plusieurs semaines consacrées à la lecture et quelques mûres réflexions sur la façon de m'y prendre, je téléphone à Elizabeth, ma jeune sœur.

Après avoir écouté pendant vingt minutes ma dissertation sur les bases du bonheur, elle m'interrompt :

— Tu ne te rends pas compte comme tu es bizarre !

Puis elle ajoute très vite :

— Mais dans le *bon* sens.

— On est tous bizarres ! C'est pourquoi chacun a une conception différente du bonheur. À l'image de sa personnalité.

— Possible. Mais ce que tu peux être drôle quand tu en parles.

— Drôle ?

— Tu abordes le sujet du bonheur avec un tel sérieux, d'une façon si méthodique.

Je ne comprends pas ce qu'elle me reproche.

— Tu veux dire que je mets en avant les mêmes mécanismes que pour des plans média.

— Oui, sauf que je ne sais pas ce qu'est un plan média.

— Du jargon de pub.

— En tout cas, ton Opération Bonheur en dit plus long sur toi que tu ne l'imagines.

Bien sûr, elle ne m'a pas loupée. On dit que les gens enseignent ce qu'ils ont besoin d'apprendre. En adoptant le rôle de prof de bonheur, même si je suis ma seule élève, je cherche une manière de corriger mes défauts et de dépasser mes limites.

Il est temps de mieux faire. Mais tout en songeant au bonheur je me heurte à des tas de paradoxes. Je veux changer tout en m'acceptant. Me prendre moins au sérieux et aussi son contraire. Occuper mes heures au maximum sans oublier de baguenauder, de jouer et de lire tout mon saoul. Penser à moi et m'oublier. Cesser de m'agiter. Ne pas me préoccuper de l'avenir, mais conserver mon allant et mes ambitions. Les remarques d'Elizabeth me font réfléchir à mes motivations. Est-ce que je recherche un enrichissement spirituel et une existence plus tournée vers les principes transcendantaux ? Ou bien ma recherche du bonheur masque-t-elle un besoin maladif de perfectionnisme ?

Sans doute les deux. Je désire améliorer mon caractère, mais, vu ma nature, cela se traduira par des plannings, des graphiques, des listes de choses à faire, des termes nouveaux et des notes sans fin.

Comme la plupart des grands penseurs ont déjà planché sur le bonheur, je commence mes recherches en me plongeant dans Platon, Boèce, Montaigne, Bertrand Russell, Thoreau et Schopenhauer. Les grandes religions de ce monde ayant expliqué la nature du bonheur, j'explore un large échantillon de traditions, des plus familières aux plus ésotériques.

Et comme le positivisme psychologique s'est remarquablement développé au cours de ces dernières décennies, j'étudie Martin Seligman (*La Force de l'optimisme*), Daniel Kahneman, Daniel Todd Gilbert (*Et si le bonheur vous tombait dessus*), Barry Schwartz (*Le Paradoxe du choix*), Mihaly Csikszentmihalyi (*Vivre : La psychologie du bonheur*), Sonja Lyubomirsky (*Comment être heureux... et le rester*). Finalement, la culture populaire débordant d'experts sur le sujet, je consulte aussi bien les articles d'Oprah Winfrey que les écrits de Julie Morgenstern (*Organiser votre vie pour mieux la vivre*) ou de David Allen (*S'organiser pour réussir : Getting Things Done* [*méthode GTD*]). Mais ce sont mes romanciers favoris, Léon Tolstoï, Virginia Woolf et Marilynne Robinson qui m'enrichissent le plus. Ou encore certains romans tels qu'*A Landing on the Sun*, de Michael Frayn, *Bel Canto*, d'Ann Patchett, ou *Samedi*, de Ian McEwan, qui approfondissent les diverses théories du bonheur.

Biographies, travaux philosophiques ou psychologiques sont mon pain quotidien. La pile de livres à côté de mon lit comprend *Blink*, de Malcolm Gladwell, *La Théorie des sentiments moraux*, d'Adam Smith, *Elizabeth et son jardin allemand*, d'Elizabeth von Armin, *L'Art du bonheur*, du dalaï-lama, *Entretiens avec mon évier,* de la « FlyLady » Marla Cilley. Et un soir, en dînant au bistrot avec des amis, je trouve dans un biscuit chinois le proverbe suivant : « Le bonheur se trouve à domicile. »

Mes lectures me démontrent qu'avant d'aller plus loin, je dois répondre à deux questions cruciales. Premièrement, suis-je persuadée qu'il me sera *possible* d'être plus heureuse qu'aujourd'hui ? Car certaines personnes affirment que le seuil du bonheur d'un individu varie peu, sauf lors de très courtes périodes.

Ma propre conclusion : oui, c'est possible.

D'après les études les plus récentes, les gènes comptent pour 50 % dans le calcul du bonheur. Les données personnelles, âge, sexe, race, situation familiale, revenus, santé, emploi, religion, interviennent à la hauteur de 10 % à 20 %. Le reste dépend des actions et de la philosophie de chacun. En d'autres termes, nous disposons dans une certaine mesure de la capacité d'élever notre seuil de bonheur ou de l'abaisser par notre seule volonté. Ces travaux confirment mes observations. Il est évident que certaines personnes sont d'un naturel plus exubérant ou plus mélancolique que d'autres et que, dans le même temps, leur façon de mener leur existence affecte leur aptitude à être heureuses.

Seconde question : comment définir le bonheur ?

Pendant mes études de droit, j'ai passé des mois entiers à discuter de ce que constitue un contrat. Exercice que j'utilise maintenant, sachant combien il est important de préciser la signification des mots. Une étude de psychologie positiviste a ainsi identifié quinze définitions de « bonheur ». Mais, au cours de mes recherches, je trouve inutile de m'obstiner à explorer les différences entre « affect positiviste », « bien-être subjectif », ou « tonalité hédoniste » et autres.

Je préfère suivre la sacro-sainte tradition établie par Porter Stewart, juge à la Cour suprême, qui définissait l'obscénité en déclarant : « Je la reconnais quand je la vois », ou Louis Armstrong qui disait : « Si vous devez demander ce qu'est le jazz, vous ne le saurez jamais. » Ou encore A. E. Housman, célèbre poète anglais affirmant qu'« il n'est pas plus capable de définir la poésie qu'un fox-terrier peut définir un rat, mais qu'il peut reconnaître l'objet par les symptômes qu'il suscite ».

Aristote déclarait que le bonheur était le *summum bonum*, le bien suprême. Et si les gens désirent autre chose, le pouvoir, l'argent, maigrir de cinq kilos, c'est parce qu'ils pensent que cela leur apportera le bonheur, leur but réel. Blaise Pascal écrivait : « Les hommes recherchent le bonheur. Sans exception. Quels que soient les moyens qu'ils utilisent, ils y tendent. » Une étude a montré que lorsqu'on demande aux populations du monde entier ce qu'elles désirent de la vie pour elles et leurs enfants, la réponse est unanime : le bonheur. Même les gens qui ne sont pas d'accord sur ce que veut dire « être heureux » s'entendent sur le fait qu'il est possible d'être « plus heureux ». Je sais quand je suis heureuse. Cela me suffit pour ce que j'entreprends.

J'en arrive à une autre importante conclusion : le contraire du *bonheur* est le *malheur* et non la *dépression*. Celle-ci, un état grave qui demande des soins urgents, occupe une place à part. Étudier ses causes et ses remèdes n'entre pas dans le champ de mon projet.

Sachant qu'il m'est possible d'être plus heureuse et connaissant la signification du mot « bonheur », il me reste à trouver la façon d'y parvenir.

Vais-je découvrir le nouveau secret du bonheur ? Sans doute pas. Le bonheur a été étudié depuis des milliers d'années et les grandes vérités sur le sujet ont été émises par les esprits les plus brillants. Tout a été déjà dit et écrit. Les lois qui régissent le bonheur sont aussi immuables que celles de la physique.

Même si je n'ai pas établi ces lois, il me faut pourtant les affronter en personne. C'est comme faire un régime. On connaît tous la manière de maigrir – une meilleure diététique, manger moins, faire plus d'exercice – mais la difficulté réside dans l'application de ces règles. Je dois trouver une méthode pour appliquer mes idées à ma vie.

Benjamin Franklin est l'un des saints patrons de l'épanouissement personnel. Dans son *Autobiographie*, il décrit la façon dont il a établi sa Charte des Vertus comme faisant partie d'un « plan audacieux et ardu pour atteindre à la perfection morale ». Il a distingué treize vertus qu'il voulait cultiver : la tempérance, le silence, l'ordre, la résolution, la frugalité, le travail, la sincérité, la justice, la modération, la propreté, la tranquillité, la chasteté et l'humilité. Vertus qu'il avait affichées sur un tableau en regard des jours de la semaine. Quotidiennement, il évaluait son score.

Des chercheurs ont récemment souligné l'intérêt de dresser des tableaux. On progresse en effet plus vite quand les tâches à exécuter sont divisées en actions précises et mesurables, et donc facilement comptabilisables. De plus, des études sur le cerveau viennent de montrer que l'inconscient collabore activement à l'élaboration de nos jugements, motivations, impressions, sans pour autant que nous nous en rendions compte. Son fonctionnement est stimulé par « l'accessibilité » de l'information, c'est-à-dire par la facilité avec laquelle il la reçoit. L'information fraîche, récemment convoquée ou fréquemment utilisée, est plus aisée à récupérer et donc à stimuler. Ainsi, en me souvenant constamment des buts que je me fixe et de certaines de mes idées, je passe plus vite à l'action.

M'inspirant de mes nouvelles connaissances et de la méthode de Benjamin Franklin, je crée mon propre graphique : une sorte de calendrier sur lequel je noterai toutes mes résolutions et m'attribuerai chaque jour un bon ✓ ou un mauvais X point en face de chacune d'entre elles.

Avant d'établir la liste de mes résolutions, je cogite longuement : les treize vertus de Franklin ne correspondent pas aux changements que j'envisage. Par exemple, la propreté n'est pas un de mes problèmes (bon, c'est vrai que je pourrais utiliser du fil dentaire plus souvent !). Que dois-je donc faire pour être plus heureuse ?

D'abord, déterminer mes secteurs prioritaires, puis identifier des résolutions aussi concrètes que faciles à évaluer. De Sénèque à Martin Seligman, tous les auteurs soulignent le rôle de l'amitié. Bien sûr, j'ai envie de renforcer mes liens amicaux. Mais j'ai un autre problème : j'aimerais arriver à modifier certains de mes comportements. En plus, je veux être très précise afin de savoir ce que je suis capable de faire.

En passant en revue mes résolutions, je suis frappée par l'originalité de mon projet. Aux yeux de Franklin, la tempérance (ne pas se goinfrer, ne pas se saouler) ou le silence (moins de bavardage, de jeux de mots, d'histoires drôles) étaient importants. Pour d'autres, il faut commencer à faire de l'exercice, cesser de fumer, améliorer sa vie sexuelle, apprendre à nager, faire du volontariat... Je n'ai nul besoin de ce genre de résolutions. J'ai mes priorités personnelles qui, à l'évidence, ne sont pas celles de tout le monde.

Ainsi, une amie me demande :

— Tu ne vas pas commencer une thérapie ?

Je réponds, surprise :

— Mais non, tu crois que j'en ai besoin ?

— *Absolument.* C'est primordial. Seule une thérapie t'apprendra les racines de tes comportements. Ça ne t'intéresse pas de savoir *pourquoi* tu es ce que tu es et *pourquoi* tu as envie de changer de vie ?

Ces questions m'ont turlupinée un bon moment avant de décider qu'elles ne m'intéressaient pas. Suis-je superficielle ? Je sais que la thérapie a sauvé bien des gens ; moi, mes problèmes, je les ai sous les yeux. Et je veux trouver par moi-même la façon de les aborder.

Je désire me concentrer sur un problème par mois et les douze mois de l'année m'offrent douze cases à remplir. Ayant appris au cours de mes recherches que la vie en société était de la plus haute importance, je décide de m'occuper d'abord de trois sujets : Mari, Enfants, Amis. L'avenir étant un sujet majeur, j'ajoute à ma liste : Éternité et Comportement. Puis viennent naturellement trois autres priorités : Travail, Loisirs, Passion. Quoi d'autre ? L'Énergie, une composante majeure, me semble à la base de mon projet. Impossible d'éliminer l'Argent. Enfin, ignorant les problèmes que j'aurai à résoudre, j'ajoute Spiritualité. Décembre sera le mois où je tenterai de mettre en pratique parfaitement toutes mes résolutions – ce qui me donne douze catégories.

Mais par où débuter ? Quelle est la composante primordiale du bonheur ? Ne connaissant pas la réponse, je choisis l'Énergie. Un haut degré de dynamisme facilitera l'exécution de mes autres résolutions.

Ayant décidé de commencer mon Opération Bonheur en janvier, je complète mon graphique en ajoutant des douzaines de résolutions pour l'année à venir. Le premier mois, j'appliquerai mes résolutions de janvier ; en février, j'ajouterai un nouveau lot de résolutions, etc. En décembre, je m'évaluerai selon la réalisation des résolutions de toute l'année.

En peaufinant mes résolutions, d'étranges principes apparaissent et m'amènent, après bien des additions et des soustractions, à élaborer mes Douze Commandements :

MES DOUZE COMMANDEMENTS

1. Sois toi-même.
2. Laisse courir.
3. Fais comme si…
4. Ne remets rien à plus tard.
5. Sois aimable et juste.

6. Fais-toi plaisir avec ton Opération Bonheur.
7. Pas de petites économies.
8. Identifie les problèmes.
9. Relaxe-toi.
10. Fais ce qu'il faut.
11. Ne spécule pas.
12. Seul l'amour compte.

Ces Douze Commandements vont m'aider, j'en suis sûre, à ne pas oublier mes bonnes résolutions.

Une liste plus distrayante voit également le jour : les Secrets de l'Expérience. Ce sont les leçons que j'ai apprises, parfois avec difficulté, au fil des ans. Exemple ? J'ai mis des années à accepter que les médicaments sans ordonnance pouvaient soigner les maux de tête, mais c'est la vérité.

MES SECRETS DE L'EXPÉRIENCE

• En général, les erreurs passent plus ou moins inaperçues.
• Il n'est pas interdit de demander de l'aide.
• La plupart des décisions ne nécessitent pas de longues recherches.
• En agissant correctement, on se sent bien.
• L'important est d'être gentil avec *tout le monde*.
• Avoir toujours un chandail avec soi.
• Un peu chaque jour et l'on progresse beaucoup.
• De l'eau et du savon enlèvent un maximum de taches.
• Allumer puis éteindre son ordinateur plusieurs fois de suite règle souvent les pannes.
• Si un objet est introuvable, il est temps de faire du rangement.

- On peut choisir ce qu'on fait, mais pas ce qu'on *aime* faire.
- Être heureux n'apporte pas toujours le bonheur.
- Les tâches *quotidiennes* sont plus importantes que ce qu'on fait *de temps en temps*.
- On ne peut pas être bon en tout.
- Échouer montre qu'on a essayé.
- Les médicaments sans ordonnance sont parfaitement efficaces.
- Le mieux est l'ennemi du bien.
- Ce que d'autres trouvent amusant peut ne pas vous faire rire, et réciproquement.
- Mieux vaut acheter les cadeaux de mariage sur les listes.
- On ne change pas la nature de ses enfants en les tannant ou en les inscrivant à des tas de cours.
- Pas d'arrhes, pas de remboursement.

Je m'amuse bien en établissant les listes des Douze Commandements et des Secrets de l'Expérience. Pourtant, le cœur de mon Opération Bonheur réside toujours dans mes résolutions. Elles incarnent les changements que je désire apporter à mon existence. En prenant un peu de recul, je suis frappée par leur modicité. Ainsi, pour janvier, j'ai noté « Dormir plus tôt » et « M'attaquer à une corvée », ce qui n'a rien d'extraordinaire ni de particulièrement ambitieux.

Bien sûr, les Opérations Bonheur de Henry David Thoreau, qui s'installa dans une cabane sur un étang, et d'Elizabeth Gilbert, qui partit explorer l'Italie, l'Inde et l'Indonésie me fascinent. Partir de zéro, s'engager totalement, sauter dans l'inconnu – voilà qui m'enchante. Et la façon dont ces deux personnages ont rejeté leurs soucis quotidiens m'éblouit. Mais mon objectif à moi est différent. Je n'ai pas une âme d'aventurière et je ne cherche pas un changement radical. Heureusement, car, même si je le voulais, j'en serais bien incapable. Mère de famille pleinement responsable, j'ai du mal à m'échapper un week-end. Alors une année !

Plus important encore, je refuse de rejeter mon existence actuelle. Ce que je veux ? Changer ma vie sans tout bouleverser en trouvant mon bonheur à domicile. Je sais que je ne dénicherai pas le bonheur dans un lieu exotique ou dans des circonstances hors du commun. Il se trouve ici et maintenant, comme dans la pièce de théâtre *L'Oiseau bleu*, où deux enfants parcourent le monde à la recherche de l'Oiseau bleu du Bonheur et le découvrent en rentrant chez eux, où il les attend.

Cette Opération Bonheur inquiète mon entourage. À commencer par mon mari :

— Je ne comprends pas, attaque-t-il couché dans la chambre où il fait sa gymnastique, tu es déjà plutôt heureuse, non ? Si tu étais vraiment malheureuse, tout cela aurait un sens, mais ce n'est pas le cas.

Il marque une pause.

— Tu n'es pas malheureuse, n'est-ce pas ?

Je le rassure.

— Je *suis* heureuse.

Puis, j'ajoute, pour exhiber mon nouveau savoir :

— La plupart des gens sont plutôt heureux – une étude de 2006 montre que 84 % des Américains se considèrent comme « très heureux, » ou « assez heureux ». Dans quarante-cinq pays, les personnes interrogées se situent au niveau 7 sur une échelle du bonheur allant de 1 à 10. Dans un questionnaire que je viens de remplir mon score est de 3,95 sur une échelle de 1 à 5.

— Alors, si tu es heureuse, qu'est-ce que tu veux de plus ?

— Je suis heureuse mais je pourrais l'être encore plus. Ma vie est belle mais je ne l'apprécie pas suffisamment – je désire en tirer le maximum. Regarde, je me plains trop, je me fâche trop souvent alors que je devrais être reconnaissante de mon sort. Si j'étais plus heureuse, je serais plus cool.

— Tu crois vraiment que ton Opération Bonheur va changer quoi que ce soit ?

— Je verrai bien.

— Ouais !

Dans un cocktail, je rencontre un vieil ami qui se montre encore plus sceptique. J'en suis réduite à lui faire un véritable cours quand il me demande :

— Ton but est de voir si tu peux être plus heureuse, c'est bien ça ? Pourtant, tu n'es même pas déprimée.

— Tu as compris, je réponds, agrippée à mon verre de vin, à une serviette et à un mini-feuilleté à la saucisse tout en m'évertuant à paraître intelligente.

— Sans vouloir te vexer, à quoi cela va-t-il te mener ? Quel est l'intérêt d'étudier comment des gens ordinaires peuvent être plus heureux ?

Que lui répondre ? En lui disant qu'un des Secrets de l'Expérience c'est de ne jamais commencer une phrase par : « Sans vouloir te vexer » ?

— D'ailleurs, tu n'es pas quelqu'un d'ordinaire. Tu es cultivée, tu es une écrivaine reconnue, tu habites les beaux quartiers, ton mari a un bon job. Qu'as-tu de commun avec un habitant des Grandes Plaines du Midwest ?

— Je viens des Grandes Plaines du Midwest.

Il hausse les épaules.

— Il y a peu de chances que tes conseils leur apportent quoi que ce soit.

— Au contraire, je suis persuadée que l'expérience de gens différents apporte énormément.

— Tu auras beaucoup de mal à faire passer ton message.

— Je ferai de mon mieux.

Sur ce, je vais bavarder avec quelqu'un d'autre.

Ce type, tout en cherchant à me décourager, est à côté de la plaque. Il n'a pas vu le problème soulevé par ma démarche : N'est-ce pas un signe d'égoïsme que de faire autant d'efforts pour accéder au bonheur ?

Je réfléchis beaucoup à cette question. Finalement, je me rallie aux philosophes d'antan et aux savants d'aujourd'hui qui considèrent que la recherche du bonheur est une tâche noble. D'après Aristote : « Le bonheur est le sens et le but de la vie, l'aboutissement et la finalité de l'existence humaine. » Les dernières études montrent que les gens heureux sont plus altruistes, plus efficaces, plus secourables, plus attachants, plus créatifs, plus résistants, plus amicaux et en meilleure santé que les autres. Je veux être des leurs.

Je sais que je suis meilleure quand je suis heureuse. Plus patiente, plus tolérante, plus dynamique, plus souriante, plus généreuse, je peux en faire profiter les gens qui m'entourent et les rendre plus heureux à leur tour.

Et puis, j'ai une autre motivation. Je me lance dans mon Opération Bonheur pour être *prête* – mais ça, je m'en suis rendu compte plus tard. Car la chance peut tourner à tout moment. Une nuit, un coup de fil me réveillera et je sais même ce qu'on me dira. Je dois me préparer à affronter les épreuves en développant une autodiscipline et les réflexes adéquats. Voilà aussi l'un des buts de mon Opération Bonheur,

C'est quand tout va bien qu'il faut faire de l'exercice, être sympa avec sa famille, classer ses photos. Il ne faut pas attendre une crise majeure pour réorganiser sa vie.

1

Janvier : décupler son énergie

Le dynamisme

- Dormir plus tôt
- Bouger plus
- Jeter, ranger, organiser
- S'attaquer aux corvées
- Agir avec énergie

Comme 44 % des Américains, chaque nouvel an je prends des bonnes résolutions – et la plupart du temps je les abandonne assez rapidement. Combien de fois ai-je décidé de faire de la gym plus régulièrement, de manger plus sainement, de répondre sans délai à mes mails ? Cette année pourtant, comme mes résolutions font partie de mon Opération Bonheur, j'espère m'y tenir pour un bon moment. Afin d'inaugurer la nouvelle année en même temps que mon nouveau projet, je décide de me consacrer à l'art et la manière de décupler mon énergie. Car un dynamisme accru devrait m'aider à persévérer dans mes nouvelles décisions. Du moins c'est ce que je crois.

Les études montrent que, selon une logique harmonieuse, le fait d'être heureux augmente la vitalité et que cette vitalité facilite certaines activités – exercice physique, rapports sociaux – amplifiant ainsi l'aptitude au bonheur. Les études indiquent également que lorsqu'on se sent en pleine forme, le respect de soi croît. Se sentir fatigué, au contraire, fait tout paraître difficile. Une besogne qu'on trouve généralement amusante, comme décorer la maison pour Noël, prend des allures de corvée. Sans parler des tâches plus compliquées – intégrer un nouveau programme informatique, par exemple – qui deviennent alors accablantes.

Me sentir pleine d'énergie m'amène à adopter des comportements qui me rendent heureuse. Je prends le temps d'envoyer des mails aux grands-parents de mes filles en incluant le dernier bulletin de santé du pédiatre. Je reste calme quand Eliza renverse son verre de lait sur le tapis juste au moment où nous partons pour l'école. J'essaye de comprendre sans m'énerver pourquoi mon ordinateur se bloque. Je remplis posément et méthodiquement le lave-vaisselle.

Je choisis d'aborder les deux aspects de l'énergie : *physique* et *mental*.

En ce qui concerne l'énergie physique, deux obligations : dormir assez et se dépenser suffisamment. Bien sûr, je sais comme tout le monde que le sommeil et l'exercice sont nécessaires à une bonne santé. Ce que je découvre en plus me surprend : la poursuite du bonheur – un but qui semble à la fois complexe, élevé et indéfinissable – dépend de ces habitudes plutôt simples.

En ce qui concerne l'énergie mentale, je dois absolument m'occuper de mon appartement et de mon bureau, encombrés et désordonnés. Selon moi, l'ordre extérieur mène à la paix intérieure. Le plus important ? Supprimer les encombrements de toutes sortes, se débarrasser des choses à faire. Ah ! J'ajoute une dernière résolution à ma liste. À ce qu'il paraît, si on se conduit *comme si* on était blindé de dynamisme, on le *devient*. Je n'y crois qu'à moitié. Mais ça vaut la peine d'essayer.

Parlons d'abord de l'énergie corporelle.

Une amie séduisante, très versée dans les déclarations à l'emporte-pièce, m'a affirmé récemment : « Dormir, c'est comme faire l'amour. » Et l'autre soir, à un dîner, les convives ont décrit à tour de rôle et avec force détails la meilleure sieste de leur vie. Et cela sous les grognements approbateurs de l'assemblée.

Des millions de gens dorment moins que les 6 à 8 heures par nuit généralement recommandées par le corps médical. Or, d'après une étude, le manque de sommeil a une influence négative sur le comportement. C'est même l'une des deux principales causes de mauvaise humeur. L'autre ? Des délais de travail pas tenables. Une autre étude suggère que dormir une heure de plus par nuit a plus d'effets euphorisants qu'une augmentation annuelle de 60 000 dollars. Vrai ? Faux ? Quoi qu'il en soit, aux États-Unis un adulte dort en moyenne 6,9 heures par nuit pendant la semaine et 7,9 heures pendant le week-end – soit 20 % de moins qu'en 1900. Les gens s'adaptent à cette situation. Toutefois, on sait que le manque de sommeil diminue la mémoire, affaiblit le système immunitaire, ralentit le métabolisme et, selon certains spécialistes, pourrait même favoriser la prise de poids.

Ma nouvelle résolution n'a vraiment rien de renversant : *j'éteins seulement la lumière.* Au lieu de lire, de regarder la télé, de classer des papiers, comme je le faisais auparavant.

Je dis ça mais pourtant, au début de mon Opération Bonheur, il m'arrive d'hésiter entre me mettre au lit et regarder un DVD avec mon mari, alors que je tombe presque de fatigue sur les draps de ma fille Eliza en la bordant. Dilemme. D'un côté, j'ai envie de passer du temps en compagnie de mon mari, j'aime le cinéma et aller au lit à 21 h 30 semble ridicule. En plus, je sais par expérience qu'une fois que je commence à regarder un film, je me réveille. De l'autre, je suis crevée. Au fait, j'aimerais bien savoir pourquoi aller se coucher paraît parfois plus fatigant que de veiller ? La faute à l'inertie, j'imagine. À laquelle s'ajoutent toutes les petites corvées de l'avant-dodo : retirer mes lentilles de contact, me brosser les dents, me démaquiller. Mais une décision est une décision. Donc, ce soir-là, je me couche de bonne heure. Après huit heures de sommeil, je me réveille à 5 h 30. Résultat ? En plus d'une bonne nuit, j'ai la possibilité de faire des choses tranquillement pendant que ma petite famille dort toujours.

Comme je suis devenue une vraie Madame Je-sais-tout, le coup de fil de ma sœur, qui se plaint d'insomnie, m'enchante. Précisons qu'Elizabeth a cinq ans de moins que moi, mais que généralement c'est moi qui lui demande conseil.

— Impossible de dormir, gémit-elle. J'ai déjà laissé tomber la caféine. Qu'est-ce que je peux faire d'autre ?

— Plein de trucs, je réponds, ravie de lui débiter le fruit de mes recherches. D'abord, avant de te coucher, évite les occupations qui demandent trop de réflexion. Fais en sorte que ta chambre soit fraîche, limite froide. Exécute quelques exercices d'étirement. Et aussi, très important, baisse la lumière pendant tes préparatifs de nuit. Également : quand tu éteins avant de dormir, il faut que ta chambre soit vraiment dans l'obscurité. Comme une chambre d'hôtel.

— Tu crois que ça va m'aider ?

— C'est ce qu'affirment bon nombre d'études sur la question.

J'ai essayé tout ce que je viens de lui dire. La plus difficile de toutes ces recommandations ? Plonger la chambre à coucher dans une obscurité totale. Curieux, non ?

— Qu'est-ce que tu *fabriques* ? me demande mon mari, un soir, pendant que je m'active dans notre chambre.

— J'essaie de faire le noir total. J'ai lu quelque part que même les chiffres lumineux d'un réveil digital sont susceptibles de déranger le sommeil. Avec nos BlackBerry, notre ordinateur, le modem et tous les bidules qui clignotent ou brillent dans notre chambre, on se croirait dans le laboratoire d'un savant fou.

— Ah bon !

Sur cette exclamation laconique, mon mari m'aide tout de même à empiler des choses sur une des tables de nuit histoire de faire écran aux chiffres lumineux de notre réveil.

Ces modifications ont l'air de marcher. Je m'endors plus facilement, mais mon sommeil reste perturbé : je me réveille au milieu de la nuit, généralement à 3 h 18 précises, et suis incapable de me rendormir. Pour lutter contre cette insomnie, je mets au point tout un arsenal d'astuces. Je respire profondément et calmement jusqu'à n'en plus pouvoir. Si je suis préoccupée par un emploi du temps chargé le lendemain, je rédige une liste des choses à faire. Enfin, puisqu'il est dit qu'avoir froid aux pieds (signe d'une circulation sanguine ralentie) tient éveillé, j'enfile des chaussettes de laine. Pas très sexy, d'accord, mais drôlement efficace.

Deux éléments forts de ma stratégie Sommeil sont issus de mes propres cogitations. Premièrement, je me prépare pour aller au lit bien avant l'heure. Auparavant, la simple idée de devoir retirer mes lentilles de contact me fatiguait et donc je repoussais ce moment le plus tard possible. Jusqu'à ce que je découvre que mettre mes lunettes avait le même effet que poser une couverture sur la cage d'un perroquet. Deuxièmement, si je me réveille au milieu de la nuit, je me persuade que je viens juste d'arrêter la sonnerie de mon réveil et que dans deux minutes il va falloir que je me lève pour commencer ma journée. La plupart du temps cette perspective est suffisamment épuisante pour me renvoyer dans les bras de Morphée.

Parfois, j'abandonne et avale un comprimé pour dormir.

Après une dizaine de nuits plus longues, je sens une réelle différence. Bien sûr, je dois encore me forcer à aller au lit dès que le sommeil me gagne. C'est que les dernières heures de la soirée sont précieuses : le boulot est terminé, mon mari est là, les filles dorment. Le temps m'appartient. Seul un coup d'œil sur ma Liste de Bonnes Résolutions parvient à m'empêcher de veiller jusqu'à minuit.

BOUGER PLUS

Un nombre incroyable d'expériences montrent que faire de l'exercice est excellent. Les gens qui bougent sont en meilleure santé, leur cerveau fonctionne bien et ils dorment mieux. Bonus non négligeable : il semblerait que la démence sénile les atteigne plus tard. Faire de l'exercice régulièrement accroît le niveau d'énergie. Bien que certaines personnes affirment que l'exercice physique fatigue, c'est en fait le contraire qui se produit, surtout chez les sujets sédentaires. Une étude récente montre que 25 % d'Américains ne font jamais d'exercice. En s'adonnant à une activité physique vingt minutes par jour, trois jours par semaine, pendant six semaines, les individus chroniquement fatigués voient leur dynamisme décuplé.

Même si elle est au courant de ces bienfaits, la pantouflarde patentée trouvera difficile de devenir une folle de gym. Il y a des années, je suis arrivée à faire de l'exercice régulièrement, mais, croyez-moi, la transformation ne s'est pas faite sans douleur. Moi, mon idée du fun consiste à lire au lit. Avec, de préférence, un petit quelque chose à grignoter.

Au cours de ma première année de pension, j'ai voulu changer le papier peint à grosses fleurs de ma chambre, que je trouvais indigne des goûts sophistiqués de l'élève de quatorze ans que j'étais. J'ai donc mis par écrit mes arguments et donné ma lettre à mes parents. Après l'avoir lue, mon père m'a dit :

« D'accord, nous allons refaire ta chambre. Mais en échange tu vas devoir faire quelque chose. Vingt minutes quatre fois par semaine.

— Faire quoi ? ai-je demandé avec méfiance.

— C'est ça ou rien. Vingt minutes. C'est possible, non ?

— OK. Mais je dois faire quoi ?

— Courir », a répondu mon père.

Mon père, lui-même adepte convaincu de la course à pied, ne m'a pas précisé la vitesse à laquelle je devais courir. Il ne m'a jamais surveillée pour savoir si mon jogging durait bien les vingt minutes prescrites. Tout ce qu'il voulait, c'était que j'enfile mes chaussures et que je sorte. Grâce à lui, j'ai pris l'habitude de courir. En fait, je trouvais que faire de l'*exercice*, c'était sympa. C'était le *sport* que je n'aimais pas.

L'approche de mon père aurait pu tout aussi bien échouer. Quand ils sont poussés par une *motivation extrinsèque*, les gens agissent soit pour être récompensés, soit pour éviter d'être punis. Poussés par une *motivation intrinsèque*, ils agissent pour leur propre satisfaction. Si on les récompense, ils ne voient plus l'aspect « plaisir » de leur activité et la confondent bientôt avec du travail. On avertit les parents de ne pas donner de récompense à leurs enfants quand ces derniers lisent car cela enlève toute notion de plaisir. En me donnant une motivation extrinsèque, mon père prenait le risque de miner mon désir personnel de faire de l'exercice. Mais heureusement, dans mon cas, la motivation extrinsèque a déclenché une motivation intrinsèque.

Depuis la rénovation de ma chambre de pensionnaire, je fais régulièrement de l'exercice. Je ne me force jamais mais je sors plusieurs fois par semaine. Pendant un long moment, j'ai songé à passer au stade supérieur. Soulever des poids augmente la masse musculaire et la résistance des os, renforce le cœur et – le plus important à mes yeux – améliore la silhouette. En vieillissant, les personnes qui travaillent avec des haltères gardent leurs muscles et évitent la graisse. J'ai essayé de soulever des poids, à maintes reprises, mais sans jamais persévérer. Désormais, dans le cadre de mon plan « Bouger plus », il est temps de m'y remettre.

« Quand l'élève est prêt, le maître apparaît. » Curieusement, il y a du vrai dans ce proverbe bouddhiste. Juste après avoir lancé mon plan « Bouger plus », je prends un café avec une copine. En bavardant, elle mentionne avec enthousiasme le programme d'exercices d'haltères qu'elle vient de commencer. Il se trouve que la salle de gym est à côté de chez moi.

— Je n'ai pas envie de travailler avec un coach, fais-je remarquer. C'est un caprice de fille pourrie-gâtée. En plus, ça coûte une fortune. Je préfère faire de l'exercice toute seule.

— Essaye. Je t'assure, c'est super. Et vraiment efficace. La séance ne dure que vingt minutes. Et puis, écoute ça, tu ne *transpires* pas. Pas besoin de te doucher après.

Un point pour elle car je n'aime pas les douches. Pourtant, j'objecte :

— Mais comment vingt minutes de gym sans transpirer peuvent être profitables ?

— Tu soulèves des poids aussi lourds que tu peux. Et tu fais un seul cycle d'exercices, sans répétition. Crois-moi, ça marche. Moi, j'adore.

Dans son livre *Et si le bonheur vous tombait dessus*, Daniel Todd Gilbert décrète que la meilleure façon de savoir si on va aimer telle ou telle activité est de demander à une personne qui pratique cette activité si elle en est satisfaite. Si oui, il y a toutes les chances qu'on le soit également. D'après cette théorie, l'emballement de ma copine m'indique que je vais, moi aussi, être séduite par ce programme de gym. Et en plus, je viens de m'en souvenir, un de mes Secrets de l'Expérience stipule que « la plupart des décisions ne nécessitent pas de longues recherches ».

Donc, je prends rendez-vous pour le lendemain. Une séance suffit à me transformer en adepte convaincue. Le coach est génial. Je trouve l'atmosphère de cette salle bien plus sympa que d'autres – pas de musique, pas de miroirs, pas trop de monde, pas d'attente. Avant de partir, je prends un abonnement de vingt-quatre séances à un tarif spécial. Et, au bout d'un mois, je réussis à persuader Jamie et ma belle-mère des bienfaits de ce programme.

Un seul détail négatif : la dépense. Comme je le fais remarquer à mon mari :

— Tu ne trouves pas que c'est un peu cher payé pour vingt minutes d'exercices ?

— Tu ne t'en rends pas compte mais c'est du concentré, répond-il.

Il a raison.

En plus de ces cours, je décide de marcher davantage. D'après différentes études, marcher régulièrement aide le corps à se relaxer et réduit le stress. Une marche énergique de seulement dix minutes augmente l'énergie et améliore l'humeur. Rien de mieux pour la forme. J'ai également lu que pour améliorer notre bien-être, on doit faire 10 000 pas par jour. C'est aussi un moyen d'éviter de grossir.

Comme je vis à New York, j'ai l'impression de parcourir au moins un kilomètre et demi par jour. Une vérification s'impose. J'achète un podomètre que j'accroche à ma ceinture. Au bout d'une semaine, je fais le bilan suivant : les jours où je marche vraiment, en accompagnant Eliza à l'école *et* en me rendant à la salle de gym, j'atteins facilement les 10 000 pas. Les jours où je tournicote à proximité de mon domicile, j'en fais seulement 3 000.

Intéressant, non ? Je découvre également que le seul fait d'être équipée d'un podomètre me pousse à marcher plus. L'une de mes pires qualités ? Mon besoin insatiable de *reconnaissance*. Je veux toujours gagner un bon point, être inscrite au tableau d'honneur. Un soir en rentrant très tard d'une fête (c'était pendant mes années d'université), j'ai fait à ma mère la surprise de ranger la cuisine de fond en comble. Le lendemain matin, en découvrant sa cuisine impeccable, elle s'est exclamée : « Qui est la merveilleuse fée du logis qui s'est activée cette nuit ? » Vingt ans après je me souviens de son air ravi. J'avais gagné un bon point. Et depuis, j'en veux toujours plus.

Ce trait de caractère plutôt négatif s'avère finalement positif. Plus le podomètre me récompense de mes efforts, plus je veux en faire. Un matin, alors que je m'apprête à prendre le métro pour aller chez le dentiste, une idée me traverse l'esprit. Aller à pied jusqu'à son cabinet ne sera pas plus long, me dis-je. En plus, je vais gagner des bons points. Sans parler de l'« effet Hawthorne ». Selon l'inventeur de cette notion, quand les gens font l'objet d'une étude, ils améliorent leurs performances, uniquement parce qu'on leur prête attention. Dans ce cas, je suis le cobaye de ma propre expérience.

Autre avantage : la marche aide à réfléchir. D'après Nietzsche, « toutes les grandes idées sont nées au cours d'une promenade ». Cette remarque est appuyée par des observations scientifiques. Apparemment, l'exercice physique libère certaines substances chimiques du cerveau qui aident à penser plus clairement, tout en redonnant du tonus. Combien de fois ai-je quitté mon bureau en me sentant coupable pour finalement m'apercevoir qu'un petit tour dans le quartier m'aidait à trouver enfin ce qui m'avait échappé quand j'étais studieusement penchée sur mon ordinateur !

JETER, RANGER, ORGANISER

Le désordre de mon appartement m'épuise. Dès l'instant où j'entre chez moi, j'éprouve le besoin de mettre les vêtements qui traînent dans le panier à linge et de rassembler les jouets éparpillés. Je ne suis pas la seule à lutter contre le foutoir ambiant. Signe que la plupart des gens trouvent ingérable la multiplication de leurs biens domestiques ? Aux États-Unis, le nombre des garde-meubles a pratiquement doublé en dix ans. D'après un rapport, l'élimination du fatras réduirait les tâches ménagères de 40 %.

Faire du rangement la priorité de mon Opération Bonheur peut sembler un peu réducteur, comme si le but numéro un de ma vie était d'organiser mon tiroir à chaussettes. Mais j'ai une envie furieuse d'ordre et de sérénité, ce qui dans la vie quotidienne d'un foyer se traduit par des manteaux dûment accrochés dans le placard et une ample réserve de papier-toilette.

Invisible mais encore plus exaspérante, ma propension à la négligence, qui mène à un certain désordre psychique. J'ai dans la tête une immense liste de tâches nombreuses et variées dont la seule évocation me rend coupable. Il faut que je nettoie les détritus qui m'encombrent l'esprit.

Mais d'abord, ce qui se voit. À ce propos, je découvre un fait surprenant. Les psychologues et les chercheurs qui ont planché sur le bonheur ne parlent jamais du désordre. Il ne figure pas parmi les facteurs qui s'opposent au bonheur et son élimination est absente des stratégies qui y conduisent. Les philosophes l'ignorent aussi, à l'exception de Samuel Johnson, connu pour avoir une opinion sur à peu près tous les sujets et qui a un jour remarqué : « Il n'y a pas d'argent mieux dépensé que celui déboursé à des fins de confort domestique. »

Par contraste, dans la culture populaire, le désordre est un sujet souvent abordé. Pour la plupart des gens, nettoyer leur foyer par le vide contribue au bonheur. Ils déboursent d'ailleurs à des fins de confort domestique en achetant des magazines, en consultant des blogs, en recourant à des spécialistes du rangement ou en pratiquant le feng shui en amateur. Apparemment, d'autres personnes, dont je fais partie, pensent que l'environnement physique a une influence réelle sur leur bonheur spirituel.

Exemple : ma chambre à coucher. Murs vert pâle, dessus-de-lit et rideaux en tissu imprimé de petites roses et de feuilles. D'où une ambiance reposante et accueillante, gâchée par les piles de papiers entassées n'importe comment sur une table et par terre, ou dans les coins. Des monceaux de livres couvrent toutes les surfaces planes. Des CD, DVD, chargeurs de téléphone, câbles d'ordinateur, pièces de monnaie, cartes de visite professionnelles, brochures en tout genre sont dispersés au petit bonheur. Tous ces objets à conserver, à l'utilité indéterminée ou inutiles devraient être soit rangés, soit donnés, ou encore jetés.

En contemplant l'immensité de la tâche qui m'attend, j'invoque le Dixième Commandement de ma liste : « Fais ce qu'il faut. » Il résume un certain nombre de conseils reçus de ma mère au fil des années. À vrai dire, j'ai tendance à me laisser submerger par les tâches importantes et essaie souvent, pour me simplifier la vie, d'aller au plus pressé dans le domaine matériel.

Quand, récemment, nous avons déménagé, la panique m'a saisie à l'idée de tout ce qu'il y avait à faire. Quelle compagnie de déménagement appeler ? Ou acheter les cartons ? Nos meubles allaient-ils entrer dans le minuscule ascenseur de service de notre nouvel immeuble ? J'étais paralysée. Ma mère, avec son sens pratique habituel et son attitude sereine, m'a rappelé que je devais seulement faire ce qu'il fallait. « Ça ne sera pas si difficile que ça », m'a-t-elle expliqué quand je lui ai téléphoné pour entendre ses encouragements. « Fais une liste, avance un peu chaque jour et *ne perds pas ton calme.* »

J'ai toujours su, grâce à ma mère, que rien n'était insurmontable. Que ce soit passer l'examen du barreau, écrire des mots de remerciement, avoir un enfant, donner à nettoyer nos tapis ou vérifier les tonnes de notes de bas de page de ma biographie de Winston Churchill ; il suffit de faire ce qu'il faut, petit à petit.

L'inspection de mon appartement révèle que mon *bazar* prend des formes aussi nombreuses que variées.

Premièrement, il y a le *bazar nostalgique* fait de reliques auxquelles je suis attachée depuis toujours. Ai-je absolument besoin de garder la grande boîte contenant le matériel du séminaire « Les règles du business à la télévision » que j'ai animé il y a des années ?

Vient ensuite le *bazar de conservation*, qui consiste en choses que je garde précieusement parce qu'elles peuvent servir un jour – même si je sais que ça ne sera pas le cas. Les vingt-deux pots de fleurs vides que j'ai mis de côté ont-ils une réelle utilité ?

Un autre genre de bazar que je vois fréquemment chez les autres sans l'avoir chez moi est le *bazar spécial bonnes affaires* qui résulte de choses achetées sous le seul prétexte qu'elles sont en solde. Mon appartement, en revanche, abrite un vaste échantillonnage de ce que j'appellerai le *bazar recyclage*, proche cousin du précédent et composé de cadeaux et d'objets qu'on m'a refilés et dont je n'ai pas de véritable usage. Dernièrement, ma belle-mère m'a demandé si j'étais intéressée par deux lampes de chevet dont elle voulait se débarrasser.

— Bien sûr, ai-je répondu machinalement. Elles sont bien, ces lampes !

Quelques jours plus tard, j'ai changé d'avis. Les abat-jour n'allaient pas, la couleur ne convenait pas et je n'avais pas d'endroit où les poser.

— Merci beaucoup, lui ai-je dit, mais finalement nous n'avons pas besoin des lampes.

J'avais échappé de justesse à une extension de mon *bazar recyclage*.

J'ai aussi un problème avec le *bazar mochetés*, composé, lui, de vêtements que je porte tout en sachant que je ferais mieux de m'abstenir. Comme cet affreux sweat-shirt vert acheté d'occasion il y a plus de dix ans ou ces vieux sous-vêtements sans forme. Le genre d'horreurs qui mettent ma mère hors d'elle. « Pourquoi tu ne jettes pas *ça* ? » s'exclame-t-elle. Elle est toujours tirée à quatre épingles alors que je traîne volontiers, jour après jour, en pantalon de yoga et tee-shirt blanc miteux.

Le *bazar on verra ça plus tard* m'oppresse particulièrement. Il s'agit de choses neuves jamais utilisées malgré l'envie que j'en ai. Citons, entre autres : un pistolet à colle au mode d'emploi quasi incompréhensible, des couverts de service en argent reçus en cadeau de mariage dont la spécificité reste mystérieuse, une paire d'escarpins beiges à talons vertigineux. Son contraire n'est autre que le *bazar ringard*. En fouillant dans un tiroir, je découvre des boîtes et des boîtes à diapositives que je garde sans raison vu que je suis passée depuis un bon moment au numérique.

Et, pour finir, le plus déplaisant : le *bazar des remords*. Je m'explique : plutôt que d'admettre avoir fait un achat désastreux, je l'enfouis au fond d'un placard. Le fait de l'exiler loin de ma vue me donne l'impression, au bout d'un long moment, qu'il a été très utilisé. Deux exemples me viennent à l'esprit : un sac en toile que j'ai porté seulement une fois depuis son acquisition voilà deux ans et un pantalon blanc ridiculement fragile.

Après ce tour d'horizon, je cible directement le cœur du problème : mon placard. Comme plier m'ennuie prodigieusement, des tours vacillantes de chemisiers et de pulls envahissent les étagères. Les tringles ploient sous le nombre de vêtements suspendus en rangs si serrés que je dois me frayer un passage dans un amas de coton et de laine pour parvenir à en extirper un. Sans parler des tiroirs tellement bourrés de chaussettes et de tee-shirts qu'il est impossible de les fermer sans forcer. C'est là, précisément, que je vais commencer mon travail d'élagage.

Pour ne pas me laisser distraire, j'envoie mon mari et les filles rendre visite à mes beaux-parents pour la journée. Une fois la porte de l'ascenseur refermée sur ma petite famille, je démarre.

J'ai lu quelque part qu'il était judicieux d'investir dans une tringle supplémentaire, dans des boîtes de rangement en plastique à glisser sous le lit ou des cintres multipinces qui peuvent tenir jusqu'à quatre pantalons. En ce qui me concerne, un seul accessoire s'avère indispensable : un sac-poubelle grand format. Ou plutôt deux. L'un pour les affaires à jeter, l'autre pour celles à donner.

D'abord, je me débarrasse de tout ce qui est immettable. Adieu, vieux pantalons de yoga avachis ! Ensuite, je m'attaque à ce qui ne me va vraiment pas. Adieu, le pull gris qui découvre largement mon nombril ! Après quoi, la mise à mort devient plus difficile. J'aime bien ce pantalon marron mais je n'ai pas les chaussures qui vont avec. J'aime cette robe mais je n'ai pas l'occasion de la porter. Je me force à imaginer l'usage de chaque vêtement. Quand son avenir me semble hasardeux, adieu !

Évidemment, j'ai mon petit code personnel. Ainsi, quand je pense : « Pourquoi ne pas porter ça ? », cela veut dire que je ne le porterai sans doute pas. « Je l'ai déjà porté » signifie que je l'ai porté deux fois en cinq ans. « Je pourrais le porter un jour » équivaut à « je ne le porterai jamais ».

Une fois la première partie terminée, je commence un second élagage. Pour finir, je remplis quatre grands sacs-poubelle. Après quoi je peux enfin apercevoir par endroits le fond de mon placard. Je ne suis plus fatiguée, mais grisée. Plus de confrontations avec mes erreurs de shopping ! Plus de plongées exténuantes – et parfois vaines – à la recherche d'une certaine chemise blanche à col boutonné !

Et pourquoi ne pas essayer de continuer, tant que j'y suis ? J'ai tout un arsenal d'astuces à ma disposition. Trente cintres de trop ? Je les enlève presque tous, ce qui dégage un maximum d'espace. Pareil pour les sacs des magasins, que je collectionne sans raison depuis des années. L'énergie me galvanise. Après les vêtements suspendus, j'attaque dans la foulée le contenu des tiroirs. Au lieu d'aller à la pêche en vue d'éliminer quelques articles, je vide systématiquement chacun d'eux de son contenu et n'y remets que ce que je porte vraiment.

En examinant mon placard nouvellement allégé, je jubile. Plein de place. Plus de culpabilité. Le lendemain, j'annonce à mon mari en train de regarder le sport à la télé :

— Ce soir, on va faire un truc vraiment sympa.

— Quoi, dit-il méfiant, la télécommande en main.

— Nous allons ranger ton placard et tes tiroirs.

— Oh, d'accord ! fait-il, ravi, en éteignant la télé.

J'aurais dû m'en douter. Jamie adore l'ordre.

— Mais je te préviens, ajoute-t-il, il n'y a pas beaucoup à enlever. Je porte régulièrement la plupart des mes affaires.

— Bien sûr, dis-je gentiment.

Et je pense : « Ça, on verra. »

S'occuper de son placard est une partie de plaisir. Il reste assis sur le lit tandis que je retire les cintres deux par deux. Beaucoup moins hésitant que moi, il baisse ou lève le pouce selon qu'il veut envoyer le vêtement dans le sac-poubelle ou le garder. Seul objet de tergiversation : un pantalon qu'il prétend n'avoir jamais vu de sa vie. Pour finir, les vêtements dont il se débarrasse tiennent dans un grand sac.

Dans les semaines qui suivent, alors que je m'habitue à mon placard à moitié vide, je me fais la réflexion suivante : tout en ayant beaucoup moins de vêtements, j'ai l'impression d'avoir *plus* de choses à me mettre. Un paradoxe qui s'explique aisément : mon placard ne comporte désormais que des affaires que je porterai un jour ou l'autre.

Autre constatation : j'aime avoir moins de vêtements. Car, contrairement à ce qu'imaginent la plupart des gens, un trop grand choix peut être source de découragement. La surabondance paralyse, plutôt qu'elle ne satisfait. Et pas seulement pour les vêtements. Que ce soit dans une épicerie, devant un rayon proposant deux douzaines de confitures différentes ou chez le banquier qui leur présente différentes sortes d'investissements, les gens choisissent arbitrairement ou s'en vont sans avoir rien sélectionné plutôt que de se donner la peine de faire un choix raisonné. Et moi, j'éprouve plus de satisfaction à me décider entre deux pantalons noirs que j'aime plutôt qu'à choisir entre cinq pantalons noirs parmi lesquels se trouvent trois modèles inconfortables ou passés de mode – sans parler du vague remords qui m'étreint parce que je ne les porte jamais.

Comment prévoir qu'une besogne aussi banale me donnerait un tel coup de fouet ? Voilà que j'en redemande. Lors d'une « *baby shower* », cette traditionnelle réunion organisée par un groupe de copines pour une amie enceinte afin de lui donner en avance des cadeaux de naissance, je sollicite de l'assistance de nouvelles stratégies de rangement.

— Concentre-toi sur les zones de délestage, me conseille une amie. Tu sais, la table de salle à manger, le comptoir de la cuisine et tous les endroits où les membres de la famille déversent leurs trucs.

— Je vois. Notre principale zone de délestage est une chaise de notre chambre. Personne ne s'assied jamais dessus mais tout le monde y empile des fringues et des magazines.

— Le foutoir attire le foutoir. Si tu désencombres un endroit, il y a des chances qu'il reste dégagé, poursuit-elle. Autre chose : quand tu achètes un appareil, mets le câble, la notice et tout ce qui s'y rapporte dans un sac de congélation en plastique transparent et note sur l'étiquette de quoi il s'agit. Tu évites ainsi l'enchevêtrement de câbles indéfinissables fourrés dans un tiroir. En plus, le jour où tu fiches en l'air l'appareil, tu te débarrasses aussi du matériel annexe.

— Essaye le « déménagement virtuel », suggère une autre amie. Tu te promènes dans ton appartement en te demandant : « Si je déménageais, j'emballerais ça ou je m'en débarrasserais ? » Je l'ai fait, et ça marche.

— Moi, j'ai une règle. Je ne conserve *jamais* quelque chose pour des raisons sentimentales, s'exclame une autre. À moins de l'utiliser régulièrement.

Tous ces conseils sont utiles, mais le dernier est trop draconien à mes yeux. Par exemple, je ne jetterai jamais le tee-shirt marqué « Un juge ne se repose jamais » que je portais au cours d'aérobic que je suivais avec une juge à la Cour suprême pour laquelle je travaillais – et pourtant il n'a jamais été à ma taille. Ni la minuscule grenouillère que notre première-née, Eliza, portait au retour de la maternité. (Au moins ces souvenirs ne prennent pas de place. Une de mes amies conserve douze raquettes datant de l'époque où elle jouait dans l'équipe de tennis de son université.)

Un jour, avec une de mes anciennes copines de fac venue me rendre visite à New York, nous devenons lyriques sur les vertus du rangement et de la réorganisation :

— Quoi de plus gratifiant que de mettre de l'ordre dans une armoire à pharmacie ? dis-je, enthousiaste. Rien !

— Non, rien, acquiesce-t-elle.

Et elle ajoute :

— Tu sais, je garde une étagère vide.

— C'est-à-dire ?

— Une étagère vide, à la maison, complètement vide. Je bourre au maximum les autres étagères mais j'en garde une sans rien.

Quelle poésie dans cette résolution ! Une étagère vide ! Quand je pense qu'elle a trois enfants. Une étagère vide sous-entend de multiples possibilités. Une expansion éventuelle. Ou le luxe de garder de l'espace juste pour le plaisir et l'élégance du geste. Moi aussi, je veux une étagère vide. Donc je me précipite chez moi, j'ouvre la porte du placard de l'entrée et dégage une étagère. D'accord, c'est une petite étagère. Mais elle est vide. Quel bonheur !

J'inspecte mon appartement. Et rien, absolument rien, ne résiste à mon regard scrutateur. L'incroyable accumulation des babioles des filles m'exaspère depuis longtemps. Mini-balles lumineuses, minuscules lampes torches, petits animaux en plastique : leur fourbi est partout. Elles adorent ce bric-à-brac et veulent le garder. Mais où le ranger ? Où est sa place ?

Mon Huitième Commandement stipule : « Identifie les problèmes. » Il m'arrive souvent de m'accommoder d'un problème pendant des années pour la seule et unique raison que je n'examine pas sa nature et que, par conséquent, je ne peux le résoudre. Or, déterminer clairement un problème apporte souvent une solution. Par exemple, je déteste suspendre mon manteau, donc je le laisse généralement sur le dossier d'une chaise.

Identifier le problème : Pourquoi je ne suspends jamais mon manteau dans le placard ?

Réponse : Parce que je n'aime pas manipuler les cintres.

Solution : Suspends-le au crochet qui se trouve à l'intérieur de la porte du placard.

Quand je me pose la question : « Quel est le problème avec les bidules des filles ? », la réponse est : « Eliza et Eleanor tiennent à ces babioles mais je n'ai pas d'endroit où les mettre. » Bingo ! La solution apparaît immédiatement. Le lendemain, dans un magasin spécialisé, j'achète cinq grandes boîtes en plastique. Ensuite, je passe l'appartement au peigne fin et fourre dans ces boîtes tous ces joujoux qui traînent un peu partout. Opération réussie ! J'ai rempli cinq boîtes. En plus, j'ai le plaisir de découvrir qu'elles sont colorées, gaies, attrayantes et ont un effet décoratif sur l'étagère. Ma solution est à la fois pratique et esthétique.

De manière inattendue – et agréable –, la mise en ordre systématique de l'appartement règle la question des « quatre thermomètres ». Explication : comme je ne peux jamais dénicher le thermomètre quand j'en ai besoin, je n'arrête pas d'en acheter. Résultat, je découvre, une fois mon Opération Rangement terminée, que ma famille se trouve en possession de quatre thermomètres. (Au fait, je ne les utilise pratiquement jamais puisqu'il me suffit de toucher le cou de mes filles pour savoir si elles ont de la fièvre.) Dans les Secrets de l'Expérience, je dis que si un objet est introuvable il est temps de faire du rangement. Je découvre à ce propos que, même s'il semble plus facile de mettre les objets dans des espaces « généraux » – les tiroirs de la cuisine, le placard à manteaux –, il est plus satisfaisant de les ranger dans des endroits spécifiques. Un de mes grands plaisirs dans la vie est de replacer un objet à l'endroit adéquat. Poser le cirage sur la seconde étagère du placard à linge me donne l'euphorie qu'éprouve le tireur à l'arc quand sa flèche se fiche en plein dans le mille.

Je trouve aussi quelques principes quotidiens qui m'aident à maintenir mon appartement en ordre. D'abord, suivant le Quatrième Commandement « Ne remets rien à plus tard », j'applique la règle « À faire immédiatement ». Je ne diffère aucune action qui peut être effectuée dans la minute. Je range mon parapluie dès que je franchis la porte, je remplis les formulaires sur-le-champ, je colle les journaux dans la poubelle des papiers après les avoir lus, je referme tiroirs et placards sans attendre. Ces petits gestes ne prennent que quelques minutes par jour mais une fois additionnés, leur impact est impressionnant.

La règle « À faire immédiatement » s'accompagne de la mesure « Ranger chaque soir », c'est-à-dire dix minutes avant d'aller au lit. Ranger le soir garantit des matins sereins. Bénéfice supplémentaire : cela m'aide à m'endormir. Le rangement me calme. En outre, une tâche physique me fait prendre conscience de ma fatigue. Si je lis sous la couette pendant une heure avant d'éteindre, je n'éprouve pas le même plaisir à m'étirer confortablement dans mes draps.

Après l'élagage des placards, je commence à m'occuper de ce qui est visible. Par exemple : impossible d'empiler proprement les nombreux magazines et revues auxquels nous sommes abonnés. Je fais donc le vide dans un tiroir pour les y camoufler. Désormais les magazines sont hors de notre vue mais à portée de main quand nous voulons les lire. Les invitations, mots de l'école et autres paperasses affichés sur un panneau se trouvent maintenant dans un dossier étiqueté « Invitations et communications diverses ». Mieux classés qu'avant ? Non. Mais voilà au moins une autre source de chaos visuel qui se trouve éliminée.

Avant d'entreprendre ces rangements, la tâche me semblait gigantesque – et elle s'est avérée gigantesque. Maintenant, chaque fois que je regarde cette oasis d'ordre qu'est devenu mon appartement, je ressens un surcroît d'énergie. Je suis enchantée par l'amélioration apportée et j'aimerais que mon mari manifeste son approbation par un : « Formidable ! Quel travail ! Et quel résultat ! » Mais non, il ne dit rien. Je suis un peu déçue de ne pas être récompensée comme je l'aimerais mais, en revanche, il ne se plaint pas d'être obligé de trimbaler deux cent cinquante kilos d'affaires de notre appartement à la boutique Emmaüs locale. Tant pis s'il n'apprécie pas mon travail à sa juste valeur. Moi, je me sens revigorée et en pleine forme.

Les tâches laissées en plan minent mon dynamisme et me culpabilisent. Je suis nulle parce que je n'ai pas offert de cadeau de mariage à une copine. Je suis une adulte irresponsable parce que je n'ai jamais fait contrôler ma peau par un dermatologue (rousse au teint clair, j'ai une peau à risques). Je suis une mauvaise mère parce que Eleanor, notre toute petite, a besoin de nouvelles chaussures. À cause de tout ce que je repousse à plus tard, une image me traverse l'esprit : moi, assise devant un ordinateur portable en forme de ruche, assaillie de toutes parts par des pense-bêtes en forme d'abeilles qui bourdonnent : « Remue-toi ! », « Remue-toi ! » pendant que je tente de les chasser à grands gestes de la main. Il est vraiment temps que je me lance.

Je dresse une liste de cinq pages de choses à faire. Ça, c'est la partie amusante. La partie déprimante est d'avoir à entreprendre des corvées que j'évite, dans certains cas, depuis des années. Pour me remonter le moral, j'ajoute à ma liste quelques besognes faciles qui peuvent être expédiées en cinq minutes.

Au cours des semaines suivantes, je m'attaque résolument à ma liste. Je vais chez le dermatologue. Je fais laver les vitres de l'appartement. Je m'occupe de sauvegarder mes dossiers informatiques. Je règle un problème compliqué de facture. J'emporte mes chaussures chez le cordonnier.

Évidemment, chemin faisant, je suis parfois obligée d'affronter « l'effet boomerang » de certaines tâches avec l'impression décourageante de n'en avoir jamais terminé.

Avec dix-huit mois de retard, mais la satisfaction d'avoir pris rendez-vous, je me rends chez le dentiste pour un détartrage. Et là, on découvre un problème sous un plombage. Je dois revenir la semaine suivante. Effet boomerang ! Après des mois de tergiversations, je demande au gardien de l'immeuble de venir arranger l'applique de notre chambre. Mais la réparation demande de plus amples compétences. Il me conseille de faire venir un électricien. Ce dernier examine l'applique avant de déclarer qu'il ne peut rien faire et que je dois l'apporter dans un atelier spécialisé. Une fois l'applique réparée, je dois rappeler l'électricien pour qu'il vienne la fixer au mur. Triple effet boomerang !

Il y a des tâches qui ne peuvent pas être éliminées pour de bon, des obligations quotidiennes. C'est un fait et je dois faire avec. C'est ainsi que j'applique sur mon visage de l'écran solaire tous les jours – enfin presque. Et que j'utilise du fil dentaire tous les jours – enfin presque. (Même si je sais pertinemment que s'exposer au soleil accroît les risques de cancer de la peau et que les gencives en mauvais état sont la cause de toutes sortes de problèmes dentaires, ma vraie motivation est la peur des rides et de la mauvaise haleine.)

À vrai dire, le plus difficile est de prendre la décision de s'*attaquer* à un boulot. Je commence un matin en envoyant un mail de seulement quarante-huit mots – j'ai mis quarante-cinq secondes à l'écrire. Et pourtant il m'a trotté dans la tête pendant au moins deux semaines avant que je me décide à l'envoyer. C'est fou comme certaines tâches à régler nous dérangent de manière disproportionnée !

L'aspiration au bonheur passe par la gestion de nos humeurs. Or des études montrent que le meilleur moyen d'améliorer son humeur est de mener à bien une tâche, par exemple une corvée différée depuis longtemps. Je peux le confirmer : après quelques semaines passées à m'attaquer aux corvées, mon énergie mentale est à son top.

Pour booster encore plus mon niveau d'énergie, j'applique un des mes Douze Commandements : « Fais comme si... » Ce commandement résume un des enseignements les plus utiles que j'aie tirés de mes recherches : alors que nous sommes sûrs d'*agir* selon notre *humeur*, en fait c'est le plus souvent notre *humeur* qui dépend de nos *faits et gestes*. Une preuve ? Même un sourire de commande apporte des émotions heureuses. Certaines études vont plus loin. Les personnes traitées au Botox pour se débarrasser de leurs rides seraient moins enclines à la colère car leur visage, ayant perdu de sa mobilité, n'est plus capable d'avoir une expression furieuse. Selon William James, philosophe et psychologue, « l'action semble suivre l'humeur du moment et pourtant action et disposition marchent de pair. En régulant l'action, qui est sous le contrôle de la volonté, on peut indirectement réguler l'humeur qui, elle, ne l'est pas. » Toutes sortes d'avis, d'hier ou d'aujourd'hui, appuient cette remarque : pour changer nos humeurs, il faut changer la façon dont nous agissons.

Bien que l'idée de se jouer la comédie paraisse simplette, c'est une stratégie qui marche pour moi. Quand je me sens à plat, j'agis avec plus d'ardeur, je marche plus vite, je fais les cent pas en téléphonant, je parle avec plus de chaleur et d'entrain. Parfois, épuisée à l'idée de passer du temps avec mes filles, j'invente des jeux qui me permettent de rester allongée sur le canapé. Mais, un après-midi, je réagis. Entrant dans leur chambre, je m'écrie : « Hé ! les filles, si on allait jouer sous la tente ? » Mission accomplie. En faisant semblant d'avoir de l'énergie, je m'en suis donné un maximum.

À la fin du mois de janvier, je suis sur une voie prometteuse. Mais suis-je plus heureuse pour autant ? Trop tôt pour le dire. Une certitude : j'ai l'esprit vif sans être énervée. Et si les périodes où je me sens submergée existent toujours, elles sont moins fréquentes.

Je découvre que m'octroyer une récompense pour bon comportement – même si cette récompense ne consiste qu'en une étoile sur ma Liste des Bonnes Résolutions de l'année – me donne des ailes. Un petit réconfort fait une grande différence. Néanmoins, je m'aperçois que je dois m'obliger continuellement à tenir ces bonnes résolutions. Pour le rangement, en particulier, où mon zèle a tendance à diminuer. Le nouvel agencement de mes placards est hautement satisfaisant. Par contre, garder l'appartement ordonné me fait penser au tonneau des Danaïdes – quels que soient mes efforts, le désordre n'est jamais éradiqué. Peut-être qu'à petites doses régulières les règles « À faire immédiatement » et « À faire chaque soir » m'aideront à conserver un appartement net.

Quoi qu'il en soit, l'accroissement de satisfaction et d'énergie que me procure le rangement me sidère. Mon placard dont la seule vue était une horreur me comble désormais de joie. Les papiers aux bords jaunissants qui s'empilaient sur mon bureau ont disparu. Comme l'a écrit Samuel Johnson : « C'est en étudiant des *petites choses* que nous arrivons à être plus heureux et moins affligés. »

2

Février : le dialogue amoureux

Le mariage

* Cesser d'asticoter son conjoint
* N'attendre ni compliments ni louanges
* Se fâcher à bon escient
* Du calme !
* Donner des preuves d'amour

La bonne entente conjugale diminue après la naissance du premier enfant. Ce fait alarmant est mis en évidence par les études sur le bonheur et le mariage. Le responsable ? La présence envahissante des nouveau-nés, puis des adolescents met la pression sur les couples et multiplie les raisons de mécontentement.

Mariée depuis onze ans à Jamie, j'en sais quelque chose. Le niveau de nos chamailleries a fortement augmenté avec la venue au monde d'Eliza. Jusque-là, jamais une expression comme « Remue-toi un peu ! » n'était sortie de ma bouche. Mais ces dernières années, je ne cesse de rouspéter, d'asticoter Jamie, de traîner les pieds. Il est temps que les choses changent.

Ça peut paraître idiot, mais dès l'instant où on me l'a présenté à la bibliothèque de la fac de droit (j'étais en première année, lui en seconde), Jamie et moi avons vécu une histoire d'amour exceptionnelle. D'ailleurs, la veste rose matelassée qu'il portait ce jour-là est toujours accrochée dans mon placard. Pourtant je crains que la multiplication de nos petites querelles et l'accumulation de nos échanges aigres ne sapent notre entente amoureuse. Non pas que notre mariage soit en danger. Nous nous manifestons souvent notre affection. Et nous nous pardonnons facilement nos erreurs. Et puis nous arrivons assez bien à gérer nos conflits. John Gottman, un conseiller conjugal de haut niveau parle des « Quatre Cavaliers de l'Apocalypse » pour nommer les comportements particulièrement destructeurs que sont l'obstruction systématique, la méfiance, la critique et le mépris. Disons que les trois premiers ne nous sont pas étrangers, mais le dernier, qui est le pire du lot, nous est heureusement inconnu.

Au fil des ans, j'ai pris de mauvaises habitudes qu'il me faut éliminer.

Améliorer mon mariage est un des buts les plus évidents de mon Opération Bonheur, car une bonne relation conjugale est un des garants du bonheur. De fait, les gens heureux restent plus longtemps mariés, étant de meilleurs époux ou épouses. Et le mariage par lui-même contribue au bonheur car il apporte le soutien et la présence dont nous avons tous besoin.

Pour moi comme pour la majorité des gens mariés, la vie conjugale est à la base des choix primordiaux : domicile, nombre d'enfants, amis, travail, loisirs. L'atmosphère de mon mariage influe sur le reste de mon existence. D'où ma décision de l'inclure dans mon Opération et de m'en occuper dès le deuxième mois.

C'est également le domaine où je peux faire le plus de progrès. Non seulement je donne trop d'importance à nos querelles, mais je ne cesse de critiquer mon mari pour un rien. Une ampoule grillée, une pièce en désordre, un certain découragement dans mon travail ? C'est bien sûr la faute de Jamie !

Jamie est un drôle de mélange. Son côté caustique et même bourru peut le faire passer pour distant aux yeux des gens qui le connaissent mal. Pourtant, il a le cœur tendre. Par exemple, il aime à la fois les films sinistres comme *En eaux profondes* ou *Reservoir Dogs* et les trucs à l'eau de rose tel que *Un monde pour nous*, son favori. D'un côté il me rend folle en refusant certaines tâches ménagères, de l'autre il améliore les performances de mon ordinateur de sa propre initiative. Il fait le lit mais n'utilise jamais le panier à linge. Il oublie d'acheter des cadeaux pour les anniversaires, mais m'offre des choses ravissantes sur un coup de tête. Comme tout le monde, il a ses qualités et ses défauts. Hélas, je ne vois souvent que ses défauts, ayant une nette tendance à prendre ses qualités comme allant de soi.

Dès la mise en route de mon Opération Bonheur, une chose m'apparaît clairement : il est impossible de changer quelqu'un. Certes, il serait tentant d'améliorer le climat de notre mariage en obligeant Jamie à modifier ses comportements, mais c'est du domaine du rêve. Les efforts doivent venir de moi. Pour me donner du courage, je pense à mon Douzième Commandement : « Seul l'amour compte. »

Une de mes amies m'a inspiré ce commandement. C'est en songeant à prendre un job difficile sous les ordres d'un patron encore plus difficile que cette phrase lui est venue à l'esprit. Le chasseur de têtes l'avait prévenue : « Pour parler franchement, votre boss est très efficace, mais ce n'est pas un tendre. Réfléchissez bien avant de vous engager. » Comme elle voulait ce boulot, elle a décidé que *seul l'amour comptait*. Dès cet instant, elle a refusé de penser aux défauts de son patron, de dire du mal de lui derrière son dos, d'écouter quand on le critiquait.

Je lui ai demandé :

— Tu n'es pas passée pour une lèche-bottes aux yeux des autres membres du personnel ?

— Pas du tout. Ils auraient aimé m'imiter. Il les rendait fous, mais moi je l'aimais bien.

Si mon amie a pu se comporter ainsi vis-à-vis de son boss, pourquoi n'en ferais-je pas autant avec Jamie ? Au fond de mon cœur, je n'ai que de l'amour pour lui – mais je laisse des bricoles tout gâcher. Je n'applique pas mes principes. Au contraire, plus je me comporte mal, plus j'en rajoute.

L'amour est bizarre. Je ferais don d'un de mes reins à mon mari sans une seconde d'hésitation, mais je pique une crise chaque fois qu'il me demande de m'arrêter une minute à la pharmacie pour lui acheter de la mousse à raser. Les sources de conflit dans les couples selon les plus récentes études ? L'argent, le travail, le sexe, la non-communication, la religion, les enfants, la belle-famille, le manque de compréhension, les loisirs. L'arrivée d'un nouveau-né est également une période difficile à gérer. Si cette liste semble exhaustive, elle ne convient pas à mon cas. Après moult réflexions, je parviens à définir les changements que je dois opérer pour retrouver la tendresse et la patience des premières années de notre mariage, quand nous n'avions pas encore d'enfants.

Premièrement, modifier mon attitude par rapport aux travaux ménagers. Je passe beaucoup trop de temps à essayer de me décharger des tâches domestiques et à harceler ce pauvre Jamie pour qu'il en récupère une bonne part, tout en l'asticotant pour qu'il me félicite lorsque je lève le petit doigt. Je veux également être plus relax, surtout quand je suis en colère. G. K. Chesterton l'a noté avant moi : « Il est facile de s'acharner, difficile de laisser filer. » Ou, comme le dit le proverbe : « Facile de mourir, difficile de faire rire ! » Autre changement nécessaire : ne plus prendre Jamie pour quantité négligeable. Des marques de considération, des petits cadeaux fréquents sont plus importants qu'un grand bouquet de fleurs pour la Saint-Valentin. De gentilles attentions, des propos aimables, des compliments bien choisis, voilà pour mon programme. Ce qui est conforme à l'un de mes Secrets de l'Expérience qui proclame : « Les tâches *quotidiennes* sont plus importantes que ce qu'on fait *de temps en temps.* »

Jamie ne me demande pas quelles expériences je tente ce mois-ci et je ne lui en parle pas. Je le connais suffisamment bien pour savoir que tout en étant conscient d'être mon cobaye, il serait mal à l'aise si je lui dévoilais mes plans.

La tâche qui m'attend est coriace. Je vais avoir du mal à tenir mes résolutions chaque jour de l'année. Pourtant je vise plus haut. Si j'ai décidé que janvier serait dédié à l'ordre et à l'énergie, c'est que je sais qu'en ayant les idées claires et un appartement en ordre, je serai plus efficace. Ça peut sembler ridicule, mais, déjà, le fait de dormir plus longtemps et d'avoir une armoire organisée me rend plus heureuse et moins agressive. Mon défi ? Appliquer les résolutions de janvier en y ajoutant celles de février.

CESSER D'ASTICOTER SON CONJOINT

Jamie ne supporte pas que je l'asticote et je me déteste quand ça m'arrive, ce qui se répète trop souvent. D'après des études récentes, rien ne détruit plus rapidement la bonne entente d'un couple (et sa passion amoureuse) que le harcèlement verbal. Et surtout, ça n'apporte rien.

L'envoi des cartes de la Saint-Valentin me donne l'occasion de mettre en pratique mes bonnes résolutions. Ce soir-là, nous sommes en train de regarder *Rencontres du troisième type* en DVD, quand je décide de m'occuper de nos cartes. J'en sors un énorme paquet et demande à Jamie :

— Tu préfères mettre les cartes dans les enveloppes ou les coller ?

Il me regarde d'un air lugubre :

— S'il te plaît, ne m'oblige pas à t'aider.

Que rétorquer ? Dois-je insister ? Lui dire qu'il est injuste de me laisser tout sur le dos ? Lui faire remarquer que j'ai déjà fait le plus gros en commandant les cartes et en choisissant la photo (un adorable cliché d'Eleanor et d'Eliza en tutu) alors qu'il ne lui reste que le plus facile ? D'un autre côté, je ne lui ai pas demandé son avis : c'est moi que ça amuse d'envoyer ces cartes. Est-il juste que je sollicite son aide ? Juste ou pas, ce n'est pas la question. Je préfère tout faire moi-même plutôt que de lui casser les pieds.

— Ne t'en fais, dis-je en soupirant. Je vais me débrouiller.

Je lui en veux un peu en le voyant reprendre sa position confortable sur le canapé. Mais je me rends compte très vite que m'être dominée m'apporte plus de satisfaction que de regarder le DVD sans lécher des enveloppes.

À la fin du film, je suis noyée sous une masse d'enveloppes rouges remplies, collées et timbrées. Jamie me regarde et pose tendrement sa main sur la mienne :

— Veux-tu qu'on fête la Saint-Valentin tous les deux ?

Comme je suis ravie de l'avoir laissé tranquille !

Pour me faciliter la tâche, je fais une liste des techniques « anti-asticotage ». Primo : éviter le côté « Madame ordonne ». Au lieu de demander à Jamie de faire des choses, je trouve des façons de le suggérer. Ainsi, quand je dépose une lettre devant la porte, Jamie sait qu'il doit la poster en allant à son bureau. Ou alors je limite mes demandes à un seul mot. Au lieu d'aboyer : « Tu m'avais promis de réparer la Caméra avant que j'aille au jardin et t'as encore rien fait ! », je me contente de dire « Caméra ! » quand il termine son déjeuner. J'admets que mes ordres n'ont pas à être exécutés selon mon emploi du temps à moi. Je réussis à ne pas harceler Jamie pour qu'il remonte immédiatement le jeu de construction de la cave, quand je décide que ça amusera Eleanor. Après tout, ce n'est pas aussi urgent que ça. Je m'attribue un bon point lorsque j'évite de lui dire « c'est pour ton bien », rengaine bien connue. Par contre, je ne l'ai jamais embêté en lui conseillant de prendre un parapluie, de ne pas partir sans petit déjeuner ou d'aller chez le dentiste. Si certaines épouses y voient des preuves d'amour, j'estime qu'un adulte est assez grand pour savoir quand il doit enfiler un pull.

La technique anti-asticotage la plus évidente (et la moins agréable) est de faire les choses soi-même. Pourquoi ai-je décrété que c'était à Jamie de veiller à ce que nous ayons suffisamment d'argent liquide à la maison ? Depuis que je m'en occupe personnellement, je me sens plus heureuse et nous ne manquons pas de billets verts. Je cesse également de le critiquer quand il fait quelque chose. Bien qu'il ait payé trop cher une pièce de rechange pour la caméra, je laisse couler. Après tout c'est son domaine.

Je tente également de revaloriser ce qu'il entreprend et de lui en être reconnaissante. Un de mes défauts est de surévaluer mes propres actes et de déprécier ceux des autres, le tout sans m'en rendre compte. Ce qui n'a rien d'original. Une étude parmi des étudiants à qui l'on demandait d'évaluer leur contribution personnelle à un travail d'équipe a montré que le total des contributions s'élevait à 139 % ! Ce qui se comprend. On a beaucoup plus conscience de son propre travail que de celui des autres. Je me plains du temps que je passe à régler des factures sans le moindre égard pour les efforts de Jamie qui s'occupe de l'entretien de notre voiture.

Une de mes amies a une solution radicale : ni elle ni son mari ne s'assignent de tâches. Bien qu'ils aient quatre enfants, ils se sont mis d'accord pour ne jamais se dire : « Tu dois emmener les enfants à cette fête d'anniversaire » ou « Répare le lavabo, il fuit de nouveau. » Ce système leur convient car chacun apporte sa contribution. Idéal sans doute, mais je ne me vois pas l'adopter.

N'ATTENDRE NI COMPLIMENTS NI LOUANGES

Voici ce que je viens de découvrir. Je ne tarabuste pas Jamie uniquement pour qu'il soit plus coopératif. Je désire qu'il me couvre de compliments. Un asticotage des plus subtil.

Ainsi, en préparant les cartes de la Saint-Valentin, je me rends compte que je ne lui demande pas seulement de m'aider mais surtout d'exprimer son admiration à mon égard. Genre : « La photo des filles est formidable ! Ces cartes sont sensationnelles ! » Car je veux être récompensée pour mon travail.

Pourquoi ? Est-ce de la vanité ? Un manque de confiance en moi ? Quelle que soit la réponse, je dois cesser d'attendre des compliments chaque fois que je lève le petit doigt. Plus important encore, il me faut admettre que Jamie n'a pas à *remarquer* chacun de mes gestes. Je prends donc la résolution suivante : N'attends ni compliments ni louanges.

Jusque-là, je ne me suis pas rendu compte à quel point ce besoin affecte mon comportement. Un matin, vers 7 h 30, je titube en robe de chambre dans la cuisine après être restée toute la nuit auprès d'Eleanor qui ne pouvait pas dormir. Jamie m'a remplacée auprès d'elle vers 6 heures pour me permettre de me recoucher.

— Bonjour, je marmonne en ouvrant un Coca light.

Je ne le remercie pas de m'avoir permis de dormir une heure et demie de plus.

Au bout d'un moment, Jamie me déclare :

— J'espère que tu as apprécié mon geste.

Lui aussi a besoin de louanges, même si, à mes yeux, il est plutôt avare de compliments.

Déterminée à améliorer mon mariage, me félicitant de tout ce que j'apprends sur le bonheur, je devrais lui dire : « Bien sûr, j'apprécie ton geste, merci mille fois, tu es mon héros ! » Et l'enlacer fougueusement en signe de gratitude. Mais comme Jamie ne *me* donne pas de bon point, je m'exclame :

— J'apprécie ton geste, mais quand je *te* laisse dormir, tu ne te montres jamais reconnaissant. Alors je ne vois pas pourquoi je ne te rendrais pas la monnaie de ta pièce.

Le regard que me jette Jamie me fait regretter de ne pas avoir réagi autrement. Je me souviens de mon Neuvième Commandement : « Relaxe-toi ! »

Je passe les bras autour de son cou :

— Je suis vraiment désolée. Je n'aurais pas dû te dire ça. Merci de m'avoir permis de dormir un peu plus.

— Tu sais, j'ai essayé de te faire plaisir. Et quand tu me laisses dormir, j'apprécie ton geste.

Nous nous sommes embrassés pendant au moins six secondes, ce qui, d'après mes recherches, est le temps minimum nécessaire pour que l'oxytocine et la sérotonine agissent en resserrant les liens affectifs. L'orage est passé.

Cet incident est très instructif : il m'apprend à mieux me conduire. Mon côté moralisateur a tendance à me persuader que j'accomplis certaines corvées « pour Jamie » ou « pour la famille ». Cela part d'un bon sentiment mais finit mal car je boude quand Jamie ne montre pas sa reconnaissance. Je décide donc de me dire : « Je fais ça *pour moi*. C'est moi qui l'ai décidé. » *Je* veux envoyer des cartes pour la Saint-Valentin. *Je* veux nettoyer les placards de la cuisine. Égoïste ? Pas tant que ça. Je n'embête plus Jamie – ni personne – pour être couverte de louanges. D'ailleurs, nul n'est obligé de remarquer ce que je fais.

Je me souviens de ma conversation avec un ami dont les parents sont actifs dans le mouvement de défense des droits civiques.

— Ils m'ont toujours dit qu'il fallait faire ce genre d'efforts pour soi-même. Si on agit pour les autres, on cherche à être reconnu, complimenté, honoré. En se donnant du mal pour soi, on n'attend rien.

Je crois qu'ils ont raison.

Néanmoins, malgré ma nouvelle attitude, j'avoue qu'il ne me serait pas désagréable que Jamie m'encense un peu plus. Que je le veuille ou non, c'est dans ma nature.

Il m'est plus facile d'éliminer mon besoin de tarabuster Jamie que de modifier la priorité que je me suis fixée en numéro 2 : Laisser courir. Les conflits conjugaux entrent dans deux catégories : ceux qu'on peut résoudre et les autres. Malheureusement, la majorité des conflits donnent lieu à des discussions. Par exemple, les interrogations du type « Quel film allons-nous voir ce week-end ? » ou « Cet été, préfères-tu la mer ou la montagne ? » sont plus faciles à résoudre que les questions du genre « Comment dépenser notre argent ? » ou « Quelle éducation donner à nos enfants ? »

Ne pas être toujours d'accord est inévitable et souvent même profitable. Étant donné que Jamie et moi allons nous bagarrer, je veux que nos querelles soient gaies et que nous puissions en rire affectueusement.

Je désire aussi éliminer un de mes ennemis de cœur : mes accès de colère. Trop souvent, au milieu d'une querelle assez bénigne, je pousse des hurlements qui terrorisent la famille. Je me suis souvent demandé pourquoi les sept péchés capitaux comprennent la colère, l'orgueil, la gourmandise, la luxure, la paresse, l'avarice et l'envie, alors que d'autres paraissent plus graves. En réalité, ce n'est pas leur gravité qui est en cause mais leur pouvoir de générer d'autres péchés bien plus gros. Des sept péchés capitaux, la colère est mon ennemi juré.

L'art et la manière de se quereller sont de la plus haute importance pour la santé d'un couple. Selon le psychologue J. M. Gottman et son « laboratoire de l'amour », la *façon* dont les couples se disputent compte davantage que la *fréquence* des conflits. Ceux qui ont une optique saine discutent d'un seul sujet à la fois sans passer en revue toutes leurs sources de conflit en remontant au Déluge. Ils argumentent sans perdre leur sang-froid, en évitant de se lancer à la tête des « Jamais tu ne... » ou « Il faut toujours que... » Ils savent conclure sans faire traîner les choses pendant des heures. Ils essaient de calmer le jeu et de contrôler leurs pensées négatives. Ils tiennent compte de la pression subie par leur époux ou épouse. Un mari reconnaîtra que sa femme doit être à la fois une femme au foyer et une employée modèle. Une épouse reconnaîtra que son mari est pris en étau entre elle et sa mère.

Tenez, une *méchante* querelle me vient à l'esprit. Bien que je déteste l'avouer, il m'arrive de ronfler. Mais je ne supporte pas qu'on en parle, car rien n'est plus laid. Pourtant, quand, un matin, Jamie y fait allusion, je décide de prendre ça à la légère et je rigole avec lui.

Quelques semaines plus tard, alors que nous écoutons les nouvelles de 6 heures du matin et que je me félicite d'une voix ensommeillée d'avoir réorganisé notre chambre pour en faire une oasis de paix, Jamie intervient d'un ton railleur :

— Je commencerai la journée par deux remarques. D'abord, tu ronfles !

Je rugis de colère.

— Tu n'as rien d'autre à me dire au réveil ?

Je lui jette les couvertures au visage, bondis hors du lit et continue sur ma lancée :

— Eh bien oui, je ronfle ! Tu n'as rien trouvé de plus aimable à me dire ?

Je fonce dans mon placard et lance quelques affaires sur une chaise.

— Si tu veux que j'arrête, donne-moi un coup de coude dans les côtes mais arrête de remettre ça sans cesse sur le tapis.

La morale de l'histoire ? En plaisantant avec Jamie, je lui fais comprendre que mes ronflements sont risibles. Mais, ensuite, je me montre incapable de les prendre à la légère. Mon vœu le plus cher est de pouvoir rire de moi-même, mais parfois ça m'est impossible. Ce matin, j'aurais dû avertir Jamie que je n'étais pas d'humeur facétieuse, cela m'aurait évité de piquer une colère. Lui n'avait aucun moyen de le deviner. Ma résolution de ne « me fâcher qu'à bon escient » est partie en fumée. Il m'est alors impossible de lui demander pardon, tant je désire oublier l'incident. J'espère seulement ne pas recommencer.

Dans un mariage, il est plus important de réduire le nombre des querelles que de multiplier les moments heureux. Étonnant, non ? Mais à cause de nos « pré-jugés négatifs » nous réagissons aux querelles plus rapidement, plus vivement, plus profondément qu'aux événements heureux. Ainsi, dans la plupart des langues, il existe un plus grand nombre de concepts pour décrire le malheur que le bonheur.

Il faut cinq actions bienveillantes pour compenser un seul acte agressif. D'où l'importance dans un couple de restreindre au minimum les querelles et autres épisodes négatifs. Quand l'amour et la tendresse dominent les relations conjugales, il est plus facile d'oublier une rare prise de bec. J'ai pourtant l'impression qu'il nous faudra plus de cinq actions bienveillantes pour oublier ma fureur matinale.

En ne me fâchant qu'à bon escient, je me sens bien plus heureuse car j'élimine une des principales causes de mon sentiment de culpabilité. Comme Mark Twain l'a remarqué : « Avoir mauvaise conscience c'est comme avoir un cheveu dans la bouche. » Quand Jamie m'irritait, je lui criais dessus. Du coup, je n'étais pas bien et je me disais que c'était sa faute à lui. En fait, si je réagissais ainsi c'était surtout que je me sentais coupable. En me fâchant seulement à bon escient, j'élimine ma culpabilité et je suis bien plus heureuse.

Un jour où je n'applique pas cette bonne résolution, cela me saute aux yeux. Voici ce qui se passe. Lors d'un week-end de trois jours, nous décidons de faire un petit voyage en famille avec mes beaux-parents. Judy et Bob sont de merveilleux grands-parents avec qui nous aimons passer des vacances. Ils sont coopératifs, faciles à vivre et ferment les yeux sur le fouillis ambiant. Mais ils aiment prendre leur temps quand ils se déplacent. Ce jour-là, dans notre précipitation pour être à l'heure, j'oublie de me nourrir. En quittant notre appartement, je me rends compte que je meurs de faim et me sers généreusement dans un paquet de Smarties qu'Eliza a reçu pour la Saint-Valentin.

Après l'avoir vidé, je me sens coupable et un peu nauséeuse. Je fais des remarques désagréables. Plus je suis odieuse, plus ma culpabilité augmente.

— Jamie, enlève tes papiers de là.

— Eliza, cesse de t'appuyer sur moi, tu me fais mal au bras !

— Jamie, tu ne peux donc pas prendre ce sac ?

Arrivés à l'hôtel, mon humeur ne s'améliore pas.

— Ça ne va pas ? s'inquiète Jamie.

— Mais si, très bien.

Sa question réussit à me calmer un moment mais ça ne dure pas.

Une fois Eliza et Eleanor couchées, les adultes peuvent enfin avoir une conversation suivie. Nous prenons notre café et parlons d'un article du *New York Times* sur un nouveau médicament contre l'hépatite C appelé VX-950, qui en est au stade des tests.

Il faut dire que nous suivons avec attention la progression de ce genre de médicaments. Jamie plaisante souvent sur son état de « pantin cassé » car il a un genou en mauvais état, une énorme cicatrice qui remonte à l'enfance, des douleurs occasionnelles dans le dos et surtout un foie en décrépitude. Il souffre d'une hépatite C sans en avoir les symptômes apparents. En fait, c'est une analyse de sang qui lui a appris un jour qu'il avait contracté une hépatite C à huit ans, par une transfusion sanguine au cours d'une opération du cœur. Il a aujourd'hui trente-huit ans. Un jour, il peut développer une cirrhose, son foie risque de ne plus fonctionner et il aura alors un problème sérieux. Mais pour le moment il se porte comme un charme. Trois millions d'Américains et 170 millions de personnes dans le monde sont atteints de la même maladie. Si bien que les laboratoires font des recherches intensives pour trouver le médicament miracle. D'après les médecins de Jamie, un traitement serait disponible d'ici cinq à huit ans. Son foie fonctionnera-t-il encore alors que l'Interféron associé à de la Ribavirine ne l'a pas soulagé ?

C'est dire si cet article autour de nouvelles avancées nous intéresse. Mon beau-père le trouve encourageant, mais dès qu'il en parle, je le contredis immédiatement.

— Il faut encore poireauter cinq ans pour qu'il soit approuvé par les autorités, dis-je. Les spécialistes qui s'occupent de Jamie ont été très clairs.

— L'article suggère qu'on avance à grands pas, non ? répond-il calmement.

Il déteste ergoter.

Moi pas :

— Il faudra encore longtemps avant sa mise sur le marché.

— Le monde entier fait des recherches.

— Mais l'échéance est très lointaine.

Etc.

Il est rare que j'accuse Bob de déborder d'optimisme. Il est lucide et rationnel et, avant de prendre une décision, il pèse le pour et le contre et rassemble différents avis. Ce soir-là, il se veut optimiste. Pourquoi discuter avec lui ? Je ne suis pas d'accord avec lui, mais je ne suis pas médecin. Alors qu'en sais-je ?

À l'évidence, mettre en pratique mes nouvelles résolutions s'avère difficile mais pas impossible. Mes attaques et ma suffisance lors de cette discussion ne sont pas issues de ma mauvaise humeur mais du désir de me protéger contre de faux espoirs. Pour mon bien, je n'aurais pas dû engager le combat. Avec mes propos défaitistes, je démoralise Bob et certainement Jamie et… moi-même aussi.

Conclusion : il faut se fâcher à bon escient non seulement avec son mari mais en toutes circonstances.

Autre constat, dans un registre moins grave : éviter d'avaler gloutonnement une livre de Smarties quand on a le ventre creux !

Du calme !

Lors de mes dernières recherches, j'ai accumulé un tas de livres sur le mariage et les liens conjugaux.

Jamie s'en plaint :

— Si quelqu'un examine notre bibliothèque, il croira que notre mariage est en péril.

— Pourquoi ?

— Regarde les titres : *Sept principes pour réussir un mariage, L'amour ne suffit pas, Protéger son mariage, La Rupture, Un homme blessé.* Si je ne connaissais pas le thème de ton livre, je serais inquiet.

— Tu sais, ces ouvrages sont pleins d'enseignements. Ils sont vraiment remarquables.

— Sans doute ! Mais les gens ne lisent pas ce genre de littérature si leur couple nage dans le bonheur.

Jamie n'a sans doute pas tort. Quant à moi, je suis ravie d'avoir, avec mon futur livre, une excuse pour étudier les dernières recherches sur le mariage et les liens conjugaux. Et j'apprends des tonnes de choses. Par exemple, il existe une étonnante différence dans la manière dont les hommes et les femmes appréhendent la notion d'intimité. S'ils s'accordent pour trouver important le fait de pratiquer des activités en commun et d'échanger des confidences, l'intimité pour les femmes consiste en une conversation en tête à tête, alors que les hommes se sentent proches de la personne qui partage leur travail ou leurs loisirs.

Aussi, quand Jamie me propose de suivre un épisode de *The Shield*, je vois dans ses yeux que regarder ensemble la télévision constitue pour lui un moment privilégié – et non pas une heure banale à voir un feuilleton sans se parler.

Je réponds donc :

— Quelle bonne idée !

Effectivement, si suivre l'enquête d'un policier pourri de Los Angeles n'a rien d'excitant au départ, se nicher l'un contre l'autre dans un lit moelleux se révèle tout à fait romantique.

Les hommes se contentent de peu en matière d'intimité. C'est sans doute pour cette raison qu'hommes et femmes trouvent les relations avec les femmes plus personnelles et agréables qu'avec les hommes. Les femmes éprouvent plus d'empathie pour les gens en général que les hommes (quoique les deux sexes portent la même affection aux animaux, ce qui me laisse rêveuse). En fait, et c'est cela l'important à mes yeux, hommes et femmes considèrent qu'ils ne sont pas solitaires tant qu'ils restent en contact avec des personnes de sexe féminin. La fréquentation de représentants du sexe masculin ne fait pas de différence.

Ces nouvelles recherches influencent mon attitude envers Jamie. Je l'aime de tout mon cœur, je sais qu'il m'aime, je peux lui faire une confiance absolue et pourtant je suis frustrée car nous n'avons pas de longues conversations à cœur ouvert. Plus exactement, je voudrais qu'il s'intéresse davantage à mon travail. Elizabeth, ma sœur, qui écrit pour la télévision, a une associée, Sarah. Je l'envie, car quotidiennement elles discutent de leurs scénarios ou de leurs carrières. Moi, je n'ai personne avec qui parler boutique. Si Jamie remplissait ce rôle, ce serait épatant.

J'aimerais également pouvoir lui confier mes angoisses. Commencer par lui dire pour l'intéresser : « J'ai l'impression de ne pas utiliser tout mon potentiel. » Ou : « J'ai du mal à établir des réseaux. » Ou : « Tu ne trouves pas que mon travail est nul ? » Mais il ne se prête pas au jeu et ça m'irrite. Je veux qu'il me rassure, dissipe mes doutes, apaise mes inquiétudes.

En apprenant que les femmes sont de meilleures conseillères je me rends compte que l'attitude de Jamie n'est pas une preuve de désaffection, mais une forme d'incapacité à me remonter le moral. Il est incapable de discuter longuement avec moi pour déterminer si je dois ouvrir un site ou comment structurer mon livre. Il n'a pas envie de passer des heures à me rassurer. Il ne remplira jamais le rôle de Sarah et je dois l'accepter. Si j'ai besoin de ce genre de soutien, il me faut trouver une autre solution. M'en rendre compte ne change pas son attitude. En revanche, je cesse de lui en vouloir.

Je m'aperçois également que plus je suis contrariée et moins Jamie a envie d'en parler.

Un soir, je m'en ouvre à lui :

— Tu sais que je suis angoissée et j'aimerais que tu m'aides. Mais plus je vais mal, moins tu as envie de me parler.

— Je ne supporte pas de te voir malheureuse.

La lumière se fait en moi. Ce n'est pas par cruauté que Jamie ne me prête pas une oreille compatissante. Simplement, ce n'est pas dans sa nature. Il évite les sujets qui me contrarient car il souffre de me voir cafardeuse. Si je lui pardonne à moitié – je ne peux nier avoir parfois besoin d'une oreille compatissante –, au moins je comprends son point de vue.

Cette conversation m'amène à me poser une question : en quoi mon bonheur affecte-t-il Jamie et les autres ? Je connais les vieux adages : « Épouse heureuse, vie heureuse » ou encore « Si maman broie du noir, la famille a le cafard. » À première vue, ces dictons m'enchantent – chouette ! il faut qu'*ils* me fassent plaisir. D'un autre côté, si ces proverbes sont exacts, cela me confère d'énormes responsabilités.

Je me demande si mon Opération Bonheur est un projet égoïste, étant donné que je consacre ma vie à essayer d'être plus heureuse. Bien sûr, quand je cesse de harceler Jamie ou que je ris à ses plaisanteries mon bonheur déteint sur les autres. Mais ça va plus loin. Étant heureuse, je suis plus à même de renforcer le bonheur de mon entourage.

Les gens heureux sont en général plus tolérants, plus serviables, plus charitables, se dominent mieux et sont moins frustrés que les gens malheureux, qui sont renfermés, agressifs, imbus d'eux-mêmes. Comme l'a dit très justement Oscar Wilde : « On n'est pas toujours heureux quand on est bien, mais on est toujours bien quand on est heureux. »

Le bonheur a une grande influence sur le mariage car l'humeur d'un des conjoints se transmet presque automatiquement à l'autre. Ainsi, 30 % de bonheur en plus chez l'un booste la sensation de bonheur chez l'autre. Mes recherches m'apprennent aussi une chose étonnante : il existe un certain mimétisme dans la santé des époux. Si l'un est boulimique, sportif, hypocondriaque, fume ou boit, l'autre a tendance à l'imiter.

Je le sais, Jamie désire que je sois heureuse. Donc, plus je suis heureuse, plus Jamie cherche à me rendre heureuse, mais si je suis malheureuse – quelle qu'en soit la raison –, il déprime. Je décide de ne pas l'embêter avec mes petits tracas. Par contre, en cas de problème grave, je lui demanderai son aide et son soutien.

Un dimanche matin, j'ai l'occasion de mettre en application cette bonne résolution. Un calme inhabituel règne dans la maison. Jamie nettoie la cuisine après avoir fait des pancakes. Eliza est clouée devant la télé à regarder *Harry Potter et la Coupe de feu*. Eleanor remplit un album de coloriage et je feuillette le courrier. J'ouvre une lettre tout à fait anodine de la banque pour découvrir qu'en raison d'une erreur de sa part, notre principale carte de crédit a été annulée et remplacée par une nouvelle carte avec un numéro tout neuf !

La fureur me saisit. Je dois prévenir du changement tous nos fournisseurs qui débitent l'ancienne carte. Comme je n'en ai jamais dressé de liste, j'ignore qui avertir. Amazon ? Ma salle de gym ? Le Télépéage ?... Le ton de la lettre n'est pas fait pour me calmer. Pas un mot d'excuse, pas le moindre regret. Alors qu'à cause de leur négligence j'hérite du genre de corvée qui me rend folle. Une véritable perte de temps et d'énergie pour réparer la négligence d'autrui.

— *Incroyable !* dis-je rouge de colère. La banque fait une ânerie et nous payons les pots cassés !

Je vais me lancer dans une longue diatribe quand je me souviens de ma résolution « Ne pas embêter mon mari avec mes petits tracas ». Pourquoi gâcher ce moment de paix familiale par ma mauvaise humeur ? Il n'y a rien de plus fatigant que d'entendre quelqu'un se plaindre, à bon ou à mauvais escient. Je respire un grand coup et stoppe net. Je me contente de soupirer en disant :

— Tant pis !

Jamie est d'abord surpris, puis soulagé. Il a deviné l'effort que j'ai fait pour me dominer. Quand je me lève pour me resservir de café, il m'enlace en silence.

Donner des preuves d'amour

Je n'ai jamais oublié une phrase de Pierre Reverdy que j'ai lue pendant mes années de fac : « Il n'y a pas d'amour. Il n'y a que des preuves d'amour. » Quelle que soit la dose d'amour qu'abrite mon cœur, ce sont des manifestations d'amour que mon entourage se rendra compte.

En consultant ma Liste de Bonnes Résolutions, je m'aperçois que certaines comme « jeter, ranger, organiser » sont plus faciles à appliquer que d'autres. Ainsi, « dormir plus tôt » ne me pose aucun problème, alors que « ne pas attendre de compliments » a du mal à passer. Heureusement, « donner des preuves d'amour » semble une résolution agréable à observer.

Étant donné que 47 % des personnes (qui établit de telles statistiques ?) sont plus proches des membres de leur famille qui leur manifestent de l'affection que de ceux qui s'en abstiennent, je commence à dire à Jamie « Je t'aime » à tout bout de champ. Et à le lui confirmer à la fin de mes mails. Je le serre aussi plus souvent dans mes bras et fais de même avec les gens qui comptent dans ma vie. Les étreintes ont un effet relaxant, elles rapprochent les êtres et dissipent même la douleur. Une étude montre que des personnes qui devaient étreindre cinq personnes différentes par jour pendant un mois se sont senties bien plus heureuses à la fin.

Je m'améliore au fil des jours. Plus question que mes mails destinés à Jamie soient pleins de questions désagréables ou de corvées à ne pas oublier. Au contraire, je prends l'habitude de lui envoyer des messages distrayants où foisonnent potins et actions d'éclat des filles.

Un jour, en chemin vers une réunion, je passe devant le bureau de Jamie. Je m'arrête pour l'appeler au téléphone :

— Tu es à ta table de travail ?

— Oui, pourquoi.

— Penche-toi à la fenêtre et regarde les marches de l'église Saint-Bartholomews. Je te fais des petits signes de la main. Tu me vois ?

— Oui, je t'aperçois. Moi, je t'envoie des bisous !

Je savoure pendant quelques heures le plaisir de lui avoir donné cette petite preuve d'amour.

C'est peut-être bêta ou infantile, mais cela améliore grandement nos relations. J'ai l'occasion de faire un plus grand geste envers Judy, ma belle-mère, quand elle fête un anniversaire important.

Parents et belle-famille tiennent un grand rôle dans notre existence. Mes parents, Karen et Jack Craft, vivent à Kansas City, où j'ai été élevée. Ils viennent nous voir tous les deux ou trois mois (nous nous occupons d'eux toute la journée) et nous leur rendons visite deux fois par an. Mes beaux-parents, eux, habitent littéralement à deux pas de chez nous. Seul un hôtel particulier étroit sépare nos immeubles. En nous promenant dans le voisinage, nous les croisons souvent, Judy avec ses beaux cheveux gris et ses foulards de couleurs, Bob, le dos raide et coiffé d'une casquette en laine. Ils vont boire un café ou faire des courses.

Heureusement, dès le début de notre mariage, j'ai été d'accord avec Jamie pour privilégier les relations avec nos parents. Il est donc naturel que je pense à l'anniversaire de Judy. Si nous lui avions demandé son avis sur le genre de fête qu'elle souhaitait, elle nous aurait envoyés sur les roses. De toute façon, pour savoir ce qui lui fait plaisir, mieux vaut prêter attention à ce qu'elle offre et non à ce qu'elle dit. Judy est merveilleusement fiable : elle n'oublie aucune obligation ou date importante, exécute tout ce qu'elle promet. Bien qu'elle jure que les cadeaux ne l'intéressent pas, elle choisit les présents qu'elle offre avec un soin extrême. Ses cadeaux d'anniversaire de mariage ne dérogent pas à la règle. Pour nos quatre ans de vie commune (noces de froment), elle nous a apporté un édredon à décor de fruits et de fleurs. Pour nos dix ans (noces d'étain), ce furent dix rouleaux de papier d'aluminium.

En revanche, ni le père de Jamie ni son frère Phil n'aiment organiser des anniversaires. Dans le passé, je me livrais à des commentaires acides à l'approche de l'échéance, je harcelais Jamie pour qu'il se décarcasse un peu, puis, quand la fête était ratée, je prenais un air supérieur pour lui lancer au visage : « Je te l'avais bien dit ! » Aujourd'hui, grâce à mon Opération Bonheur, je connais la solution : prendre les choses en main personnellement.

Je sais le genre de fête qu'aime Judy. Pas de soirée-surprise mais un dîner de famille, à la maison. Pour elle c'est l'intention qui compte, et non l'argent dépensé. Elle attache plus de valeur à ce que chacun confectionne plutôt qu'à un cadeau acheté dans une boutique. Un repas maison l'enchante, une sortie dans un grand restaurant la laisse froide. Heureusement, nous pouvons allier le charme des deux : Phil, mon beau-frère, et sa femme Lauren sont des cuisiniers accomplis et des traiteurs connus.

Soudain, comme dans un rêve, j'ai une vision. Mais la coopération de mon beau-père est nécessaire. Je l'appelle à son bureau :

— Bonjour, Bob. J'aimerais te parler de l'anniversaire de Judy.

— C'est un peu loin, non ?

— Pas si on veut faire quelque chose qui sorte de l'ordinaire. Et on devrait.

Il marque une pause.

— J'ai pensé que...

Je l'interromps :

— J'ai une idée à te soumettre. Ça pourrait être amusant.

— Bon, fait-il, soulagé, c'est quoi ?

Après m'avoir entendue, il me donne son accord. Lui, toujours partant pour s'occuper des corvées familiales les plus fastidieuses, je sais qu'il est ravi d'être débarrassé de l'organisation de cette fête-là. Les autres membres de la famille sont eux aussi heureux de collaborer. Ils ont envie que Judy ait un anniversaire exceptionnel... du moment qu'ils n'ont pas à s'occuper de grand-chose.

Poursuivant sur ma lancée, je me charge de tout. Quatre jours avant la fête, j'envoie des mails à la ronde :

Salut à tous. Je veux une masse de cadeaux bien emballés. Un seul ne suffit pas.

D'autre part, je sais bien que vous allez vous fiche de moi, mais je vous recommande de porter une tenue de fête. Je n'insiste pas. Mais sachez que cet anniversaire mérite des attentions particulières pour devenir une soirée inoubliable.

Je précise :

À Bob : Eliza et moi avons emballé ton cadeau, peux-tu apporter du champagne ?

À Jamie : As-tu acheté un cadeau de notre part à tous les deux ?

À Phil et Lauren : Que préparez-vous comme menu ? Avez-vous besoin d'ingrédients spéciaux ? À quelle heure pensez-vous arriver ? Vin rouge ou vin blanc ? Allez-vous écrire le menu sur des cartons ? Judy apprécierait.

Je croule sous les préparatifs. J'accompagne Eliza dans un magasin de poteries où elle orne des assiettes de décors de théâtre, la passion de sa grand-mère. Nous passons une heure entière (oui, une heure !) en ligne à consulter le choix de gâteaux de chez Colette pour choisir le plus beau. J'aide Jamie à graver un DVD où Eliza chante un pot-pourri des chansons favorites de Judy, pendant qu'Eleanor trottine partout.

Quand survient le grand soir, avant l'arrivée des invités, fixée à 6 h 30, je peaufine les rangements de dernière minute et j'ai le trac. Ma mère adore recevoir, et comme elle j'ai tendance à souffrir de la « névrose de l'hôtesse » avant le début des fêtes. Les invités qui sont au courant se cachent pour ne pas se voir recruter pour passer l'aspirateur ! Et quand Jamie fait son apparition, à 6 h 29, en pantalon de toile, chemise à carreaux et pieds nus, j'ai un choc.

Je réfléchis une seconde et m'applique à prendre un ton léger pour remarquer :

— Ça me ferait plaisir si tu mettais une tenue plus élégante.

Jamie réfléchit à son tour.

— Je vais enfiler un pantalon plus chic, d'accord ?

Il monte, se change complètement et met des chaussures.

La soirée se déroule exactement selon mes plans. D'abord les enfants avalent des sandwichs au poulet en compagnie de leur grand-mère. Puis nous sortons le gâteau afin qu'ils puissent chanter « Joyeux anniversaire » et y goûter avant d'aller se coucher. Ensuite, les adultes passent à table pour déguster un dîner indien, la cuisine préférée de Judy.

Au moment de partir, elle nous déclare :

— Quelle soirée parfaite ! J'ai tout apprécié, mes cadeaux, le repas, le gâteau, tout était vraiment divin.

Ce n'est pas un compliment vain. Tout le monde s'est amusé, chacun a collaboré, mais c'est moi la plus *heureuse*, il n'y a pas eu la moindre anicroche.

La fête a souligné l'exactitude de mon Troisième Commandement : « Fais comme si... » Alors que j'aurais pu râler d'avoir eu à tout organiser moi-même, je suis ravie de montrer l'affection que je porte aux membres de ma belle-famille, et à Judy en particulier.

Avant la fête, je l'avoue, quand même il m'est arrivé de trouver que Jamie et les autres n'appréciaient pas suffisamment mes efforts. J'ai pris en charge tout le planning et j'aurais été furax si quelqu'un m'avait supplantée. Et j'aurais adoré crouler sous une avalanche de bons points. Je m'attendais à ce que Jamie, Bob ou Phil s'exclament :

— Waouh ! Gretchen, tu nous as préparé une soirée du tonnerre de Dieu ! Merci d'être aussi brillante, aussi créative, aussi minutieuse !

Ils ne m'ont rien dit. Tant pis ! Je me suis fait plaisir à moi-même.

Mais Jamie me connaît bien. Pendant que Judy ouvre ses cadeaux, il prend un paquet sur une étagère et me l'offre.

— C'est pour toi.

Je suis à la fois surprise et ravie.

— Pour moi ? Mais pourquoi ?

Il ne répond pas, mais je sais ce qu'il pense.

Le paquet contient un ravissant collier de perles en bois poli.

— Je l'adore ! je m'exclame en l'essayant.

Bon, peut-être que je n'ai pas *besoin* de reconnaissance mais Jamie a raison, au fond de mon cœur c'est bien ce que je *veux*.

Tomber amoureuse apporte cette sensation extraordinaire d'être *choisie* parmi les filles ou les femmes du monde entier. Je me rappelle ma surprise quand j'ai désigné du doigt Jamie, mon nouveau petit copain, à ma meilleure amie d'université et qu'elle m'a dit : « C'est la première fois que je vois ce type. » Pour moi, il était impossible que tous les regards n'aient pas été rivés sur lui quand il traversait un hall ou se rendait au réfectoire.

Pourtant, au fil des ans, les époux s'occupent moins l'un de l'autre. Jamie est mon destin, mon âme sœur. Il imprègne toute ma vie. Ce qui n'empêche pas que la plupart du temps je ne fais plus guère attention à lui.

Pourtant, plus on est attentif à son mari, plus les liens se resserrent. Mais les mauvaises habitudes arrivent vite. Trop souvent, quand je suis plongée dans un livre, je réponds d'un vague soupir à une plaisanterie de Jamie ou à son envie de bavarder. Plus généralement, les couples ont du mal à communiquer sur les problèmes importants. Ainsi, lors d'un cocktail, ne vous est-il pas arrivé d'entendre votre conjoint révéler un grave souci à une parfaite inconnue alors qu'il ne vous en avait jamais parlé ? Mais il est vrai que la vie quotidienne ne nous laisse plus le temps de bavarder en tête à tête.

Parmi tous mes défauts, j'ai celui de traiter Jamie par-dessus la jambe. Je décide donc, en application de ma résolution « Donner des preuves d'amour », de lui faire des petits cadeaux ou d'avoir de gentilles attentions. Un soir, recevant des amis pour un verre, je leur demande ce qu'ils désirent boire. Puis je me tourne vers Jamie :

— Et toi, qu'est-ce qui te ferait plaisir ?

Il semble surpris mais content. En effet, j'avais pour habitude de ne m'occuper que de nos invités ! Autres petits égards : je remplace sa vieille trousse de toilette qui tombe en ruine par une neuve que je remplis de produits à l'odeur délicieuse. Ou je lui achète le dernier *Sports Illustrated* que je laisse sur la table de l'entrée pour qu'il le voie bien quand il rentrera du bureau.

Pour cimenter un mariage, il est important de passer le plus temps de possible seul à seule. Les spécialistes du monde entier conseillent de se réserver des « soirées en amoureux », sans les enfants. Sage précepte, qui ne colle hélas pas avec mon nouvel emploi du temps. Je vois mal comment les inclure dans mon agenda alors que nous sortons déjà beaucoup avec des amis ou pour des raisons professionnelles. Je décide de ne pas en tenir compte.

De plus, je suis persuadée que l'idée ne plaira pas à Jamie.

D'où ma surprise quand elle le séduit.

— Pourquoi pas ? Ça serait sympa d'aller voir un film ou dîner tous les deux. D'un autre côté, comme on sort beaucoup, ce n'est pas désagréable de rester à la maison.

Je suis d'accord. Et en même temps ravie que, sans vouloir l'appliquer, il apprécie l'idée.

L'avis de gens qui ne sont pas des experts m'intéresse aussi. Un soir, lors d'une récente réunion de mon club littéraire, alors que nous n'avions pas grand-chose à dire sur le livre du mois, je demande à mes amies leur point de vue sur le mariage. Chacune y va de son commentaire :

— Se coucher en même temps que son mari est toujours bénéfique, explique l'une. Soit on dort plus longtemps, soit on bavarde, soit on fait l'amour.

— Avant mon mariage, mon patron m'a révélé le secret d'un couple uni, raconte une autre. Il faut garder pour soi au moins trois problèmes qui fâchent.

— Mon mari et moi on ne se critique que sur un sujet à la fois, lance une troisième.

— Mes grands-parents étaient quakers. Ils sont restés mariés soixante-douze ans, confie une dernière participante. Ils aimaient avoir une activité en commun, que ce soit le tennis, le golf ou encore le Scrabble ou le gin-rami.

En rentrant, je parle à Jamie de cette suggestion et le lendemain il rapporte un backgammon.

Après une bonne période consacrée aux preuves d'amour je me décide à passer à la vitesse supérieure. J'attaque une semaine « Bonté Intense ».

Il s'agit d'un sport extrême, comme le saut à l'élastique ou la chute libre, qui m'oblige à me dépasser et à puiser dans mes réserves. Le tout dans le confort de ma maison. Pendant une semaine je suis *la gentillesse même* avec Jamie. Je ne le critique pas, je ne l'asticote pas, je ne le reprends pas ! Je lui propose même d'aller chez le cordonnier sans qu'il ait besoin de me le demander.

Comment se fait-il que je sois plus gentille avec mes amies ou ma famille qu'avec Jamie, l'amour de ma vie ? Justement cette semaine de Bonté Intense m'oblige à me conduire parfaitement. Bien sûr, on se chamaille toujours un peu, mais je devrais pouvoir prolonger mon comportement angélique pendant tout le mois de février.

Il faut dire que les travers de Jamie m'horripilent : il remet d'importantes décisions à plus tard, ne répond pas à mes mails, n'apprécie pas mes efforts pour que la maison tourne rond. En revanche, je ne pense pas suffisamment à ce que j'aime chez lui : il est bon, drôle, brillant, prévenant, aimant, ambitieux, adorable. C'est un bon père, bon fils et bon gendre, il connaît des tas de choses étonnantes sur des sujets divers et variés, il travaille dur, il est créatif et généreux. Avant de s'endormir, il ne manque pas de m'embrasser en me disant « Je t'aime ». Dans les soirées, il me prend par les épaules et reste souvent près de moi. Il est rare qu'il se mette en colère ou me critique. Et il a toujours sa tignasse de jeune homme.

Le premier jour de Bonté Intense, Jamie m'annonce timidement :

— J'aimerais aller faire ma gym pour en être débarrassé. Pas d'objection ?

La gym est une de ses obsessions.

Au lieu de prendre mon air de martyre ou de râler, genre : « D'accord, mais vas-y vite pour revenir dare-

dare ; on a promis aux filles de les emmener au jardin ! », je lui réponds :

— Bien sûr, pas de problème !

Mais ce n'est pas facile-facile.

Je dois considérer la chose sous un autre angle. Comment est-ce que je réagirais si Jamie ne faisait jamais d'exercice ou, pire, s'il ne le pouvait pas ? J'ai un mari beau et sportif. Quelle chance qu'il ait envie d'aller à sa gym !

Pendant la semaine Bonté Intense, si Jamie disparaît dans la chambre pour faire une petite sieste, je le laisse dormir pendant que je fais déjeuner nos deux filles. Je nettoie la salle de bains, range mes flacons et tubes envahissants, jette les papiers de bonbon qui traînent partout, le félicite quand il loue *Les Aristocrates* que j'ai vu deux fois. J'ai honte de le dire mais chacun de ces gestes me coûte.

Je n'élève pas la voix quand je m'aperçois qu'il a jeté *The Economist* et *Entertainment Weekly* que je n'ai pas encore lus. Le lendemain matin, en me réveillant, je m'aperçois que ce n'était pas bien grave et me félicite de ne pas avoir fait mon cirque.

J'ai toujours suivi l'adage : « Ne t'endors pas sur une querelle. » En termes pratiques, je m'arrange pour dissiper les malentendus et ne vais jamais me coucher avec un poids sur le cœur. Je suis donc surprise d'apprendre que la notion bien connue des psys selon laquelle « la colère fait décompresser » est une ânerie. Il n'est nullement prouvé que « décompresser » soit sain ou constructif. Au contraire, des études démontrent qu'exprimer sa colère avec agressivité ne fait pas baisser la tension, mais l'accroît. En revanche, si l'on garde tout pour soi, la hargne disparaît peu à peu sans laisser de trace.

Comment réagissons-nous aux ordres donnés par un conjoint ? On peut dire que chacun passe son temps à charger l'autre de corvées alors qu'un juste partage des tâches est une des clés de l'union heureuse. Ah ! si seulement Jamie obtempérait au quart de tour quand je lui demande de vider le lave-vaisselle ou d'appeler le gardien ! Lui doit rêver de *me* voir exécuter *ses* ordres quand il me dit : « Ne fais pas de miettes dans le salon ! » ou : « Retrouve les clés de la cave ! » Cette semaine, c'est simple, je m'efforce de lui obéir au doigt et à l'œil.

Au fil des jours, je suis vexée de voir que Jamie n'a pas l'air de s'apercevoir qu'il est le principal bénéficiaire de la semaine de Bonté Intense. Puis je me rends compte que je dois me *calmer* : s'il le remarquait cela signifierait que j'ai changé du tout au tout et qu'auparavant j'étais une sorte de mégère !

Autre découverte : mon Commandement « Fais comme si... » est loin d'être vain. Traiter Jamie avec le maximum d'égards redouble ma tendresse pour lui. Pourtant, quand la semaine s'achève, je pousse un ouf ! de soulagement. Cette intensité me tue. Ma langue me fait un mal de chien à force d'être mordue !

En remplissant mon Tableau des Bonnes Résolutions, le dernier après-midi de février, je constate qu'il contribue grandement à mon bonheur. L'examen constant de mes résolutions et ma vigilance à les appliquer améliorent mon comportement – et nous ne sommes pas encore en mars ! Dans ma vie, j'ai pris des tonnes de résolutions – chaque premier de l'an, depuis l'âge de neuf ou dix ans –, mais en tenant à jour mon Tableau je suis en mesure de vérifier que je les mets en œuvre.

La fin du mois m'apporte une autre révélation. Depuis longtemps, je me creusais la tête pour trouver une théorie générale du bonheur et voilà qu'un après-midi, après de nombreuses fausses pistes, je débouche sur une étonnante formule.

Je suis dans le métro en train de lire *Economics and Psychology*, l'ouvrage de Bruno Frey et Alois Stutzer, quand je m'arrête sur cette phrase : « Affects agréables, affects odieux, satisfactions de la vie sont autant de structures autonomes. » Dans le même sens, je viens de lire une étude montrant que bonheur et malheur ne sont pas les contraires d'une même émotion – mais sont autonomes et évoluent d'une manière indépendante. Soudain, en songeant à ces notions et à ma propre expérience, tout se met en place. Ma formule du bonheur jaillit dans mon esprit avec une violence inouïe. Il me semble que les autres passagers voient une lumière s'allumer au-dessus de ma tête !

Pour être heureuse, je dois réfléchir à ce que signifie me sentir bien, me sentir mal, me sentir en phase avec moi-même.

Si simple et pourtant si profond. À première vue, on croirait un titre de magazine et pourtant je me suis donné beaucoup de mal pour trouver un cadre englobant tout ce que j'ai appris.

Pour être heureuse, il me faut générer un plus grand nombre d'émotions positives afin d'augmenter mon quota de joie, de plaisir, d'enthousiasme, de reconnaissance, d'intimité et d'amitié. Ce qui est facile à comprendre. Je dois également éliminer les causes de mauvaise humeur et être moins sujette aux remords, à la honte, à la colère, à la jalousie, à l'ennui et à l'agacement. Ce qui est également clair. Reste à me « sentir en phase avec moi-même ».

Le concept est plus difficile à saisir. C'est, entre autres, l'impression de mener la vie qui vous convient. Pour ma part, malgré la satisfaction que j'ai éprouvée à être avocate, il me semblait constamment ne pas faire ce qui me convenait. Aujourd'hui, même si dans ma carrière d'écrivain alternent des moments où « je me sens bien » et d'autres où « je me sens mal », il est sûr que « je me sens en phase avec moi-même ».

« Se sentir en phase avec soi-même », c'est mener la vie qui vous convient – dans des domaines aussi variés que le travail, le lieu d'habitation, la situation de famille, etc. Cela tient compte aussi de valeurs morales : faire son devoir ou vivre à la hauteur des buts que l'on s'est fixés. Ou – notion plus terre à terre – accéder à un certain niveau professionnel ou financier.

Après quelques minutes passées à savourer ma découverte, je remarque qu'elle est incomplète. Il lui manque un élément important. Je cherche une façon de rendre compte du fait que nous sommes programmés pour tendre constamment vers le bonheur. Ainsi, nous avons tendance à penser que nous serons plus heureux à l'avenir. Et se fixer un but est une composante majeure du bonheur. Hélas, ma formule ne traduit rien de tout ça. Qu'est-ce qui lui manque ? Cette recherche ? Ce but ? Cet espoir ? Ces concepts ne me satisfont pas. Puis je me rappelle une phrase du poète Yeats : « Le bonheur, ce n'est ni la vertu, ni le plaisir, ni une chose ou une autre, mais simplement l'amélioration. Nous sommes heureux de nous perfectionner. »

Les recherches récentes le confirment : se fixer des buts amène le bonheur.

Eurêka ! Le perfectionnement personnel est le mot-clé. Il explique le bonheur éprouvé à s'entraîner pour un marathon, à apprendre une langue étrangère, à collectionner des timbres, à apprendre à un enfant à marcher, à exécuter toutes les recettes d'un chef trois étoiles. Mon père était très bon tennisman et j'ai beaucoup joué en grandissant. Et puis il s'est mis au golf et a peu à peu abandonné le tennis.

Je lui en ai demandé la raison. Voici sa réponse :

— Je jouais de moins en moins bien au tennis, mais mon golf ne cesse de s'améliorer.

Malléables, nous nous adaptons vite à de nouvelles conditions de vie – pour le meilleur ou le pire – et trouvons ça normal. Si cela nous aide quand notre situation se détériore, nous nous durcissons quand notre vie s'améliore. Nouveaux conforts et privilèges ne nous étonnent plus. Cette « tonalité hédoniste », comme on la nomme, nous incite à nous accoutumer aux choses qui nous font nous « sentir bien » comme une nouvelle voiture, une promotion, ou la climatisation. Mais très vite la nouveauté s'émousse. S'améliorer contrebalance cette tendance. Alors que l'on ne remarque plus un nouveau meuble, jardiner vous apporte bien des joies et des surprises quand vient le printemps. L'amélioration spirituelle ne doit pas nous faire sous-estimer l'amélioration matérielle. Si, comme on le prétend, l'argent ne fait pas le bonheur, il est bien agréable de disposer de plus de moyens d'une année sur l'autre.

J'en arrive donc à ma formule finale du bonheur que je nomme ma Première Vérité Éclatante. (« Première », car d'ici la fin de l'année j'en découvrirai au moins une autre.) Je vous la livre :

> Pour être heureuse, je dois réfléchir à ce que signifie me sentir bien, me sentir mal, me sentir en phase avec moi-même, dans un climat de progression constante.

En rentrant, je me précipite sur le téléphone pour appeler Jamie.

— Enfin ! J'ai ma formule ! J'arrive à regrouper en

une seule phrase toutes les recherches et les divers détails dont la dispersion me rendait folle !

— Formidable ! fait-il, enthousiaste.

Silence.

— Tu n'as pas envie de l'entendre ?

Bien que je n'associe pas Jamie à mon travail, j'aimerais parfois qu'il fasse un effort. Et se montre un peu plus concerné.

— Bien sûr, dit-il. C'est quoi ta formule ?

Voilà, il essaie. C'est peut-être mon imagination mais plus je m'implique et plus j'ai l'impression qu'il s'intéresse à ce que je fais. J'ai du mal à mettre le doigt sur ce qui a changé, mais je le sens plus attentionné. Il n'a guère envie de parler bonheur – en fait, il en a par-dessus la tête de mon enthousiasme débordant –, ce qui ne l'empêche pas de changer les ampoules sans que j'aie à le supplier, et il répond à mes mails plus rapidement. Il a acheté le backgammon. Et puis, il me demande ma formule du bonheur.

En réfléchissant au bonheur conjugal, on a tendance à se braquer sur son conjoint, à se concentrer sur la manière dont il pourrait changer. Mais il est impossible de modifier le comportement de quiconque, si ce n'est le sien propre. Une de mes amies m'a confié son « mantra conjugal » : « J'aime Leo, *comme il est* ! » Moi, j'aime Jamie comme il est. Si je ne peux pas lui imposer plus de corvées domestiques, il m'est possible de cesser de le harceler – et j'en suis plus heureuse. En règle générale, ne plus se mettre en colère pour un rien, arrêter de se montrer hostile crée une ambiance conjugale plus douce et plus aimante.

3

Mars : viser plus haut

Travailler

- Créer un blog
- À quelque chose malheur est bon
- Se faire aider
- Travailler intelligemment
- Travailler en s'amusant

Le bonheur influe sur le travail d'une façon importante – et vice versa. Apparemment, les gens heureux sont plus performants que ceux qui ne le sont pas. C'est injuste mais c'est ainsi. Non seulement les gens heureux ont des semaines de travail plus longues mais ils travaillent aussi durant leurs moments de repos. Ils ont tendance à se montrer plus coopératifs et moins personnels dans leur travail et consentent davantage à collaborer, soit en partageant une information, soit en donnant un coup de main. Conséquence ? Comme ils aident leurs collègues, leurs collègues les aident. En outre, ils travaillent mieux en équipe, parce que les gens préfèrent être entourés de gens heureux, en général plus enthousiastes, plus productifs et moins enclins à s'absenter, à faire des histoires et du mauvais esprit, à comploter dans les coins et à monter des vendettas.

Les gens heureux font des leaders efficaces. Ils obtiennent de meilleurs résultats, en particulier dans le contrôle de l'information et les postes de management. Leur tempérament leur confère de l'assurance et de l'autorité. Et ils sont perçus comme amicaux, chaleureux, et même dotés d'un *physique* agréable. Une étude montre que les étudiants qui ont été heureux pendant leur première année de fac gagnent, à débuts égaux, plus d'argent vers les trente ans. Être heureux peut donc faire une énorme différence dans la vie professionnelle.

Bien entendu, le bonheur dans le travail a d'autant plus d'importance que nous y passons beaucoup de temps. Une majorité d'Américains travaillent sept heures par jour et même plus, alors que leur temps de loisir se rétrécit. Précisons également que le travail regorge d'éléments indispensables à une vie heureuse : possibilité d'expansion et de contacts sociaux, poursuite d'un but, respect de soi, sentiment de reconnaissance, de plaisir.

Quand je suis déprimée, travailler me remonte le moral. Parfois, quand mon moral est vraiment au plus bas, Jamie suggère : « Et si tu allais passer un moment à ton bureau ? » Même si je ne suis pas d'humeur, le fait de me plonger dans une tâche fait diversion. Sans parler de l'impression stimulante d'accomplir quelque chose qui, combinée à une certaine exaltation mentale, me sort de ma morosité.

Le travail a une part si importante dans la quête du bonheur que pour certaines personnes le choix d'une profession est une étape cruciale dans le cheminement vers le bonheur. En ce qui me concerne, ce choix est déjà fait.

J'ai commencé dans la magistrature et cela a été une expérience enrichissante. Mais quand mon stage chez la juge O'Connor s'est terminé, je ne savais pas vraiment quelle orientation choisir. Pendant cette période, en rendant visite à une amie qui préparait son agrégation, j'ai remarqué d'énormes bouquins dispersés un peu partout dans son living-room.

— C'est ce que tu dois lire pour tes examens ? j'ai demandé en tournant les pages imprimées en petits caractères.

— Oui. Mais de toute façon je les lirai pour le plaisir à mes moments perdus.

Cette réponse spontanée m'a fait réfléchir. Je me suis posé la question : Et *toi*, tu fais quoi à tes moments perdus ? Malgré mon intérêt pour mon stage, je n'avais jamais passé une seconde de plus que nécessaire à parcourir des traités de droit. Pour m'amuser j'écrivais un livre (qui a été publié plus tard). Il m'est alors venu à l'esprit que je pourrais peut-être gagner ma vie de cette manière. Au cours des mois suivants, l'idée s'est imposée à moi.

Je suis quelqu'un d'ambitieux. J'aime la compétition. Cela pour dire qu'il m'en coûtait d'abandonner mon bagage juridique pour tout recommencer de zéro. J'avais été rédactrice en chef du *Journal juridique* de l'université de Yale, j'avais gagné un prix pour mon travail de rédaction – et dans le monde du droit et de la magistrature, ces références comptent énormément, alors qu'en dehors elles ne représentent rien. Mon envie de réussir, toutefois, était ce qui me poussait à quitter le droit car j'étais convaincue qu'aimer passionnément une profession est un facteur décisif de succès. Les gens qui adorent leur métier s'y donnent avec un enthousiasme et une intensité que ne peut égaler une honnête application. Je revoyais mes collègues à la Cour suprême : ils lisaient des journaux juridiques par pur plaisir et discutaient des affaires en cours pendant leur pause-déjeuner. Bref, leur zèle les stimulait. Ce n'était pas mon cas.

Il s'avère que l'enthousiasme est bien plus important que l'aptitude naturelle. Pourquoi ? Tout simplement parce que le développement d'un savoir-faire passe obligatoirement par une certaine ferveur. Aussi, d'après les spécialistes, le désir d'exercer un métier qu'on aime et dans lequel on se sent à l'aise accroît notablement les capacités.

J'aime écrire, lire, faire des recherches, prendre des notes, réfléchir et me livrer à l'analyse critique. (À vrai dire, je ne raffole pas de l'*écriture*, mais quel écrivain aime *vraiment* écrire ?) Quand j'y pense, je m'aperçois que mon passé abonde d'indices révélateurs. J'ai écrit deux romans qui dorment dans un tiroir. J'ai toujours passé la plupart de mon temps libre plongée dans un bouquin. Je prends des notes et griffonne sur des cahiers à tout bout de champ. À la fac, l'anglais était ma matière principale. Et surtout, j'ai écrit un livre pendant mes loisirs.

Pourquoi n'ai-je pas pensé plus tôt à embrasser la profession d'écrivain ? Sans doute pour différentes raisons. En particulier, il m'est souvent difficile d'être moi-même. Ce qui d'après Érasme constitue le plus grand bonheur. Principe facile à énoncer, mais difficile à appliquer en ce qui me concerne. C'est pourquoi « Sois toi-même » est le premier de mes Douze Commandements.

Je sais qui je *souhaiterais* être. Ce qui m'empêche de connaître mon vrai moi. Parfois je fais semblant de prendre plaisir à telle ou telle activité alors qu'en réalité je ne l'aime pas tellement, comme le shopping. Ou je prétends m'intéresser à tel ou tel sujet qui ne me passionne pas, comme la politique étrangère. Le pire **est** que j'ignore mes vrais désirs et centres d'intérêt.

Le « Fais comme si… » de mon Troisième Commandement s'appliquait à un état d'esprit temporaire mais ce n'est peut-être pas le principe idéal quand on est sur le point de prendre une décision majeure. En « faisant comme si… », je risquais de m'engager dans des activités qui ne me convenaient pas. En plus, ce prétendu enthousiasme pouvait masquer mes centres d'intérêt réels.

Ma sœur Elizabeth se connaît bien. C'est une des qualités que j'admire le plus en elle. Elle ne se remet jamais en question. En classe, je jouais au hockey sur gazon (malgré mes piètres performances d'athlète), j'avais choisi la physique (que je détestais) et je souhaitais suivre davantage de cours de musique (ce que je ne faisais pas). Elizabeth était tout le contraire. Elle est aujourd'hui elle-même quoi qu'il arrive. Ainsi, contrairement à la majorité des gens cultivés, elle n'a pas honte d'afficher un penchant pour les romans à l'eau de rose et les soaps de la télé – une faiblesse justifiée par le fait qu'elle a commencé sa vie active en écrivant des romans pour adolescents avant de devenir scénariste pour le petit écran. Je me demande parfois si je serais devenue écrivain si Elizabeth n'avait pas montré la voie. Je me souviens d'une conversation avec elle juste au moment où j'hésitais encore sur le choix d'un métier.

— L'*authenticité* me pose un problème. En travaillant dans les domaines du droit, de la finance ou de la politique je me sentirais authentique.

J'espérais l'entendre me rétorquer : « Mais écrire *est* authentique » ou : « Tu peux toujours changer si tu n'aimes pas. » Mais elle se montra bien plus astucieuse.

99

— Tu sais, tu as toujours eu en toi ce désir de légitimité. Et tu l'auras toujours. C'est probablement pour cette raison que tu as étudié le droit. Mais est-ce que cela doit déterminer ton choix ?

— Eh bien...

— Dans ton job à la Cour suprême, tu travaillais dans la légitimité. Te sentais-tu authentique pour autant ?

— Pas vraiment.

— Et il n'y a pas de raisons que ça change. Écoute, ne laisse pas cette histoire d'authenticité influencer ton choix.

J'ai quand même pris un autre boulot juridique – à la Commission des télécommunications fédérales – avant de me lancer dans le métier d'écrivain. C'était intimidant de mettre le pied dans une profession inconnue mais la mutation fut facilitée par notre déménagement de Washington à New York. Et par le fait que Jamie avait lui aussi décidé de changer de travail. Pendant que j'apprenais l'art de l'écriture, il suivait des cours du soir pour devenir expert-comptable. Je me rappelle encore le jour où nous avons décidé de ne plus cotiser au barreau.

Arrêter le droit en faveur de l'écriture a marqué une étape importante dans mon parcours vers la reconnaissance de mon vrai moi. J'avais décidé de faire ce que je voulais en tournant le dos aux options qui, bien que séduisantes pour d'autres, ne l'étaient pas pour moi.

Puisque mes objectifs du mois de mars n'incluent pas de réévaluation de mon travail, je vais me concentrer sur l'énergie, la créativité et l'efficacité professionnelles. Question routine et terrain connu, je me pose en championne. Pourtant, je veux me forcer à explorer de nouvelles routes. Un challenge pour la femme d'habitudes que je suis ! En vue d'améliorer mes performances, je passerai chaque jour plus de temps à lire et à écrire – et également à socialiser. Plus important encore, je vais faire en sorte d'être aussi combative les lundis matin qu'à la veille des week-ends.

CRÉER UN BLOG

Nouveauté et challenge sont des éléments-clés du bonheur. L'esprit est stimulé par la surprise. Se sortir avec les honneurs d'une situation inattendue est une satisfaction puissante. En faisant des choses inhabituelles, comme visiter un musée pour la première fois, apprendre un nouveau jeu, découvrir un endroit ou faire de nouvelles rencontres, on se sent plus apte au bonheur que les gens englués dans leur train-train.

Un des nombreux paradoxes de l'accession au bonheur me saute aux yeux. Bien que nous essayions de contrôler nos vies, l'imprévu et le fortuit sont générateurs de bonheur. En outre, parce qu'elles demandent à notre cerveau un effort supplémentaire, les situations nouvelles suscitent des réactions émotionnelles intenses tout en étirant le temps et en faisant de son passage un enrichissement. Après la naissance de son premier enfant, un ami m'a fait cette remarque :

— Depuis que ma fille est née, le temps s'écoule plus lentement. Avant, ma femme et moi avions l'impression de vivre à une allure effrénée. Depuis la naissance de notre fille, notre cadence s'est ralentie. Chaque semaine est tellement pleine qu'elle semble s'étirer.

Comment incorporer nouveauté et challenge à mon Opération Bonheur ? Mon initiative doit être liée à des activités que j'aime. N'en déplaise aux experts ! Pas question d'apprendre le violon ou de suivre des cours de salsa.

— Pourquoi ne pas lancer un blog ? suggère mon agent littéraire, me voyant en pleine cogitation.

— Oh, c'est bien trop technique. Je ne sais pas comment m'y prendre. Déjà que j'ai du mal à utiliser un lecteur de DVD !

— De nos jours, c'est facile de créer un blog. Penses-y. Je parie que ça te plaira.

Depuis qu'elle m'a mis cette idée en tête, non seulement je n'arrête pas d'y penser mais je vais me lancer. Mes lectures et recherches diverses m'ont convaincue : pour être heureuse je dois m'attaquer à une tâche qui sort de l'ordinaire. Et puis lancer un blog va me mettre en relation avec des gens qui partagent les mêmes centres d'intérêts que moi. Je vais pouvoir m'exprimer et donner à d'autres l'idée de poursuivre leur propre Opération Bonheur.

Pourtant, malgré l'aspect gratifiant de l'entreprise, j'hésite. J'ai peur que ce blog ne me prenne trop de temps et d'efforts alors que j'ai déjà le sentiment d'être en permanence à court de temps et d'énergie. Et puis, écrire un blog c'est s'exposer aux critiques et à l'échec. C'est risquer d'être prise en flagrant délit d'idiotie.

À ce stade de mes réflexions je tombe par hasard sur deux connaissances qui ont leur blog. Ensemble ils me donnent quelques conseils pour démarrer. Ces rencontres seraient-elles le fruit de quelque coïncidence cosmique (quand l'étudiant est prêt, le maître apparaît) ? Sont-elles le résultat de ma volonté de concrétiser mes buts ? Ou est-ce seulement ce qu'on appelle un sacré coup de pot ?

— Utilise TypePad, me recommande ma première conseillère, qui consacre son blog aux restaurants et aux recettes de cuisine. Et fais simple. Quand tu auras de l'expérience tu pourras ajouter des fioritures.

— Tu dois écrire tous les jours, c'est une obligation, insiste mon second conseiller, qui s'occupe d'un blog juridique.

Et moi qui croyais que trois fois par semaine serait amplement suffisant !

— Et quand tu envoies un mail pour informer quelqu'un de l'existence de ton blog, continue-t-il, joins le texte entier, pas seulement le lien.

Voilà un truc auquel je n'aurais jamais pensé.

— Parfait. Donc, si je te suis bien, il va falloir que j'informe par mail d'autres blogueurs que je rejoins leur communauté ?

— Oui, c'est ça.

Après trois semaines passées à fureter au hasard sur l'Internet, prudemment, presque furtivement, je contacte TypePad. Et cette simple démarche me remplit d'anxiété et d'exaltation tandis que je garde en tête l'un de mes Secrets de l'Expérience : « En général les erreurs passent plus ou moins inaperçues. » Même si je me plante, ça ne sera pas une catastrophe.

Tous les jours je consacre une heure à travailler à mon blog. Petit à petit le format fourni par TypePad commence à prendre forme. Je remplis la section qui me décrit, j'écris une présentation du blog, je mets les liens de mes livres. Je joins la liste de mes Douze Commandements. Et, ayant à peu près compris ce qu'est un RSS, je l'ajoute. Finalement, le 27 mars, je respire à fond et publie mon premier article de blog.

Aujourd'hui est le premier jour du blog Opération Bonheur.

Qu'est-ce que l'Opération Bonheur ?

Un après-midi, il n'y a pas si longtemps, je me suis rendu compte avec un pincement au cœur que je vivais ma vie sans me poser la question essentielle : suis-je heureuse ?

Depuis cet instant, je ne cesse de penser au bonheur.

Est-ce surtout le produit d'un certain tempérament ?

Y a-t-il des étapes qui conduisent au bonheur ?

Au fait, que veut dire être heureuse ?

L'Opération Bonheur est le fruit de mes recherches d'une année au cours de laquelle j'ai testé chaque principe, chaque théorie, chaque conseil et résultat d'étude que j'ai pu trouver, d'Aristote à sainte Thérèse de Lisieux, de Benjamin Franklin à Martin Seligman en passant par Oprah Winfrey. Lequel marche ?

Eh bien, le fait de commencer ce blog me rend heureuse, car j'ai réalisé l'un des buts de ce mois (juste à temps). Je me suis fixé un objectif, j'ai travaillé et je l'ai accompli.

Pendant la préparation de ce blog, je me suis remémoré deux Secrets de l'Expérience :

1. « Il n'est pas interdit de demander de l'aide. »

À vrai dire, avant de lancer mon blog, j'ai pas mal pataugé. Jusqu'au moment où il est devenu évident qu'il me fallait demander des conseils à des amis blogueurs.

2. « Un peu chaque jour et l'on progresse beaucoup. »

On a tendance à surestimer ce qu'on est capable d'accomplir en une heure ou en une semaine et de sous-estimer ce qu'on peut accomplir en un mois ou un an. Comme l'a dit l'écrivain anglais Anthony Trollope : « Un petit travail quotidien, s'il est vraiment quotidien, est plus important qu'une tâche herculéenne effectuée épisodiquement. »

Depuis ce 27 mars, je publie six jours par semaine.

Ma première publication sur l'écran ? Un sentiment de triomphe absolu. Je l'ai fait ! Incroyable mais vrai ! Je dois dire que les spécialistes ont raison : rien de plus euphorisant que d'entreprendre quelque chose de nouveau et de se lancer un défi. Mais, pour être honnête, ce blog est souvent une source de frustration. Plus j'avance, plus je veux en faire. J'aimerais adjoindre des images. J'aimerais enlever la mention « Typepad » de mon adresse URL. J'aimerais être sur Podcast. J'aimerais ajouter des liens sur ma Typelist. Et alors que j'essaie de résoudre tous ces problèmes, un sentiment d'ignorance impuissante me submerge. Les images ne se chargent pas. Ou alors elles sont trop petites. Les liens ne fonctionnent pas. Et tout d'un coup mon texte s'affiche entièrement souligné.

Je serre les dents pour maîtriser la technique. Il suffit d'un problème pour m'exaspérer. Jusqu'au moment où je trouve un truc pour me forcer au calme. Je me répète : « Je me suis mise en prison », « je suis en prison », « je suis bouclée ici sans rien d'autre à faire que ce boulot. Peu importe le temps que ça prendra. J'ai la journée devant moi. » Bien sûr, c'est loin d'être vrai. Mais me persuader que j'ai tout mon temps m'aide à me concentrer.

En travaillant sur mon blog, je dois souvent me rappeler d'être moi-même et de rester fidèle à *ma* conception initiale. Des tas de gens sympas et intelligents me donnent des conseils. Quelqu'un m'encourage à adopter un ton ironique. D'autres suggèrent que je fasse des commentaires sur de nouveaux sujets. Jusqu'à un ami plein de compassion qui me déclare que mon titre Opération Bonheur n'est pas bon. Celui qu'il propose ? « Oh Happy Day. »

Je proteste mollement !

« Changer de nom me semble impossible. Opération Bonheur s'est imposé dès le moment où l'idée m'en est venue.

— Il n'est jamais trop tard pour faire un change-ment », rétorque-t-il, sûr de son fait.

Un autre ami me suggère d'explorer mes conflits avec ma mère.

« Ça intéresse tout le monde, tu sais.

— Tu as raison mais... en fait je n'ai pas de conflits avec ma mère. »

Et pour la première fois de ma vie, j'en suis presque à regretter les rapports étroits que j'ai avec elle.

« Ah bon », répond-il, peu convaincu.

Il est clair qu'à ses yeux je suis dans le déni total.

Toutes ces suggestions partent de bons sentiments. Mais chaque fois qu'on me donne un conseil, je m'inquiète. Ce blog est un challenge d'autant plus grand que je suis ma plus féroce critique. À moi les inter-rogations et le doute ! Dois-je remanier mon concept d'Opération Bonheur ? Le mot « opération » est-il rébarbatif ? Est-ce qu'en racontant ma propre expé-rience je ne risque pas de passer pour égocentrique ? Est-ce que mon style n'est pas trop prêchi-prêcha ? Peut-être bien. Mais je n'ai pas envie de ressembler à cet écrivain qui, à force de réécrire la première phrase de son roman, n'écrit jamais la seconde. Si je veux y arriver, je dois foncer sans me poser trop de questions.

Le fait que les gens réagissent avec enthousiasme est drôlement gratifiant. Au début, je ne savais même pas comment évaluer la fréquentation de mon blog mais petit à petit j'acquiers l'art et la manière du monitoring. Quel choc de voir que sur le site Technorati mon blog figure parmi le Top 5000 de l'annuaire. Comment ima-giner que ce blog qui est en fait un des instruments de ma recherche du bonheur attire un tel public ? Son suc-cès grandissant est un plaisir inattendu. Sans parler de l'impact qu'il a sur mon épanouissement personnel.

Se lancer un défi permet de se découvrir des ressources insoupçonnées. De prendre de l'assurance. Tout d'un coup on est capable de faire du yoga, de fabriquer de la bière maison, de baragouiner en espagnol. D'ailleurs les études le prouvent : plus votre identité comprend d'éléments, moins elle est en danger lorsque l'un d'eux est menacé. Quand on perd son boulot, l'amour-propre en prend un sacré coup mais le fait d'être à la tête de son association d'anciens élèves apporte une assurance réconfortante. Dernier point : une nouvelle identité amène à rencontrer de nouvelles personnes et à vivre de nouvelles expériences qui sont, on le sait, génératrices de bonheur.

Pour résumer, ce blog est tout bénéfice pour moi. Il me donne une nouvelle identité, me permet d'acquérir de nouvelles aptitudes et de nouveaux confrères, m'offre la possibilité d'entrer en contact avec des gens qui partagent mes centres d'intérêt. Et, par-dessus le marché, j'ai élargi ma conception de l'écriture. Je suis devenue une blogueuse.

À QUELQUE CHOSE MALHEUR EST BON

M'escrimer sur mon blog est une chose. C'en est une autre de vouloir explorer d'autres domaines professionnels. Car là aussi, je veux sortir de ma zone de confort pour voir jusqu'où je peux aller. Mais cette idée est-elle compatible avec ma volonté d'être moi-même ?

Oui et non. Je veux que mon développement suive *sa direction naturelle*. Le poète anglais W. H. Auden a exprimé cette contradiction très clairement : « Entre vingt et quarante ans, nous essayons de découvrir qui nous sommes et, dans ce processus, nous apprenons la différence entre les limites fortuites qu'il est de notre devoir de dépasser et les limites obligatoires de notre nature qu'il est impossible de franchir en toute impunité. » Démarrer le blog, par exemple, m'a donné toutes sortes d'angoisses mais au fond de moi, je savais que je pouvais le faire et que j'y prendrais du plaisir une fois les difficiles obstacles du début surmontés.

Me forcer à faire quelque chose est souvent extrêmement perturbant. Un de mes Secrets de l'Expérience ne dit-il pas : « Le bonheur n'apporte pas toujours la gaieté » ? Quand j'y réfléchis, je me rends compte que si je n'aime pas trop forcer ma nature, c'est par peur de l'échec. Et pourtant, si je veux réussir, je dois accepter d'y être confrontée. Je me souviens de la célèbre phrase d'un autre poète anglais, Robert Browning : « Il faut vouloir saisir plus qu'on ne peut étreindre, sinon pourquoi le ciel ? »

Afin de neutraliser cette peur, je me répète à moi-même : « J'adore l'échec. » Parmi mes autres petites formules antitrouille figure également : « L'échec, c'est marrant. » C'est la contrepartie de l'ambition. La contrepartie de la créativité. On peut rater tout ce qu'on entreprend.

Et ce mantra m'est d'une grande aide. La notion de drôlerie de l'échec allège mon appréhension. Et bien sûr il m'arrive de me planter. Le prestigieux séminaire d'écriture Yaddo à Saratoga Springs que je veux suivre n'accepte pas ma candidature. Mon idée de chronique pour le *Wall Street Journal*, qui me semblait prometteuse, n'est finalement pas retenue ; manque de place, me dit-on. Je suis consternée par les chiffres de vente de ma biographie de John Kennedy (*Forty Ways to Look at JFK*) qui est loin d'avoir le succès de celle de Churchill (*Forty Ways to Look at Winston Churchill*) – à ce propos mon agent littéraire m'a glissé, l'air de rien, que je pouvais toujours me servir de ma déception pour mon Opération Bonheur. Je parle à une copine d'un club de lecture dédié aux biographies que j'aimerais lancer mais ça tombe à l'eau. Je propose un essai pour la dernière page du supplément littéraire du *New York Times*. Il est rejeté. Mon projet d'association avec une amie pour lancer des Webcasts n'aboutit pas. Quant aux innombrables mails que j'envoie pour accroître les liens vers mon blog, ils ne débouchent pratiquement sur rien.

Pourtant, en même temps, prendre des risques me donne l'opportunité de récolter quelques succès. Je suis invitée à participer au fameux « Huffington Post blog », un quotidien diffusé uniquement sur le Net. Du coup, d'autres blogs me relaient et je suis invitée à faire partie du réseau « LifeRemix blog ». J'écris un article sur les rapports entre argent et bonheur pour le *Wall Street Journal.* Je commence à assister aux réunions mensuelles d'une association d'écrivains. Il est évident que quand, par le passé, il m'arrivait de considérer ces objectifs avec indifférence, c'était uniquement par peur du refus.

Des amis me disent qu'ils ont la même approche de l'échec. L'un me confie qu'en cas de grosse crise au bureau, il clame à qui veut l'entendre : « Ça, c'est la partie *marrante* ! » Bien qu'au milieu de mon Opération Bonheur, je suis tout de même en mesure de réaliser que me sentir plus heureuse me donne la force d'affronter les échecs – ou, plus exactement, leur aspect amusant. Lancer mon blog s'est avéré plus facile quand j'étais dans un état d'esprit optimiste. Une fois sur les rails, ce blog est devenu lui-même un instrument de mon bonheur.

« Il n'est pas interdit de demander de l'aide » figure sur ma liste de Secrets de l'Expérience. Et pourtant je dois sans arrêt me forcer à en demander. La raison ? Ma tendance parfaitement immature et nuisible à faire semblant de maîtriser des choses que je ne connais pas.

Je passe le mois de mars à revoir mes résolutions. C'est sans doute pourquoi j'invente une nouvelle façon de demander de l'aide : à travers un groupe de travail. Je viens de rencontrer deux écrivains : Michael et Marci. Chacun d'entre nous travaille sur un livre. Chacun d'entre nous essaie d'être au top. Et chacun de nous est avide de conversation, comme tous les extravertis qui passent le plus clair de leur temps seuls devant leur écran. Il se trouve que, par pure coïncidence, Michael et Marci se connaissent. J'ai alors une inspiration.

En février, j'ai identifié un problème. Il me fallait un partenaire, un frère en écriture, avec lequel je pourrais parler boutique et stratégie de carrière. Comme Jamie n'est pas dans le coup, je me dis que peut-être Michael, Marci et moi pourrions constituer le groupe auquel j'aspire. Le père fondateur des États-Unis, Benjamin Franklin, avait formé avec douze amis un club dont le but était d'aider ses membres à s'améliorer mutuellement. Ils se rencontrèrent une fois par semaine pendant quarante ans. Évidemment notre association aura un but moins ambitieux que l'amélioration mutuelle.

Je teste ce projet par e-mail et, à ma grande surprise, Michael et Marci me font parvenir très vite une réponse positive. Michael suggère un programme de réunion : « On pourrait se rencontrer toutes les six semaines pendant deux heures. Dont vingt minutes de conversation pour faire le point, suivies de trente minutes par tête pour parler de nos préoccupations, avec un arrêt-détente de dix minutes au milieu. Qu'en pensez-vous ? » Marci et moi sommes d'accord. Notre association démarre sous les meilleurs auspices.

« Trouvons-nous un nom ! propose Marci en plaisantant à moitié. Il faut aussi nous identifier. »

Nous optons pour MGM, d'après nos initiales et baptisons notre association Groupement stratégique d'écrivains. À vrai dire nous ne parlons pas tellement d'écriture au cours de nos réunions, même si de temps à autre l'un d'entre nous produit un chapitre ou deux de sa prose. Non, notre sujet de prédilection est la stratégie. Michael doit-il engager un assistant virtuel ? La tournée de lancement du dernier livre de Marci n'a-t-elle pas duré trop longtemps ? Gretchen doit-elle accompagner son Opération Bonheur d'une newsletter ? D'emblée, l'association est une réussite. M'asseoir pendant deux heures avec deux collègues pleins d'enthousiasme, d'intelligence et de vitalité est proprement emballant. En plus, notre système fonctionne comme les Weight Watchers ou les Alcooliques anonymes, ou même mon Tableau des Bonnes Résolutions. Il nous rend responsables.

Au bout de quelques réunions, je tombe par hasard sur une série d'articles sur la manière de se construire une carrière. Les auteurs recommandent la « communauté de candidats » ou, plus simplement, le « groupe de réflexion à buts communs ». Et moi qui croyais avoir inventé ce concept !

TRAVAILLER INTELLIGEMMENT

Redescendons à un niveau plus terre à terre ! Je m'aperçois que mon rendement est meilleur si je réfléchis à la façon d'être plus efficace. Et au moins à la façon de calmer mes journées de dingue. Car j'ai toujours l'impression de ne pas avoir assez de temps pour tout ce que je veux entreprendre.

Première démarche : examiner attentivement mon emploi du temps quotidien. Comporte-t-il des plages de temps perdu ? Peut-être quand je regarde les rediffusions de *New York Police Judiciaire* le soir ? Hélas, non ! Même en me gavant de vieux feuilletons, je suis d'une efficacité exemplaire puisqu'en même temps je classe mes papiers et fais des chèques. Il n'empêche que le seul fait de jeter un coup d'œil attentif à mon emploi du temps a des effets bénéfiques.

Je change ma façon de travailler. Avant, je croyais que je ne pouvais rien écrire de bon si je n'avais pas au moins trois ou quatre heures sans interruption à ma disposition. Ce qui, soit dit en passant, était difficile à organiser, d'où une impression exaspérante de frustration. Pour vérifier le bien-fondé de cette nouvelle habitude, j'ajoute une note à mon Tableau des Bonnes Résolutions : « Fais un bilan de ce que tu accomplis chaque jour. » Et là, je me rends compte que ma productivité augmente quand j'ai *moins* de temps devant moi. Quatre-vingt-dix minutes s'avèrent être la durée idéale : suffisamment longue pour mener à bien ce que je veux faire, suffisamment courte pour ne pas perdre ma concentration et commencer à battre la campagne. Si bien que j'organise ma journée de travail en segments d'écriture de quatre-vingt-dix minutes, entrecoupés de diverses tâches complètement différentes : rendez-vous, cours de gym, coups de fil, travail sur mon blog.

Autre chose : bien que j'aie toujours pensé qu'on ne pouvait rien entreprendre de sérieux dans un espace de quinze minutes, j'essaie de m'octroyer un quart d'heure de temps libre chaque jour. En général entre deux rendez-vous ou en toute fin de journée. Cette démarche relance réellement ma productivité. Car finalement un quart d'heure par jour plusieurs fois par semaine ce n'est pas nul. Au contraire, c'est assez pour rédiger un brouillon pour mon blog, prendre des notes, répondre à des mails. En janvier, quand j'ai commencé à appliquer les règles « À faire immédiatement » et « Ranger chaque soir », j'ai découvert qu'une accumulation de petits efforts réguliers apportait des résultats significatifs. Aujourd'hui je contrôle beaucoup mieux ma charge de travail.

Certes, me lever une bonne heure avant le reste de la maisonnée pour me débarrasser des certaines tâches n'a rien d'enthousiasmant. L'écrivain britannique du XIXᵉ siècle, Anthony Trollope, à la fois un romancier prolifique et inventeur de la fameuse boîte à lettres rouge vif présente dans toute l'Angleterre, attribuait sa productivité au fait qu'il commençait ses journées à 5 h 30. Dans son *Autobiographie*, il écrit : « Un vieux valet, qui a la charge de me réveiller et que je paie pour cela cinq livres, se montre impitoyable. » Ce qui sous-entend qu'il n'est pas facile de sortir du lit à 5 h 30, surtout si vous n'avez pas de vieux valet pour vous secouer. Moi, il m'est impossible de démarrer avant 6 h 30.

Je trouve un truc pour rendre mon bureau plus agréable. Un soir, lors d'une réception chez des amis, je tournicote dans le salon pendant un moment à la recherche de ce qui embaume la pièce. C'est une bougie d'intérieur Jo Malone parfumée à la fleur d'oranger. Bien que je n'achète jamais ce genre de choses, en rentrant à la maison, je vais droit à mon ordinateur et commande la même. Mon constat : rien n'est plus agréable que de travailler avec une bougie odorante qui brûle. C'est comme regarder tomber les flocons de neige par la fenêtre ou avoir un chien endormi sur le tapis à côté de soi : une présence silencieuse.

PROFITER DU PRÉSENT

Quand je travaille et, en particulier, quand je m'oblige à faire quelque chose que je n'aime pas, j'essaie de garder en tête ma résolution « Profiter du présent ». En raison de mon métier d'écrivain, j'imagine souvent des situations futures heureuses, du genre « Quand je vendrai cette idée... » ou « Quand ce livre sortira... »

Dans *L'Apprentissage du bonheur*[1], Tal Ben-Shahar parle de « l'aberration de l'aboutissement » : le fait de croire à tort qu'en parvenant à un but, on sera plus heureux. (Parmi les autres croyances erronées, il mentionne « l'aberration du monde flottant », basée sur l'illusion du plaisir éphémère concentré uniquement sur le présent et « l'aberration défaitiste », adoptée par ceux qui pensent que, quoi qu'ils fassent, ils ne parviendront jamais au bonheur.) L'aberration de l'aboutissement repose sur le fait, explique-t-il, que le sentiment d'épanouissement éprouvé en atteignant un but donné n'est jamais aussi intense que ce qu'on avait anticipé.

D'abord, parce que au moment d'atteindre son but, on s'est déjà réjoui d'y parvenir par anticipation. Également parce que parvenir à ses fins signifie souvent une charge accrue de travail et de responsabilités. Et puis aussi parce qu'il est rare que la joie éprouvée soit dénuée de préoccupations – avec cependant une exception : recevoir une récompense, genre prix ou distinction, que vous tombe du ciel. Avoir un enfant ? Obtenir une promotion ? Acheter une maison ? On attend ces moments

---

1. Publié aux éditions Belfond. *(N.d.T.)*

avec impatience. Mais une fois arrivés, ils sont sources d'autres sensations que le simple plaisir. Bien sûr, atteindre un objectif conduit habituellement à un autre objectif, qui peut se révéler plus stimulant et plus difficile que le précédent. Exemple en ce qui me concerne ? Publier un premier livre signifie qu'il est temps de s'atteler au deuxième. Une autre colline à grimper en perspective. Il faut donc se réjouir au présent de ces différents « stades de progression » vers un objectif. Cette démarche qui conduit indubitablement au bonheur porte un nom totalement dénué de poésie : l'« attitude positive de préréalisation ».

Si je me réjouis trop à l'avance en pensant à l'accomplissement d'un certain but, je tempère mon enthousiasme par ma résolution « Profiter du présent ». Ainsi je n'ai pas à me soucier du bonheur qui m'attend – ou pas – dans l'avenir. La partie agréable n'est pas pour plus tard. Elle se déguste *sur-le-champ*. Le fait que j'aime tellement mon travail est une vraie chance. Car si on fait un truc qu'on n'aime pas et dans lequel, en plus, on ne réussit pas, l'échec éventuel est cuisant. Faire quelque chose qui plaît est une récompense en soi.

Le moment le plus gratifiant de mon travail sur ma biographie de Churchill a eu lieu à la bibliothèque, sur la table où j'ai entrepris la plupart de mes recherches bibliographiques. J'étais en train de lire deux lignes de son discours du 4 juin 1940 à la Chambre des Communes : « Nous devons aller jusqu'au bout... Nous devons défendre notre île à tout prix... » quand j'ai eu une sorte d'illumination. La vie de Churchill ressemblait à une tragédie antique. Cette découverte fut un tel choc que je me mis à pleurer. J'ai passé les jours suivants à chercher les preuves de ma théorie. Plus j'avançais, plus j'étais enthousiaste. Et pourtant, la tâche était difficile. Mais quels moments formidables !

Revenons à l'« aberration de l'aboutissement. » Même si atteindre son but ne garantit pas le bonheur, il faut le poursuivre, car le chemin pour y parvenir est tout aussi important. Frédéric Nietzsche a très bien expliqué cette notion : « La fin d'une mélodie n'est pas son but en soi. Et pourtant, si la mélodie ne se termine pas, elle n'aura pas atteint son but. Cela est une parabole. »

Pour profiter du présent, il me reste encore une chose à dominer : ma peur de la critique. J'attache trop d'importance aux félicitations ou aux reproches. J'imagine d'avance avec angoisse ce que pourront dire mes détracteurs – les appréhensions de ce genre gâchent le plaisir que je prends à travailler et, pire encore, elle a toutes les chances de me rendre moins productive.

J'ai l'occasion de m'attaquer à ce problème au cours du stade préparatoire d'Opération Bonheur. Le *Washington Post* publie une critique assez vache de ma biographie de John Kennedy. J'ai déjà en tête plusieurs théories du bonheur et j'ai déjà défini mes Douze Commandements, sans toutefois les mettre en pratique.

Je suis déprimée par la critique, furieuse et sur la défensive alors que j'aimerais me sentir sûre de moi, ouverte aux reproches, voire bienveillante envers l'auteur de l'article. Je décide d'appliquer mon Troisième Commandement : « Fais comme si… » Est-ce que, dans ce cas extrême, ça va marcher ? Je m'oblige à agir contre mon gré : j'envoie un mail au journaliste afin de me prouver que je suis capable de recevoir ses critiques aimablement et de lui répondre sans me justifier ni l'agresser. Je mets du temps à pondre ce mail. Mais quel soulagement une fois qu'il est envoyé !

Bonjour David Greenberg,

Comme vous pouvez l'imaginer, j'ai lu votre article sur mon livre avec le plus grand intérêt.

Quand j'écris, j'ai la décourageante habitude d'imaginer des critiques négatives – celles que je ferais sur mon propre travail. En l'occurrence votre texte comprend trois qualificatifs que j'aurais pu moi aussi utiliser : « artificiel », « arbitraire », « évident ». D'ailleurs, la plupart de vos remarques portent sur des points que je trouve moi aussi sujets à critique. En revanche, j'ai l'impression d'avoir bien saisi certains traits de la personnalité de Kennedy. Si ces passages n'ont pas été assez convaincants, vous m'en voyez navrée.

Si j'écris une autre biographie de ce type, soyez certain que je tiendrai compte de vos commentaires.

Je vous souhaite bonne chance dans votre travail et vous adresse mes meilleurs sentiments.

Gretchen Rubin

Juste après l'avoir envoyé, je me sens regonflée. Peu importe ce que M. Greenberg a écrit. Cet épisode m'a transformée. Envoyer mes vœux de bonne chance à quelqu'un qui m'a égratignée me rend magnanime et tolérante. Recevoir une réponse m'est bien égal. Mais en fait, j'en reçois une. Très aimable.

Chère Gretchen (si je puis me permettre)

Merci pour votre mot. J'admire et applaudis l'affabilité avec laquelle vous prenez ma critique. Quand mes livres récoltent des critiques négatives ou mitigées, j'ai bien peur de ne pas réagir avec une telle assurance. C'est pourtant l'occasion de se souvenir de ce qu'affirment d'expérience certains écrivains chevronnés. La critique d'un journal n'est jamais que le reflet de l'opinion d'une personne et elle ne reste pas tandis que les livres, eux, perdurent – n'est-ce pas en partie la raison pour laquelle nous écrivons ? Quoi qu'il en soit, j'espère que, justifiés ou non, mes commentaires vous ont semblé honnêtes et attentifs dans leur ton et leur forme.

Laissez-moi vous dire à quel point j'ai apprécié cette prise de contact. Je vous souhaite à mon tour mille succès dans vos travaux.

Sincèrement,

David Greenberg

Grâce à cette stratégie efficace vis-à-vis de la critique, mon travail devient plus facile. J'ai également tiré un avantage inattendu de cet échange. En principe nous n'aimons pas les gens qui nous attaquent et je parie que David Greenberg n'était pas spécialement ravi de voir mon nom s'afficher sur son écran. Mais en instaurant une communication sur un mode amical, j'ai montré que je ne lui en tenais ni rancune ni rigueur. Si jamais nous nous rencontrons à un cocktail, nous pourrons bavarder cordialement.

Cela dit, ce n'est pas parce que j'écris sur le bonheur et que je me concentre précisément sur la manière de réagir aux critiques que j'aborde sereinement ma résolution « Profiter du présent ». En fait, j'éprouve toujours un peu d'angoisse par rapport au futur. Impossible de m'en empêcher : j'invente des discussions serrées avec les détracteurs de mon Opération Bonheur.

« Pour vous c'est du gâteau ! me susurre l'un d'eux à l'oreille. Vous avez la part belle. Pas de dépendance à la cocaïne, pas de mauvais traitements, de cancer, de divorce, d'obésité. Vous n'avez même pas eu à vous arrêter de fumer. »

« Et si on parlait plutôt des millions de gens qui se

couchent la faim au ventre ? ajoute un autre. Sans oublier tous ceux qui souffrent de réelle dépression. »

Autres commentaires sortis de mon imagination :

« Vous ne creusez pas très profond dans votre psychisme. »

« Et la spiritualité ? Vous l'oubliez ? »

« Cette idée d'expérience sur un an est éculée. »

« Vous ne parlez que de vous, et encore de vous. »

De toute façon, je me dis, on me reprochera toujours quelque chose. Si je m'en tiens à mon idée, c'est superficiel et trop concret. Si j'essaie un autre système, ce sera factice et mensonger. À tout prendre, mieux vaut être moi-même.

Ce mois de mars consacré au rapport travail-bonheur met en évidence un problème compliqué : les relations entre l'ambition et le bonheur. On croit généralement que l'une et l'autre sont incompatibles. Un grand nombre d'ambitieux affirment qu'ils ne sont pas heureux, comme si c'était une façon d'accentuer leur assiduité au travail ou de confirmer la fameuse phrase du philanthrope milliardaire Andrew Carnegie : « Montrez-moi un homme satisfait et je vous montrerai un échec. »

Peut-être que les sentiments d'insatisfaction, de compétitivité et d'envie sont indissociables de l'ambition. Si je fais preuve d'ambition, m'est-il impossible d'être heureuse ? Aurai-je la grosse tête si mon projet me rend heureuse ? L'« aberration de l'aboutissement » est-elle le mécanisme qui va me tenir en haleine ?

Certaines études démontrent que parmi les personnalités des arts et de la vie publique on trouve un pourcentage élevé de névrosés (ce qui sous-entend qu'ils ont une nette propension à ressentir des émotions négatives). Ce mécontentement les pousserait à aller de l'avant et à accomplir plus de choses. D'autres études, en revanche, montrent que les gens fonctionnent mieux quand ils sont heureux.

Quels que soient les résultats des recherches, en ce qui me concerne, je suis plus audacieuse, plus sûre de moi et plus en phase avec les autres quand je me sens bien dans ma peau. Lorsque je suis mal, je deviens susceptible, complexée et agressive. Si je m'étais sentie malheureuse, je n'aurais jamais osé proposer à Marci et Michael de former notre Groupement stratégique d'écrivains.

— Alors ? m'a demandé Jamie un soir avant d'aller au lit. Depuis que tu travailles à ton Opération Bonheur, tu vois une différence ?

— Bien sûr que ça marche, je rétorque sans hésiter. Tu ne remarques pas de changement ?

— Si, je *crois*. Mais vu de l'extérieur, c'est difficile à déterminer. Tu m'as toujours semblé heureuse.

Voilà qui me fait plaisir. Car plus j'en apprends sur le bonheur, plus je me rends compte que ma propension au bonheur rejaillit sur mon entourage.

— Je me sens un peu déprimé aujourd'hui, soupire-t-il.

— Toi ? Mais pourquoi ? dis-je en l'entourant de mes bras.

— Pas la moindre idée. Je me suis senti à côté de mes pompes toute la journée.

Je suis sur le point de le bombarder de questions mais il est évident que Jamie n'est pas d'humeur à parler.

— Écoute, je lui dis, on va éteindre tout de suite. Après une bonne nuit de sommeil, tu te sentiras mieux.

— Encore une étude que tu as lue ?

— Pas du tout. Ce petit conseil est issu de ma sagacité personnelle.

— Bon, tu as raison. Allez, on dort !

Et ça a marché.

4

Avril : détendez-vous

La famille

* Chanter le matin
* Prendre en compte les opinions d'autrui
* Être la mémoire vivante des moments heureux
* Faire des projets

Mes enfants sont une source majeure de bonheur. Ils m'apportent les plus grandes joies de mon existence et de petits plaisirs du quotidien. Je ne suis pas un cas unique. De nombreuses femmes m'ont confié que donner la vie a été un moment de rare félicité.

Il n'empêche ! Il n'empêche que les enfants vous apportent aussi soucis, contrariétés, ennuis. Ils vous coûtent cher et vous privent de précieuses heures de sommeil. Certains experts vont même jusqu'à dire que les parents qui comme moi prétendent trouver dans leurs enfants une source de bonheur se trompent ! En étudiant les émotions d'un groupe de mères vaquant à leurs activités normales, on a découvert que « s'occuper des enfants » était pour elles légèrement moins ennuyeux que prendre le métro ! Le bonheur conjugal chute après la naissance du premier enfant et ne remonte que lorsque la progéniture a quitté le domicile familial. Depuis que nous avons des enfants, Jamie et moi nous bagarrons bien plus qu'avant, nous nous amusons moins et avons moins de temps à nous consacrer.

Malgré tout, je ne suis pas d'accord avec les spécialistes. Je crois dur comme fer que les enfants sont une grande source de bonheur. Sans doute pas à chaque seconde de la journée, mais plus profondément. D'ailleurs, dans un sondage où l'on demande : « Quelle a été la plus grande joie de votre existence ? », la réponse presque unanime fut : « Les enfants » ou « Les petits-enfants. » Tous ces gens auraient-ils pris des vessies pour des lanternes ?

Le bonheur d'être mère ou père peut être assimilé à une sorte de brume de bonheur. La brume est insaisissable. Elle vous enveloppe, transforme l'atmosphère, mais sitôt que vous essayez de l'examiner, elle disparaît. La brume de bonheur est proche de la sensation de bonheur générée par certaines activités qui, examinées de près, semblent insignifiantes, mais qui, à la longue, vous réjouissent le cœur.

C'est pendant une fête que cette notion de brume de bonheur m'est venue à l'esprit. Notre hôte se démenait dans la cuisine où il préparait trois plats pour ses trente invités.

Au lieu de le laisser tranquille, je lui ai demandé :

— Tu t'amuses bien ?

Il m'a répondu d'un ton distrait :

— Pas maintenant ! Je m'amuserai quand ça sera fini.

Vraiment ? Aime-t-il faire la vaisselle ? Ranger son salon ? Se débarrasser des bouteilles vides ? Qu'est-ce qui l'amuse donc ?

Je me mets à réfléchir. Des tas d'activités que je trouve réjouissantes n'ont rien de drôle sur le moment – ni avant ni après, d'ailleurs. Donner une soirée. Monter sur scène. Écrire. Si j'analyse ce que je ressens à leur perspective, j'ai envie de tout remettre au lendemain : je suis angoissée, nerveuse, agacée par les emplettes à faire, distraite, pressée par le temps. Bref, j'ai le moral à zéro ! Pourtant, les pratiquer m'apporte un plaisir fou. Idem avec les enfants. Il y a des instants où je suis tellement exaspérée que j'aimerais tout envoyer promener. Pourtant, en règle générale, être mère c'est se sentir entourée de cette brume de bonheur que j'ai du mal à identifier dès que je tente de mettre le doigt dessus.

Avant d'avoir un enfant, j'étais terrifiée par l'irréversibilité de la maternité. Mariage, travail, résidence, rien n'était définitif. Même difficile un changement était toujours possible. Avec un enfant, c'est une autre paire de manches. Une fois qu'il est là, il est bien là. Pourtant, après la naissance d'Eliza je n'ai plus jamais pensé à cet aspect irrévocable. S'il m'arrive de regretter l'insouciance des jours où je n'étais pas encore mère, je n'ai jamais regretté de l'être devenue. Mon seul souci ? Ne pas être à la hauteur. J'avoue ne pas être tatillonne. Peu m'importe que les chambres des filles soient parfaitement rangées ou que leurs aliments soient bio. Au cours de mes recherches, je me suis souvent demandé si mon comportement était compatible avec mon Opération Bonheur. Je me mets trop en colère, je ne prends pas le temps de m'amuser, je n'apprécie pas suffisamment les moments passés avec mes filles, moments qui ne reviendront jamais. La période des couches, des petites robes à smocks et des sièges d'enfant peut sembler interminable, elle passe en fait très vite. D'autant que je suis si occupée à suivre ma Liste des Bonnes Résolutions que j'en oublie l'essentiel.

À sept ans, Eliza, l'œil vif et le sourire édenté, est d'humeur égale. Tendre et raisonnable pour son âge, elle possède une imagination fertile dans les jeux ou les bricolages-maison. Malgré quelques crises de nerfs qu'elle pique pour la galerie, elle est délicieuse à vivre. Eleanor, un an, avec ses fossettes, ses grands yeux bleus, ses cheveux qui refusent de pousser, est un ange. Intrépide, déterminée, elle passe du rire aux larmes avec une facilité déconcertante, séduit tout son monde mais regrette déjà de ne pas pouvoir tout faire comme sa grande sœur.

Mon but pour avril, mois dédié à mon rôle de mère ? Être plus tendre et passer plus de temps à m'amuser avec les filles. Je veux créer une ambiance calme, gaie et même joyeuse à la maison – et si je continue à brailler et à asticoter mon monde, je n'y arriverai pas. J'ai la chance d'être mère de deux filles affectueuses et en bonne santé ? Eh bien, je veux que mes actes soient à la hauteur de cette chance. Je veux dire adieu à ces mouvements de colère trop fréquents qui me laissent un goût amer dans la bouche. Si je ne les contrôle pas, je deviens facilement hystérique et alors, bonjour les dégâts ! Me détendre est une autre de mes résolutions pour conserver de bons souvenirs de cette période.

Eliza est tout juste assez grande pour comprendre vaguement que j'écris un livre sur le bonheur, mais pas question de lui expliquer que je travaille sur l'art d'être une maman. Enfant, j'aurais été choquée d'apprendre que mes parents réfléchissaient sur la façon de remplir leur rôle ; ils me semblaient sages, puissants, résolus. Eliza serait perturbée si elle savait que je me pose des questions sur ma conduite de mère.

Sans rien lui dévoiler, le 1er avril me donne l'occasion d'appliquer certaines de mes résolutions.

La veille, j'ai placé des Cheerios et du lait dans le congélateur. Le lendemain matin, je les donne à Eliza avec une cuillère – et la regarde tenter en vain de l'enfoncer dans le bol glacé. Son air dépité me fait hurler de rire :

— Poisson d'avril !

— *T'es sûre ?* C'est un poisson d'avril ? Hi ! Hi ! Elle examine attentivement la surface du bol et court le montrer à son père. Cette blague l'amuse beaucoup.

La veille, j'étais déjà couchée quand je me suis rendu compte que j'avais oublié de mettre le bol au congélateur. Fatiguée, j'étais sur le point de laisser tomber quand je me suis souvenue de mes résolutions d'avril et suis sortie de mon lit. Le lendemain matin, j'étais récompensée. Quel plaisir d'avoir pris le temps de préparer cette farce ! Conclusion : la vie est plus drôle quand je n'oublie pas mes bonnes résolutions.

CHANTER LE MATIN

En famille, cela vaut la peine de faire un effort pour commencer la matinée dans la bonne humeur car l'ambiance de la journée en découle. Cette règle est aussi valable pour les parents qui se préparent et qui houspillent leurs enfants afin qu'ils soient à l'heure à l'école. Un jour, en bavardant avec Eliza, la résolution « chanter le matin » surgit dans mon esprit.

Je lui demande :

— Qu'as-tu fait à l'école aujourd'hui ?

— On a parlé de la façon dont les parents nous réveillent le matin.

— Tu as dit quoi ? fais-je, un peu anxieuse.

— Avec une chanson gaie.

Je me demande ce qui lui a pris de dire ça ! Ça ne m'est arrivé qu'à de rares occasions. Pourtant, l'idée germe dans ma tête et je décide de la mettre en application.

(Cette conversation me rappelle que les parents doivent éviter de faire quelque chose qu'ils ne voudraient pas voir dans le journal ou dans le bulletin de l'école !)

Dès que je commence à chanter le matin, je constate que l'ambiance s'améliore. Rien de plus vrai que mon Troisième Commandement : « Fais comme si... » J'agis comme si j'étais d'humeur joyeuse, donc je suis d'humeur joyeuse. Après un couplet d'une comptine, il m'est facile de résister à la tentation de me montrer trop autoritaire.

Chanter le matin me rappelle mon Neuvième Commandement : « Réjouis-toi. » Je m'efforce de rire avec mes enfants – surtout Eleanor, qui malgré son jeune âge a le rire facile – en m'imprégnant de leur bonne humeur. J'établis pour règle de m'amuser chaque jour avec elles, de me détendre avec Jamie, de prendre un ton plus léger quand j'engueule mon petit monde.

Plus facile à dire qu'à faire. Trois jours après avoir pris cette bonne résolution, je me réveille avec une paupière gonflée. En général, je m'occupe peu de ma petite santé, mais comme je suis presque aveugle tellement je suis myope, je prends au sérieux mes problèmes oculaires. J'ai souvent des orgelets, mais ceci n'en est pas un.

Chanter est la dernière chose qui me viendrait à l'esprit !

Et comme Jamie est en voyage d'affaires, pas possible de lui demander de garder les enfants pendant que je me livre en amateur à quelques recherches médicales. J'envoie donc Eliza regarder des dessins animés (je sais que je lui donne là une mauvaise habitude) et laisse Eleanor chantonner dans son berceau. L'Internet me confirme ce que je pensais : je n'ai rien de grave.

Mais Eleanor cesse de gazouiller et pleure en criant :

— Maman, maman, moi lever !

Je me précipite et la vois me désignant sa couche en disant :

— Mal ! Mal !

En la déshabillant, je découvre une vilaine rougeur sur ses fesses. Je m'aperçois également qu'il ne reste qu'une couche de rechange dans tout l'appartement et une seule lingette pour bébé. Je suis en pleine opération, tâchant de tirer le maximum de la lingette quand Eliza, toujours en chemise de nuit à motif cerises (sa favorite), fait irruption dans la chambre et me lance d'un ton accusateur :

— Il est 7 h 18 et je n'ai pas eu mon petit déjeuner.

Eliza déteste être en retard. Elle déteste être à l'heure. Elle aime être en avance !

— Je devrais avoir mangé et être habillée pour 7 h 20 ! On va être en retard.

Chanter gaiement ? J'en suis incapable. Rire pour la rassurer ? Non. Lui murmurer doucement : « Ne t'en fais pas, ma puce, nous avons tout notre temps ! » ? Impossible.

Je gronde d'une voix menaçante :

— Attends une minute !

Elle se met à sangloter.

J'en appelle à toute ma volonté pour ne pas exploser, mais au bout d'un instant je réussis à me retenir. Je donne un bécot à Eliza :

— Habille-toi pendant que je prépare le petit déjeuner. L'école ne commence que dans un bon moment.

M'occuper du petit déjeuner se résume en fait à tartiner du beurre de cacahouètes sur un toast. Et c'est vrai que nous avons du temps devant nous. Grâce à l'obsession d'Eliza, nous disposons d'une marge confortable – surtout depuis janvier, quand j'ai commencé à ranger la maison le soir. Et malgré les péripéties matinales, nous partons dans les temps.

J'ai eu bien raison de contrôler mes nerfs ! En allant à pied à l'école, je me rends compte combien la matinée est agréable. En descendant la rue, je chante « Quel beau matin ! », un air célèbre extrait de *South Pacific*. Je chante même si fort qu'Eliza en est gênée et me demande de me taire.

La façon la plus efficace de se détendre – mais aussi la plus difficile quand un enfant grincheux vous pompe toute votre bonne humeur – est de plaisanter.

Un matin où Eliza n'arrête pas de se plaindre : (« Pourquoi est-ce que je dois aller à l'école ? J'ai pas envie d'aller au taekwondo ! ») je suis sur le point de répliquer : « Tu dis toujours ça mais finalement après tu es très contente » ou encore : « Arrête tes jérémiades ! » Au lieu de quoi, je me force à chanter en l'imitant : « J'ai pas envie, hi ! hi ! hi ! hi ! »

Quelques secondes plus tard, elle réplique :

— Pas envie de faire pipi, pipi !

Bien que je déteste les plaisanteries scato, je lui réponds :

— Faire coulette, c'est pas la fête !

Sur ce, elle éclate de rire et moi aussi. Nous sommes bientôt pliées en deux à en avoir mal au ventre et le cours de taekwondo est oublié. Un résultat qu'une réprimande n'aurait pas obtenu.

Je découvre par hasard un autre stratagème du genre « tout va pour le mieux dans le meilleur des mondes ». Non seulement il est efficace mais il me permet de chanter toute la journée. Comment ? En « recadrant » les choses, en voyant la vie en rose et en prétendant que j'aime me charger des corvées.

Exemple ? À l'approche de l'anniversaire d'Eleanor, la simple idée de toutes les courses à faire me déprime. Je dois commander une glace Baskin-Robbins (une tradition familiale), emmener les filles choisir les assiettes en carton, acheter des cadeaux, envoyer des invitations. Je déteste cette perte de temps. Et puis je me dis : « J'adore organiser cette fête ! Comme c'est amusant ! Je n'aurai plus jamais un bébé de cet âge ! » Du coup, mon optique s'en trouve totalement modifiée. Je me « recadre » en imaginant également que quelqu'un me propose d'organiser l'anniversaire à ma place. Est-ce que j'accepterais ? Sûrement pas.

Un de mes amis me raconte que ses fils, cinq et trois ans, se réveillaient tous les matins à 6 heures. Les weekends, sa femme et lui ont essayé de les persuader de se rendormir ou de jouer sans faire de bruit. En vain.

Finalement, il a laissé tomber. Pendant que sa femme reste couchée, il habille les garçons et ils sortent de la maison. Il s'arrête boire un café puis tous les trois vont au jardin où il les regarde jouer pendant une heure. Puis ils rentrent pour prendre leur petit déjeuner.

Maintenant que les gamins dorment tard les weekends, il regrette ces sorties. La lumière matinale, la tranquillité du jardin, les jeux des garçons cavalant dans l'herbe font partie de ses meilleurs souvenirs.

Les journées sont longues, mais courtes sont les années.

Tenir compte de l'opinion d'autrui

Dans le cadre de mes recherches du mois, je relis pour la quatrième fois les œuvres des deux plus grandes expertes en communication familiale, Adele Faber et Elaine Mazlish et particulièrement leurs deux chefs-d'œuvre, *Jalousies et rivalités entre frères et sœurs* et

Parler pour que les enfants écoutent ; Écouter pour que les enfants parlent. J'ai découvert ces ouvrages quand une de mes copines m'a confié qu'un couple ami avait les enfants les mieux élevés du monde. Son secret ? Ces parents ne juraient que par *Parler pour que les enfants écoutent ; Écouter pour que les enfants parlent.* Je l'ai commandé le soir même et suis devenue une fan inconditionnelle de Faber et Mazlish.

Exemples et conseils pratiques foisonnent dans cet ouvrage alors que la majorité des livres sur le sujet insistent sur les buts à atteindre (tout le monde est d'accord pour que les enfants soient polis, respectueux, courageux face à l'adversité, etc.). C'est très joli, mais que faire quand un gamin pique une crise de nerfs en plein supermarché ?

Le principal enseignement du livre de Faber et Mazlish est simple et s'applique autant aux parents qu'aux enfants : il faut tenir compte de l'opinion et des humeurs d'autrui. En d'autres termes, on doit accepter que l'autre soit en colère, irrité, effrayé ou réticent. Simple, non ? Pas si simple que ça. Ce n'est qu'en essayant de changer d'attitude vis-à-vis de mes filles que je me suis aperçue que je ne cessais de les contredire. Bien trop souvent je leur assénais : « Mais non, les clowns ne te font pas peur » ou : « Tu ne veux pas encore des Lego ! tu ne joues jamais avec », ou : « Tu n'as pas faim mais tu viens de dîner. »

Pour détendre l'atmosphère, il me suffit de répéter ce que mes filles disent pour leur montrer que je tiens compte de leur point de vue. Au lieu de déclarer à Eleanor : « Arrête de gémir, tu adores prendre des bains ! » je lui dis : « Je vois que tu t'amuses bien. Tu ne veux pas prendre ton bain bien que ce soit l'heure. » Devant l'efficacité de cette stratégie, je suis amenée à penser que les frustrations des enfants ne proviennent pas du fait qu'on les force à faire ceci ou cela mais plutôt que l'on ne tienne pas compte de leur avis.

Quelles autres astuces utiliser pour montrer à mes filles que je prends leurs opinions en considération ? En voici quelques-unes :

Écrire leur avis noir sur blanc

Pour une raison qui m'échappe, les enfants sont impressionnés quand je note quelque chose. Pour arrêter un drame naissant, il me suffit de sortir un papier et un stylo et d'annoncer : « Je vais écrire : "Eleanor n'aime pas porter des snow-boots !" »

Le silence est d'or

Eliza a tendance à bouder. Si je la prends sur mes genoux pendant cinq minutes pour la cajoler sans rien dire, elle retrouve sa bonne humeur.

Pas de « non » ni de « stop ! »

Je préfère leur expliquer que si je comprends ce qu'elles désirent, je ne peux pas leur donner satisfaction. Exemple : « Vous avez envie de rester au parc, mais nous devons rentrer car papa a oublié ses clés. » Des études ayant prouvé que 85 % des messages destinés aux enfants sont négatifs, ça vaut la peine de les réduire au minimum. Au lieu de dire « Non ! seulement après le déjeuner », j'essaie la formulation suivante : « Oui, dès que nous aurons terminé de déjeuner ! »

Faire appel à ma baguette magique

« Si j'avais une baguette magique, il ferait chaud dehors et nous n'aurions pas à mettre de manteau. » « Si j'étais la fée Morgane, je ferais apparaître une boîte de chocolats. » Cela montre aux filles que je comprends ce qu'elles veulent et que, si je le pouvais, je satisferais leurs désirs.

Admettre qu'une tâche est difficile

Des études l'ont montré : quand on avertit quelqu'un qu'il a une tâche difficile à accomplir, il persévère plus que si on lui dit qu'il s'en tirera facilement. Avec Eleanor, je faisais le contraire. Pensant l'encourager, je la prévenais : « Ce n'est pas difficile d'enlever tes chaussettes, essaie donc ! » Désormais, je lui annonce : « Il est parfois difficile d'enlever ses chaussettes. Tu devrais commencer par descendre l'arrière sur tes chevilles au lieu de tirer sur le bout. »

Peu de temps après avoir passé en revue ces nouveaux principes, j'ai l'occasion de les mettre en pratique.

Un samedi, je bavarde avec Jamie dans notre chambre quand Eliza entre en coup de vent, pleurant à chaudes larmes. Et ce n'est pas de la comédie. Quand elle fait semblant, elle a l'habitude de couvrir ses yeux de ses petits poings, telle une actrice en plein mélo. Mais ce matin-là, elle a les bras serrés le long du corps. C'est donc du sérieux.

Je la prends sur mes genoux et elle sanglote contre ma poitrine :

— Les gens ne font attention qu'à Eleanor, et jamais à moi !

L'air un peu perdu, Jamie me lance un regard qui signifie : « Je ne sais pas quoi lui dire, tu peux te débrouiller ? »

À la dernière seconde, je me souviens de ma résolution : « Tenir compte des sentiments d'autrui. » Tout en sachant qu'Eliza n'a pas de raison de se plaindre, je réprime mon premier réflexe qui serait de lui dire : « Tu oublies les cinq parties de Uno que j'ai jouées avec toi hier soir ! » et « Tu sais très bien que tout le monde t'aime autant qu'Eleanor ! »

Au lieu de ça, je murmure :

— Oh, comme tu es malheureuse de te sentir abandonnée.

Elle se calme un peu. Je la berce en silence quelques minutes avant d'ajouter :

— Tu crois que les gens s'occupent plus d'Eleanor que de toi ?

— Oui, absolument ! Alors qu'est-ce que je dois faire ?

Au lieu de chercher une solution de facilité, je préfère répondre :

— C'est une question délicate. Toi, papa et moi, on va y réfléchir ensemble sérieusement.

Nous nous levons et Eliza m'enlace de toutes ses forces comme pour me montrer qu'elle a besoin d'être rassurée. Je la serre fort :

— Quoi qu'il arrive, tu sais à quel point nous tenons à toi, Eliza chérie. Nul ne t'oublie jamais et tu peux être sûre qu'il n'y a personne de plus important que toi.

— Eliza, intervient Jamie, allons voir si mon pain est cuit. Tu le goûteras.

Elle prend la main de son père et s'éloigne toute joyeuse.

Des experts affirment qu'en réprimant ses pensées négatives, on les intensifie, mais que les prendre en compte permet aux pensées positives de reprendre le dessus. C'est évidemment ce qui s'est passé avec Eliza. Sa bonne nature a triomphé. Ainsi, en réfrénant mon envie première de la gronder ou de la contredire, je l'ai calmée et je me suis fait plaisir en agissant avec tendresse et amour.

Jamie, qui ne croit ni aux gadgets éducatifs, ni aux livres de conseils à l'intention des parents et qui, soit dit en passant, n'a jamais terminé le premier chapitre de *À quoi s'attendre quand on attend un enfant*, commence à utiliser mes astuces. Un matin, j'observe sa réaction pendant qu'Eleanor se roule par terre en hurlant. Il la relève et lui dit d'une voix douce : « Ça t'énerve de mettre tes chaussures, ma puce. Tu préfères rester en pantoufles. »

Et notre fille s'arrête de pleurer.

ÊTRE LA MÉMOIRE VIVANTE DES MOMENTS HEUREUX

Tout ce que je lis lors de mes recherches ne fait pas toujours tilt. Parfois, ce n'est que plus tard que je m'aperçois que je suis tombée sur quelque chose de primordial.

Ainsi je suis passée à côté de l'importance de conserver en mémoire les moments de bonheur. Aujourd'hui, en réfléchissant à ce principe, je comprends la valeur des souvenirs heureux. D'après certaines études, se rappeler d'anciens épisodes agréables a une influence positive sur le présent et réduit les impacts négatifs. Précisons toutefois que, comme on a tendance à sélectionner ses souvenirs selon son état d'esprit du moment, les gens heureux privilégient les moments heureux et les gens malheureux se remémorent surtout les drames et les peines – non qu'ils aient moins de moments agréables que les autres, simplement ils se souviennent surtout de l'aspect douloureux des choses.

Je me promets donc d'aider les membres de ma famille à stimuler leurs souvenirs heureux. Jamie adore regarder les albums de photos et il a une passion secrète pour les témoignages du passé, comme les anciens vêtements d'enfant et autres bibelots d'antan. Inutile de dire qu'il ne prend pas le temps nécessaire pour les ranger. Si je veux être la mémoire vivante des moments heureux, il me faut la construire.

Je commence par arrêter de me plaindre de l'ennui qu'il y a à coller les photos dans des albums. J'utilise ceux-ci comme un journal où je relate les plaisanteries familiales, les incidents amusants, les anniversaires, les repas de Thanksgiving, les faits marquants des vacances. Les photos m'aident à me souvenir de détails qu'on trouvait sur le moment inoubliables : Jamie n'arrêtant pas de confectionner des gâteaux de riz ; Eliza pesant deux minuscules kilos à sa naissance ; Eleanor adorant exhiber son nombril. Sans ces clichés, comment nous rappeler cet après-midi d'automne où nous nous sommes baladés dans Central Park avec Eliza déguisée en bonne fée ? Ou encore le visage réjoui d'Eleanor la première fois qu'on l'a installée sur une balançoire ?

Impossible !

Pour propager le bonheur familial, je m'improvise reporter. Mes beaux-parents, qui vivent à deux pas de chez nous, sont aussi avides de nouvelles que les miens qui habitent Kansas City. Tous les quatre sont des grands-parents super concernés. Je m'efforce de leur envoyer des mails relatant les visites chez le pédiatre, les carnets de notes de l'école ou les incidents amusants. Maintenant que je suis mère, je vois combien le bonheur des parents dépend de celui de leurs enfants et de leurs petits-enfants. En envoyant un mail distrayant, je contribue à mettre la famille de bonne humeur (et moi aussi, par la même occasion, selon le principe qu'« on se sent bien en faisant du bien »). En février, j'ai appris que Jamie aimait recevoir ces petits potins familiaux à son bureau.

En le retrouvant dans notre chambre après avoir couché Eleanor, je lui dis :

— Il faut que je te raconte la dernière lubie d'Eleanor. Après l'avoir bercée, je dois la porter jusqu'à la fenêtre où elle déclare : « Bonne nuit, le monde ! »

— Vraiment ? fait-il d'une voix tendre.

Sans ma résolution, je ne l'aurais sans doute jamais mis au courant.

En décidant « d'être la mémoire vivante des moments heureux », je découvre l'importance des réunions familiales organisées à l'occasion des fêtes et des anniversaires. Elles marquent le passage du temps, font de ces événements spéciaux des moments excitants et uniques, donnent un sentiment de continuité et rassurent quand l'avenir est trouble. Des études prouvent qu'elles aident au développement de l'enfant et fortifient la cohésion familiale. Elles ont un côté prévisible et attendu que les gens – et les enfants en particulier – apprécient. Pour ma part, je profite mieux des congés de fin d'année quand je connais le programme des réjouissances à l'avance.

D'un autre côté, toutes ces fêtes familiales obligent à beaucoup d'efforts. On sort des décorations, on cuisine certains plats, on établit un planning, on lance des invitations. Tout cela n'est pas une mince affaire. Et les préparatifs risquent donc d'engendrer difficultés, fâcheries, angoisses et déceptions.

J'ai eu raison de commencer mon Opération Bonheur en insistant sur l'énergie. Quand j'ai du peps, ça ne m'ennuie pas de décorer le salon, de sortir la caméra, etc. Mais avec un moral à zéro, lever le petit doigt est une corvée. L'année dernière, j'ai tellement remis au lendemain l'achat d'une citrouille pour Halloween que nous avons dû nous en passer. Mes filles ne se sont pas plaintes, mais je n'étais pas fière de moi. Un très mauvais point pour maman !

Malgré l'absence de citrouille, j'ai réussi à maintenir une de nos traditions familiales importantes : encadrer une photo d'Eleanor et d'Eliza dans leurs déguisements et l'ajouter à notre galerie de photos de Halloween. J'ai envoyé un cliché aux grands-parents. Une habitude qui demande beaucoup d'efforts. Mais comme c'est agréable de sortir la collection une semaine par an ! Il en émane une bien agréable impression de continuité. Et c'est une occasion de faire aux grands-parents un cadeau qu'ils apprécient.

Bien entendu, me poser en mémoire vivante des moments heureux ne va pas sans problèmes. Ainsi que faire de l'accumulation de souvenirs concernant les filles, comme les photos de Halloween ? J'aimerais qu'elles aient des copies de tout : des invitations qu'elles lancent pour leurs anniversaires, des cartes de Saint-Valentin, des invitations de mariage des membres de la famille, des photos de classe et ainsi de suite. Mais où les ranger ? Les empiler dans des tiroirs hors d'atteinte ou les punaiser sur un tableau d'affichage ne sont pas des solutions à long terme.

Une de mes amies me suggère de tout coller dans des albums pour chacune de mes filles. Je crois m'évanouir, moi qui ai du mal à mettre à jour notre unique album de photos. Mon Huitième Commandement : « Identifier les problèmes » me sauve la mise. Quel est le problème ? Je désire conserver ces archives pour Eliza et Eleanor, mais je ne sais pas où les entreposer. Je cherche une façon commode, économique et agréable de les ranger méthodiquement sans que ça prenne trop de place.

Au lieu de déplacer des piles de papiers d'une pièce à une autre (une mauvaise habitude que j'ai, confrontée à ce genre de dilemme), je m'assieds pour réfléchir. La solution me vient en un instant : des classeurs ! Le lendemain j'en achète deux. Et pas des trucs moches en carton. Non, j'investis dans des classeurs de couleur crème, recouverts de tissu avec de solides poignées en bois achetés dans une boutique de fournitures de bureau haut de gamme. Je les garnis de dossiers suspendus.

Je commence par réunir tout ce qui concerne Eliza et qui est éparpillé dans l'appartement. J'ouvre une chemise pour chaque année scolaire passée et présente, que je remplis de l'invitation à sa fête d'anniversaire, la photo que je prends d'elle à chaque rentrée, du programme de la fête de l'école, d'un échantillonnage de son travail, de notre carte de la Saint-Valentin, d'une photo de colonie de vacances, etc. J'en fais autant avec le maigre butin que j'ai pour Eleanor.

Ces dossiers grandiront avec les filles. J'imagine le plaisir qu'elles auront à les consulter quand elles auront cinquante ans ! Je les imagine découvrant une invitation datant de leur année de jardin d'enfants. Ce système de classement me plaît tellement que j'ouvre aussi un classeur pour Jamie et moi que je divise par années de mariage.

Au fait, maintenant que j'y pense, les traditions ne doivent pas s'arrêter au passé. Qu'est-ce qui m'empêche de créer une nouvelle tradition, même si les deux termes accolés paraissent contradictoires ?

Jamie me propose une idée que j'applaudis à deux mains : le dimanche soir on dresse une jolie table, on oblige les enfants à bien se tenir, on prépare un menu qui sort de l'ordinaire. Je baptise cette nouvelle tradition : la « Soirée élégante ». Ces dîners remportent très vite un franc succès.

Quand Eliza était petite, j'avais initié une tradition de leçons de musique avec sa grand-mère, puis Eleanor a suivi. Judy adore le théâtre et la musique et ces rendez-vous hebdomadaires lui permettent de voir ses petites-filles régulièrement et de leur transmettre son enthousiasme. Et le mari de Judy ? Pour qu'elle soit en contact avec son grand-père, je suggère que, pendant les vacances scolaires, Eliza aille déjeuner avec lui à son bureau. Il accueille l'idée avec enthousiasme et ces déjeuners sont couronnés de succès.

Il existe une autre coutume, toute personnelle celle-là. Impossible de dire quand, comment et pourquoi elle a germé dans nos esprits. Toujours est-il que Jamie et moi avons pris l'habitude de crier : « La famille aime les sandwichs » avant de serrer les filles dans nos bras ! Une sorte de mot de passe !

Quelles sont les traditions d'autres familles ? Pour le savoir, je demande aux lecteurs de mon blog de m'envoyer leurs idées. Voici mes préférées :

Enfant, désirant que mes trois jeunes sœurs m'aident à nettoyer la maison, j'ai inventé un jeu appelé « la Compagnie du nettoyage ». Je faisais semblant d'entendre le téléphone sonner (Dring ! Dring !) et de répondre : « Allô ! Ici la Compagnie du nettoyage. Pardon ? Vous voulez qu'on vienne chez vous immédiatement pour nettoyer avant une réception ? Nous arrivons tout de suite, madame ! » Je tapais dans mes mains et annonçais à mes sœurs : « Encore du boulot pour la Compagnie du nettoyage ! » On faisait mine de monter en voiture et on se rendait dans le salon (Vroum ! Vroum !) après avoir fait le tour de la maison. On était encore à l'école communale et ça nous amusait bien. *On nettoyait alors les pièces qu'on nous avait commandées. Marrant, non ?*

Famille réduite à sa plus simple expression – mère céliba-taire et une fille – nous sommes donc très attachées à des traditions que ne connaissent pas les familles « normales ». Notre vie est remplie d'aventures et cela depuis que ma fille est toute petite et qu'il fallait rendre glamour les courses. Donc, avant de nous rendre au supermarché, nous sortons des plans, traçons un itinéraire, emportons un appareil photo, des vêtements comme pour une chasse au trésor (ma fille adore les chapeaux !) et avalons au cours de notre expédition un truc inhabituel.

Quand mon mari et moi voyageons sans nos enfants, nous leur rapportons de petits souvenirs. Mais nous ne leur donnons pas comme ça au retour. Ils doivent nous poser des devinettes pour recevoir leurs cadeaux. Chaque enfant ayant droit à une seule question par jour, ils se concertent, enregistrent les questions qu'ils nous posent, discutent entre eux, bref, ils s'amusent comme des fous. Le jeu leur plaît autant que les cadeaux.

Mon frère a instauré une tradition. De temps en temps, c'est le « Dîner du Pirate ». Au lieu d'une nappe, la table est jonchée de journaux. Il n'y a ni assiettes, ni couverts, ni serviettes – on ne se sert que de ses doigts ! Il prétend que, ses enfants étant obligés de se tenir parfaitement à table, ils ont parfois le droit de décompresser.

Cette dernière tradition m'enchante. Je vais vite orga-niser des Dîners du Pirate pour mes filles. Quelle idée épatante !

Qui dit festivités, dit préparatifs. Célébrer les anniversaires, envoyer des cartes pour la Saint-Valentin, décorer une maison en pain d'épices avant Noël (la nôtre est faite de biscuits et de glaçage multicolore en tube), voilà des choses amusantes qui demandent du temps, de l'énergie, une certaine organisation et de la patience. Inévitablement, il y a des retours de bâton. Afin de me simplifier la vie, je suis parfois réticente à me lancer dans de grands projets, tout en sachant que les enfants adorent ça et... pas seulement les enfants.

Ayant décidé de « Trouver le temps d'entreprendre », je fais un achat qui me trotte dans la tête depuis longtemps : une plastifieuse ! Dès qu'elle m'est livrée, je sais qu'elle vaut la fortune qu'elle m'a coûtée. Je vais être capable de réaliser des tas de choses merveilleuses. Ça commence avec la fête des grand-mères. Sous ma direction, Eliza établit une liste des « Dix raisons d'aimer Bunny » (le surnom de ma mère) et une autre des « Dix raisons d'aimer Grandma ». Je tape ce qu'elle me dicte, changeant de police de caractères à chaque ligne – j'adore jouer avec les caractères sur mon ordinateur. J'imprime les deux listes et laisse Eleanor gribouiller dessus afin qu'elle participe au cadeau. Et puis, passage dans la plastifieuse ! Soudain, ces humbles listes se transforment en sets de table personnalisés. Je sais que je vais utiliser cet étonnant engin pour confectionner des jaquettes de livre, des marque-pages, des cartons où noter les numéros de téléphone importants...

Le succès de ma plastifieuse m'encourage à sortir un pistolet à colle d'un placard où il dort depuis des lustres. L'occasion m'en est donnée un soir par Eliza qui m'annonce devoir réaliser un « chapeau dingo » pour sa classe.

— C'est quoi ça ?

— C'est tiré d'un livre de Julie Andrew Edward. Un chapeau qui est le reflet de notre imagination.

Dans cette situation, je sais que je dois laisser ma fille prendre les initiatives et me contenter de la guider gentiment.

Au lieu de ça, je bondis sur mes pieds :

— Écoute-moi ! Je sais ce qu'on va faire ! Vite, va chercher une casquette de base-ball !

En attendant qu'elle revienne, je relis le mode d'emploi du pistolet à colle et le branche. Puis, je prends les boîtes remplies du fourbi des filles que j'ai rassemblé en janvier.

— Et maintenant ? demande Eliza, haletante, tenant sa casquette à la main.

— Vide les boîtes et voyons ce qui correspond le plus à ton imagination. Je les fixerai sur ta casquette avec mon pistolet à colle.

— Oh, j'adore les pistolets à colle. Ma maîtresse en a un.

Un par un, Eliza fait son choix. Un par un, je colle les objets.

— Je ne m'attendais pas à ce que ce soit aussi amusant, commente Eliza au milieu de l'opération.

Opération qui dure des heures car ma fille examine la moindre bricole pour déterminer son intérêt. Songeant à ma résolution « Trouver le temps d'entreprendre », je ne montre aucun signe d'impatience.

Parfois, des projets familiaux s'ébauchent à l'improviste. Ainsi, le choix d'un gâteau d'anniversaire pour Eliza me semble d'une simplicité enfantine. Il me suffira de lui demander : « Chocolat ou vanille ? », « Décoration florale ou conte de fées ? » et elle me dira sa préférence. Mais à mesure que la date approche, Eliza est de plus en plus préoccupée par son gâteau. La liste des invités, la décoration du salon, les divers jeux passent au deuxième plan. Seule importe la composition du gâteau. Avant le début de mes bonnes résolutions, je l'aurais forcée à se décider rapidement pour pouvoir passer à autre chose. Mais mes recherches m'ont montré qu'une des clés du bonheur consiste à tirer le maximum de plaisir d'un événement heureux.

Les cinq étapes du chagrin, selon Elisabeth Kübler-Ross, sont bien connus : dénégation, colère, marchandage, dépression, acceptation. À l'opposé, le bonheur comporte quatre étapes : pour en profiter au maximum, il faut l'*anticiper*, en *profiter*, *exprimer sa joie* et *se rappeler* ce souvenir heureux.

Tout événement heureux peut être amplifié ou minimisé, selon l'attention qu'on lui porte. Exemple ? Si j'appelle mes parents pour leur raconter un truc drôle qui s'est passé dans le parc cet après-midi, je le revis en leur parlant. En revanche, il arrive que les photos posent un problème. Quand on les prend, on est tellement accaparé par l'objectif qu'on oublie de s'amuser. Cela dit, en les regardant plus tard, on se souvient des moments heureux.

Le gâteau d'Eliza nous donne l'occasion de profiter du stade de « l'anticipation ». Elle me demande de lui rapporter le dépliant des glaces Baskin-Robbins que nous lisons de la première à la dernière ligne. Nous consultons le site sur le Web et Eliza réfléchit aux avantages de chaque parfum. Nous nous rendons en pèlerinage à la boutique pour qu'elle goûte les différentes glaces et étudie les décorations diverses et variées des gâteaux. Elle va enfin se décider, me dis-je ! Hélas non !

Quelques jours plus tard, elle me demande :

— Maman, on pourrait retourner à la boutique ? J'aimerais revoir leur catalogue de gâteaux.

— Écoute, on y a déjà passé une heure. Et ton anniversaire n'a lieu que dans un mois.

— Mais je veux revoir le catalogue !

Avant d'entamer mon Opération Bonheur, j'aurais refusé. Aujourd'hui, je comprends qu'il ne s'agit pas d'un caprice mais du plaisir d'organiser la fête. Je songe à mon Sixième Commandement : « Fais-toi plaisir. » Eliza sera heureuse de manger son gâteau pendant cinq minutes, mais son choix, sa décoration lui apportent des heures de bonheur. En fait, l'anticipation est plus jubilatoire que le moment de bonheur. D'où l'importance d'en profiter.

— Bien, je réponds, si tu y tiens, on y passera vendredi en sortant de l'école.

Ces activités me font découvrir que les enfants ont une autre façon de rendre leurs parents heureux : ils régénèrent en nous cette impression de bien-être que nous avions perdue. Disons honnêtement que, livrée à moi-même, je passerais à côté d'un tas de choses : je ne confectionnerais pas des cadeaux de fête des Mères maison, je ne passerais pas des heures à choisir une décoration de gâteau glacé chez Baskin-Robbins, je n'apprendrais pas par cœur des chansons enfantines ; je n'irais pas faire de la barque un samedi après-midi dans Central Park, je ne regarderais pas *Shrek* pour la centième fois, je n'écouterais pas les chansons de Laurie Berkner en boucle. Je ne mettrais pas les pieds dans les parcs d'attractions ou au Museum d'histoire naturelle. Je n'utiliserais pas de colorants alimentaires pour donner à des yoghourts les couleurs de l'arc-en-ciel. Et pourtant, j'aime pratiquer ce genre d'activités en compagnie de mes enfants. Non seulement partager leur joie et leurs rires me rend heureuse, mais je retire de ces moments un bonheur que je croyais perdu.

Le dernier jour d'avril, comme à chaque fin de mois, j'évalue mes progrès avant de mettre en œuvre de nouvelles résolutions. Idéalement ce bilan devrait se faire au bord d'un ruisseau tranquille ou dans une pièce silencieuse et sûrement pas dans le métro ! Mais bon ! Tout en voyant défiler les stations, je me demande : « Et maintenant ? Suis-je plus heureuse ? Vraiment ? »

J'avoue que ce matin, je me suis levée du pied gauche. « Franchement, me dis-je, je n'ai pas changé. Toujours la même bonne vieille Gretchen, ni meilleure ni pire, aucune amélioration à signaler. » Des études ont montré que les personnes qui suivent des psychothérapies, des régimes amaigrissants, des traitements pour arrêter de fumer croient avoir beaucoup changé alors que leurs progrès sont minimes. Il faut dire qu'après avoir dépensé autant d'argent et d'efforts elles pensent naturellement : « J'ai dû m'améliorer », même si c'est faux. C'est pour cette raison que je crois être plus heureuse alors que mon Opération Bonheur ne m'a rien apporté. En descendant du métro, j'ai le moral dans les talons.

Après une réunion de deux heures, je reprends le métro pour rentrer à la maison. L'humeur est meilleure (ce qui confirme les conclusions d'une enquête prouvant que le contact des autres vous rend plus gai). Je me pose à nouveau la question : « Suis-je plus heureuse ? » Cette fois-ci, la réponse est légèrement différente : « Oui et non ! » Bon, ma nature fondamentale n'a pas changé. C'était irréaliste de penser que j'allais me transformer

145

en quatre mois, ou même en un an. Pourtant quelque chose s'est modifié. Mais quoi ?

Finalement, je mets le doigt dessus. Quand je suis « au point mort » comme dans le métro, je suis la Gretchen habituelle. Pourtant, bien qu'étant toujours la même, je suis plus heureuse dans ma vie quotidienne. Mes bonnes résolutions m'apportent plus d'occasions de m'amuser, d'être active, d'être satisfaite, et éliminent beaucoup de mouvements de colère et de complexes de culpabilité. Sur l'échelle du bonheur, je tends vers ma limite maximum.

Ma meilleure humeur améliore l'ambiance de ma maisonnée. C'est vrai que « quand maman va, tout va » ! Vrai que « quand papa va, tout va » et qu'« un adulte est seulement aussi heureux que le moins heureux de ses enfants ». Vrai également que l'état d'esprit de chaque membre de la famille a une influence sur les autres. Mais vrai aussi je ne peux agir que sur mon propre comportement.

Une note plus terre à terre avant de conclure avril : je décide d'abandonner mon podomètre. Il m'a été utile mais j'en ai assez de l'attacher tous les matins autour de ma taille et de risquer de le perdre dans les toilettes comme ça m'est arrivé plusieurs fois. Il m'a permis d'évaluer et d'améliorer ma façon de marcher. Aujourd'hui, l'heure de son départ à la retraite a sonné.

5

Mai : travailler à... s'amuser

Les loisirs

- Amusons-nous !
- Prendre le temps de faire l'idiot(e)
- Sortir des sentiers battus
- Commencer une collection

Mai, qui marque l'apogée du printemps, me paraît être le mois idéal pour *travailler à m'amuser*, c'est-à-dire à occuper mon temps libre en faisant ce dont j'ai envie pour des raisons toutes personnelles, sans esprit de lucre ou d'ambition. En un mot, me distraire. M'obstiner à travailler à mon plaisir et à m'amuser sérieusement. Bien sûr l'ironie d'un telle formule ne m'échappe pas.

La romancière Jean Stafford a remarqué en se moquant : « Les gens heureux n'ont pas besoin de s'amuser. » Pourtant les études montrent qu'il ne suffit pas d'être de bonne humeur pour être heureux ; il faut également trouver des raisons de se sentir bien. L'une des façons est de prendre du bon temps, une activité définie par les spécialistes comme étant satisfaisante, sans conséquences économiques ou sociales, sans néces-sairement apporter lauriers ou gloire. Prendre du bon temps est un des principaux facteurs d'une existence

147

heureuse ; quand on se divertit on a vingt fois plus de chances de se sentir heureux.

Ce mois-ci, je me fixe deux buts. J'ai envie de m'amuser plus souvent et d'utiliser mes loisirs pour cultiver ma créativité. Prendre du bon temps, ce n'est pas être oisif, mais la chance de se découvrir de nouveaux domaines d'intérêt et de se rapprocher des gens.

J'ai la chance que mes « distractions » soient, pour la plupart, proches de mon travail. On se moque bien sûr des chauffeurs de taxi qui conduisent des milliers de kilomètres pendant leurs vacances, mais moi ça me plaît de faire les mêmes choses en week-end qu'en semaine. Je comprends parfaitement ce que le grand photographe Edward Weston voulait dire quand il notait dans son journal : « ... des vacances de travail, mais d'un travail qui était du jeu ».

En mars, j'ai découvert à quel point la nouveauté était source de bonheur. C'est également un élément important pour la créativité. Luttant contre ma tendance naturelle à ne pas m'éloigner des sentiers battus, je décide donc de tenter de nouvelles expériences, de réfléchir à des idées neuves qui m'attirent.

Il faut vraiment que je prenne mes loisirs plus au sérieux. J'ai toujours cru que m'amuser coulait de source : je ne m'en préoccupais donc pas et n'en tirais pas le maximum. Or, s'amuser n'est pas une chose simple. Le courrier de mes blogueurs m'en a convaincue.

Je m'amuse beaucoup à fabriquer des choses. L'artisanat me passionne, mais j'ai deux fois plus de plaisir à façonner un objet pour l'offrir. Pour Noël prochain, j'ai un projet ambitieux pour mon petit ami. Je sais qu'il l'adorera et moi je suis ravie par le défi qu'il me pose et

148

par sa joie que j'anticipe. Je suis comblée par la conception intellectuelle de l'objet puis par sa réalisation.

Lire les blogs venus de l'autre côté du Pacifique me distrait beaucoup. Je les parcours tous les jours de la semaine pendant mon petit déjeuner (comme je vis en Extrême-Orient, ils arrivent pendant la nuit à cause du décalage horaire). Inutile de dire qu'ils me servent à améliorer mon anglais. Ce qui m'amuse le plus c'est de trouver quelqu'un qui a les mêmes goûts, la même façon de penser... dans une culture différente.

Les livres sont pour moi une grande source de joie et de plaisir – je les collectionne, les lis, les consulte sur Internet. Je suis ravi d'ouvrir un « nouveau » livre qu'il soit neuf ou d'occasion.

J'adore mon cours hebdomadaire de latin. Depuis quatre ans, je retrouve quelques autres personnes pour lire dans le texte, étudier la grammaire et discuter de sujets divers. Je suis tombée amoureuse du latin au lycée et ensuite je n'ai pas eu l'occasion de l'étudier. Ce retour aux humanités me rend très, très heureuse.

Qu'est-ce qui m'amuse ? TOUT ce qui est créatif, absolument tout ! En premier lieu un livre de coloriages avec une image compliquée sur chaque page et rien au verso... et une boîte de crayons de couleur bien taillés. En deuxième place, un canevas et du fil de soie pour exécuter une tapisserie.

Voici un cas difficile : ça ne me dit rien de m'asseoir par terre avec mes enfants et de participer à leurs jeux. J'aime leur faire la cuisine, leur lire une histoire, leur parler, aller avec eux au cinéma ou se promener, leur faire visiter des endroits de leur âge. J'aime par-dessus tout aller chercher mon fils de cinq ans à la sortie de l'école et l'emmener goûter. Mais jouer avec la poupée Polly Pocket avec l'aînée ou avec les personnages Little People avec le plus jeune me barbe. De temps à autre j'en éprouve une certaine culpabilité.

M'amuser c'est... discuter, bricoler (à l'intérieur des ordinateurs), fabriquer (des trucs informatiques), lire des blogs (de toutes sortes), raconter à mes gosses des souvenirs de jeunesse.

Sérieusement, je me rends compte que je ne m'amuse plus. Il faut que je réagisse, sinon je vais devenir morose, ennuyeuse, triste.

Je suis d'accord avec ce dernier commentaire. Moi aussi, j'ai envie de mettre de la gaieté dans ma vie.

AMUSONS-NOUS !

Qu'est-ce qui m'amuse ? Je me rends compte à ma grande surprise que je n'en ai qu'une vague idée. Il y a peu de temps que j'ai compris l'importance d'un de mes Secrets de l'Expérience : « Ce que d'autres trouvent amusant peut ne pas *me* faire rire, et réciproquement. »

J'adore *l'idée* de jouer aux échecs, d'assister à une conférence sur les marchés internationaux, de faire des mots croisés, d'aller chez la pédicure, de dîner dans un nouveau restaurant à la mode, de prendre un abonnement à l'opéra ou d'assister aux matchs de basket des Knicks. Je comprends même très bien pourquoi les gens aiment ça. Si seulement c'était mon cas ! Mais ça ne l'est pas. D'autres blogueurs sont comme moi.

Ces dernières années, j'ai commencé à comprendre ce qui m'amuse. Je me suis rendu compte qu'il y a une foule d'activités qui me barbent alors qu'elles plaisent à d'autres gens. Avoir compris ça m'a fait un bien énorme. C'est suffisamment difficile d'analyser ce qui m'amuse sans avoir à imiter les autres. Par exemple, j'aime le cinéma, mais il y a des activités meilleur marché que je préfère. J'y vais donc beaucoup moins. Parfois avec un ami. Alors que j'y allais deux fois par semaine !

Il y a un an, mon mari m'a posé la question : « Qu'est-ce qui t'amuse ? » J'ai réfléchi longtemps avant de lui répondre. Je suis du genre tranquille et solitaire. J'aime me plonger dans un bon livre ; faire de la broderie ; créer des bijoux. Je m'autorise ces distractions. J'aime les échecs et les dames, surtout avec mes enfants.

Ce que j'appelle m'amuser n'a rien à voir avec ce que pensent les autres. Les activités calmes et solitaires me donnent du plaisir. Les sports que j'affectionne sont tranquilles. J'aime lire, des livres ou des blogs. J'aime programmer mon ordinateur. La plongée et l'escalade me plaisent. Tout comme le yoga. En revanche, le shopping que les autres filles adorent ne me dit rien du tout, du tout. En général, les fêtes m'ennuient.

J'ai tendance à surestimer les activités distrayantes auxquelles je ne participe pas et à sous-estimer celles qui m'amusent. J'ai l'impression que ce qui amuse les autres est plus précieux, plus culturel, plus... *légitime*. Mais l'heure est venue « d'être moi-même » ! J'ai besoin d'identifier ce qui me plaît et non pas ce qui *pourrait* me plaire. Pour qu'une chose m'amuse réellement, elle doit impérativement me faire saliver d'avance, me donner de l'énergie, ne pas me fatiguer. En outre, je ne dois pas regretter plus tard de l'avoir faite.

Je parle de ce qui me turlupine à une de mes amies.

— Mon Dieu, commente-t-elle, si j'avais un truc drôle à faire, je me sentirais frustrée car je n'aurais pas le temps de m'y consacrer. Je ne veux rien ajouter à mon agenda qui déborde déjà.

Triste réaction. En fait, il y a quelque temps, j'aurais dit la même chose. Mais mon Opération Bonheur m'a appris qu'il valait mieux dire : « J'ai plein de temps pour m'amuser ! »

La question est de savoir ce que je trouve récréatif. De quoi ai-je envie ? Difficile à dire. Ah, si ! J'adore la littérature jeunesse. Je ne sais pas pourquoi les livres pour enfants m'apportent plus que ceux destinés aux adultes, mais il y a quelque chose. Ce n'est pas seulement une question de couvertures, d'emplacement dans les librairies, d'âge des personnages. C'est une question d'ambiance.

La littérature enfantine traite souvent de grands thèmes comme la guerre entre le bien et le mal ou le pouvoir suprême de l'amour. Ces livres n'enjolivent pas l'horreur et la fascination du mal, et à la fin, même dans les plus réalistes, le bien triomphe. Les romans pour adultes ne sont pas de cette veine. Sans doute leurs auteurs ont-ils peur de paraître sentimentaux, moralisateurs ou simplistes. Ils se concentrent sur la culpabilité, l'hypocrisie, la perversion des bonnes intentions, la cruauté du destin, la critique sociale, la fatalité de la mort, la passion sexuelle, les fausses accusations... De grands thèmes littéraires, certes. Mais je trouve mille fois plus satisfaisant de voir le bien triompher du mal, la vertu l'emporter sur le vice, le crime puni. J'aime la littérature didactique, qu'elle soit signée Tolstoï ou Madeleine L'Engle, l'un des écrivains préférés des adolescents américains.

De plus, en perpétuant cette philosophie du bien contre le mal, la littérature enfantine plonge souvent le lecteur dans un monde d'archétypes. Certaines images ont le curieux pouvoir d'exciter l'imagination. Des livres comme *Peter Pan*, *Les Royaumes du Nord* ou *L'Oiseau bleu*, sont d'un symbolisme parfois difficile à déchiffrer alors que les romans pour adultes créent rarement une telle atmosphère. J'adore me plonger dans ce monde bien tranché du bien et du mal, où les animaux sont doués de parole, où les prophéties se réalisent.

Mais cet intérêt passionné pour la littérature pour enfants ne cadre pas avec l'idée de la personne mature que j'aimerais être. Je voudrais m'intéresser à la littérature sérieuse, aux lois constitutionnelles, à l'économie, à l'art et autres sujets adultes. Et ces sujets m'intéressent vraiment, tout en me sentant gênée d'admettre mon goût immodéré pour J.R.R. Tolkien, E.L. Konigsberg ou Elizabeth Enright. Je bride tellement cet aspect de ma personnalité que lorsque le dernier Harry Potter est sorti, je ne l'ai pas acheté, essayant de me convaincre que je n'avais pas envie de le lire. Je n'ai résisté que quelques jours.

Si je veux m'amuser sérieusement, je dois me laisser aller à ma passion et en tirer le maximum de plaisir. Comment ? Alors que je cherche la solution, je déjeune avec une femme, agent littéraire sûre d'elle et très cultivée que je connais assez mal. Nous en sommes au round d'observation quand je lui avoue que j'ai beaucoup aimé *Le Fléau*. Un risque, dans la mesure où elle pourrait être du genre à mépriser Stephen King.

Sa réponse me rassure :

— J'adore Stephen King et *Le Fléau*.

Puis elle ajoute :

— Mais ce n'est pas aussi bon que Harry Potter.

Génial ! J'ai trouvé une âme sœur. Nous passons le reste du déjeuner à parler de Harry Potter. En bavardant, une idée me vient : je connais une troisième personne qui aime la littérature pour enfants. Et si on créait un cercle littéraire ?

Au moment de l'addition, je lui soumets mon idée.

— Pour quel genre de livres ? s'enquiert-elle.

— Ce qu'on voudra : *Le Passeur*, *Le Jardin secret*, *James et la pêche géante*... On se retrouverait pour dîner chez l'un ou l'autre.

— Comme ce serait amusant !

Heureusement, elle est d'accord. Sinon, jamais je n'aurais osé soumettre mon idée à quelqu'un d'autre.

— J'ai une amie qui sera contente de se joindre à nous.

J'envoie quelques e-mails et j'en parle autour de moi. Surprise ! Beaucoup de gens que j'estime partagent ma passion. Mais comme je ne leur en ai jamais parlé, ils ne m'en ont rien dit non plus.

Pour notre première réunion, qui aura lieu chez moi au cours d'un dîner où nous parlerons du livre de C.S. Lewis (*Le Lion, la Sorcière blanche et l'armoire magique* de la série Narnia), j'envoie des e-mails d'invitation. Que je termine par une citation de Lewis extraite de son brillant essai « On Three Ways of Writing for Children » :

« Quand j'avais dix ans, je lisais des contes de fées en secret et j'aurais été honteux d'être surpris. Maintenant que j'en ai cinquante, je les lis ouvertement. En devenant un homme, j'ai abandonné des attitudes enfantines comme la peur d'être infantile et le désir d'être très adulte. »

Comme personne dans le groupe n'a essayé, contrairement à moi, de réprimer son goût pour la littérature enfantine, cet aveu de Lewis tombe à plat. Et pour moi, maintenant, c'est du passé.

Dès notre première réunion, je m'amuse follement. J'adore les gens, j'adore les livres, j'adore nos discussions. Comme de nombreux membres n'ont pas d'enfants, il est clair qu'ils lisent ces livres pour leur *propre plaisir*. J'instaure un principe : le menu du dîner doit être en rapport avec l'objet de notre débat. Ainsi, je propose des loukoums comme dessert, friandises qui tiennent un rôle important dans *Le Lion, la Sorcière blanche et l'armoire magique*. Je sais qu'on boira du tokay pour accompagner *Les Royaumes du Nord* de Philip Pullman – l'occasion pour moi d'apprendre que ce vin existe vraiment et ne sort pas de l'imagination de l'auteur. De la soupe à la tortue et de la tarte à la mélasse iront avec *Alice au pays des merveilles*, des M&M bleus pour *L'Énigme Vermeer* de Blue Balliett, du blanc-manger pour *Les Quatre Filles du docteur March*.

On sait que les personnes qui partagent le même intérêt forgent des liens de camaraderie durables et voient leur bonheur existentiel croître de 2 %. Effectivement, ce groupe me procure plusieurs nouveaux amis. Quant à mon bonheur ce n'est pas de 2 % qu'il augmente mais d'infiniment plus. Et puis, quel plaisir d'appartenir à un nouveau « club » ! En se sentant proche de ses membres, on acquiert une plus grande confiance en soi. Quoique…

À la même époque, je suis élue au Conseil des relations étrangères. Des sujets captivants, un groupe intéressant et particulièrement utile. Quelle association m'apporte le plus de plaisir ? M'offre le plus de contacts enrichissants ? La littérature enfantine. Winston Churchill et Kennedy me passionnent, mais pour parler franchement, les Relations étrangères ne me bouleversent pas. Au fond, ce groupe ne m'apporte pas le divertissement escompté.

Une fois encore, une de mes résolutions me ramène à mon Premier Commandement : « Sois toi-même ! » Je dois savoir et rechercher ce qui *me* procure le plus de plaisir. C'est la voie qui mène au bonheur. En plus de la littérature enfantine, que puis-je faire de distrayant ? Je suis perplexe. Suis-je si tristounette, si ennuyeuse que rien ne me vienne à l'esprit ?

Un des avantages ou des inconvénients d'habiter New York, c'est l'impression qu'on peut tout faire – aller au ballet, assister à une pièce d'avant-garde, prendre un cours de graphisme, faire du shopping à Williamsburg, déjeuner à Astoria. Ces possibilités semblent d'autant plus alléchantes que je ne fais rien. Du coup je culpabilise. Depuis des années je suis hantée par une affiche aperçue une fois dans le métro : la photo d'un plateau télé de nourriture chinoise posé sur deux DVD. La légende disait : « Si c'est comme ça que vous passez vos soirées, pourquoi vivre à New York ? »

Ma ville déborde de distractions. Il ne manque que la volonté d'en profiter.

Quand j'explique à une amie que je cherche à me distraire plus souvent, elle ne me conseille pas d'acheter le *New Yorker* mais me pose la question :

— Enfant, qu'est-ce que tu aimais ? Ce qui te plaisait quand tu avais dix ans devrait toujours te plaire.

Cette suggestion m'intrigue. Je me souviens que Carl Jung, à l'âge de trente-huit ans, avait décidé de rejouer avec des blocs en bois pour retrouver le plaisir de ses onze ans. Qu'est-ce qui me plaisait, enfant ? Pas les échecs, pas le patin à glace, pas la peinture. Je remplissais mes « Livres blancs ». Une année, un oncle m'avait offert un livre qui ressemblait à un ouvrage ordinaire mais dont les pages étaient blanches. Il s'appelait « Le Livre blanc ». À l'époque, c'était un objet rare alors que maintenant ces albums sont monnaie courante. Très vite, j'en ai acheté d'autres.

Mes Livres blancs réunissaient des coupures de journaux, des souvenirs, des mots de copines, des dessins humoristiques, des listes, des bribes d'informations. Parfois j'y collais des blagues trouvées dans le *Reader's Digest* auquel étaient abonnés mes grands-parents. Une collection spéciale de mes Livres blancs ne contenait que des citations illustrées. Quand une citation attirait mon attention, je la recopiais sur un morceau de papier et quand je voyais une photo ou un dessin dans un magazine l'illustrant je le découpais et m'efforçais de marier texte et image.

Tenir à jour mes Livres blancs était la principale distraction de mon enfance. Chaque jour après l'école, je m'asseyais par terre pour trier, découper, recopier, coller, tout en regardant la télévision d'un œil.

Je décide de recommencer l'expérience. D'autant que j'espère en tirer un autre bénéfice : j'ai remarqué que la plupart des créateurs sont des fans invétérés des carnets de notes où ils gribouillent leurs idées. Par exemple, la chorégraphe Twyla Tharp consacre un fichier à chaque ballet qu'elle crée et le remplit de tout ce qui peut l'inspirer. En conservant matériellement toutes sortes d'informations, on garde à l'esprit de bonnes idées et on peut concevoir des juxtapositions inattendues.

J'achète un énorme carnet et me lance à la recherche de matériel à y fourrer. Un assortiment hétéroclite émerge : un portrait de la princesse Diana composé de minuscules photos de fleurs ; un article de la *New York Review of Books* consacré à un livre d'heures ; la photo d'une création de Portia Munson appelée *Pink Project*

157

(1994), une table recouverte d'objets roses ; une carte des comtés anglais que j'aurais aimé avoir en ma possession quand j'écrivais la biographie de Churchill ; une carte à jouer illustrée par Thomas Kinkade et représentant un moulin que j'ai prise dans un paquet chez mes grands-parents après leur mort.

Travaillant sur mon nouveau Livre blanc, je parcours les magazines et les journaux d'un œil différent. Quand un article ou une photo attire mon attention, je me demande : « Pourquoi revenir là-dessus ? Cela mérite-t-il de figurer dans mon Livre blanc ? » Peu à peu, je deviens une lectrice moins passive. Et je retrouve le goût de découper, mettre en pages et coller que j'affectionnais dans mon enfance.

J'en arrive aussi à prendre plus de temps pour me distraire. Car trop souvent j'ai tendance à sacrifier mes loisirs au profit du travail. Débordée, je me dis : « M'amuser ? Si seulement je pouvais rayer quelques-unes des corvées de ma liste. Et finir ce que j'ai commencé. » J'ai l'impression d'être vertueuse quand je réponds à mes e-mails au lieu de remplir mon Livre blanc.

J'avoue que passer d'une corvée à une autre me donne le sentiment d'être en prison et d'être lessivée. Alors que lorsque je prends vraiment du bon temps, par exemple en relisant Le Royaume fantôme pour la quinzième fois ou en téléphonant à ma sœur, je suis ensuite pleine d'énergie pour attaquer les tâches barbantes. Les loisirs vous donnent du punch.

J'avoue aussi qu'être moi-même et accepter mes goûts et mes dégoûts m'afflige. Je n'irai jamais écouter du jazz à minuit, je ne traînerai pas dans les ateliers d'artistes, je ne sauterai pas dans un avion pour passer un week-end à Paris, je ne me lèverai pas à l'aube pour aller pêcher la truite au printemps. Mon élégante garderobe n'émerveillera personne et l'on ne m'offrira pas de job dans la haute administration. Je ne ferai jamais la queue pour assister au *Ring* de Wagner. J'adore les aphorismes chinois qu'on trouve dans leurs gâteaux et refuse de toucher au foie gras.

Cela m'afflige pour deux raisons. Primo, il n'est pas gai de se rendre compte de ses limites. Le monde offre tellement de tentations, de beautés, de distractions et j'en profite si peu. Deuzio, j'aimerais bien être différente dans de nombreux domaines. Un de mes Secrets de l'Expérience dit : « On peut choisir ce qu'on fait, pas ce qu'on *aime* faire. » Je sais pertinemment ce que j'aimerais faire, les occupations qui m'intéresseraient. Mais peu importe ce que j'aimerais être. Je suis moi-même.

Quand j'affiche sur mon blog « La tristesse de mon Opération Bonheur », je suis étonnée par le nombre de réponses. Alors que je ne m'attends qu'à un très faible écho, des douzaines de personnes m'envoient leurs commentaires.

Votre blog vient à point nommé. Car c'est exactement ce qui m'occupe l'esprit en ce moment.

Je traverse une période d'intense changement qui m'amène à beaucoup réfléchir.

Ainsi, je sais que je ne serai jamais une astronaute, ni quelqu'un d'autre, vivant une autre existence. Comme vous le dites, le monde est grand et je me demande ce que je rate.

Je ne piloterai jamais de formule 1. Je ne serai jamais top-model. Je ne saurai jamais ce qu'est la guerre. Je ne serai ni danseuse sur un bateau de croisière, ni croupier à Las Vegas.

Non pas que ce soit impossible. Mais je ne sais pas danser (j'ai essayé). Je ne supporte pas la force G (ni même les montagnes russes). Je ne suis ni assez jolie, ni assez grande. Détestant la physique et les maths, le métier d'astronaute m'est interdit.

En réalité, mon problème n'est pas une question d'incapacité mais de volonté. Je ne suis pas suffisamment motivée pour me battre.

Et je ne changerai jamais.

Il m'a fallu des dizaines d'années pour accepter que les coiffures que j'aime ne sont pas adaptées à mes cheveux.

Je ne me souviens pas de la date exacte, mais de l'incident.

Un jour, je devais avoir trente-quatre ans, ça m'a frappé : je peux faire n'importe quoi mais je ne peux pas faire *tout* ce que je veux.

Nous pensons sans doute tous la même chose. Préparant une licence d'anglais, j'essaie de déterminer ce que je vais faire. J'aime lire. De nombreuses carrières s'ouvrent à moi autour des livres, mais je n'arrive pas à me décider. Chaque jour, mes limites m'attristent (je ne mettrai jamais les pieds dans une boîte de nuit), mais mes passions m'enchantent.

Je suis un de vos Commandements : « Être soi-même. » Je préfère passer une soirée avec un bon livre que d'aller danser. J'adore les livres pour enfants et j'en prends toujours à la bibliothèque. En sachant qui nous sommes en tant qu'êtres humains et en étant nous-mêmes, nous pouvons améliorer le monde.

Quand j'ai atteint mes vingt-cinq ans, j'ai compris que je ne serais jamais une étudiante émérite. Le fait que ça n'ait jamais été un but, que je ne l'aie même pas envisagé n'a pas d'importance. Je me suis fermé une porte. Maintenant, je dois envisager de ne jamais avoir d'enfant. J'ai toujours pensé que je me déciderais quand j'aurais rencontré mon futur mari. Mais je n'ai pas encore fait sa connaissance et mon horloge biologique continue à tourner.

C'est notre lot de femme, non ? Et particulièrement dans le monde où nous vivons, nous voyons ce que les autres font, possèdent, sont… Et puis il y a tout le reste de l'humanité qui dispose de si peu, comparé aux riches et aux privilégiés de l'Occident. Cela me rend lucide quand je compare ma situation matérielle à celle des milliardaires.

Ils ont dix ans de moins que moi, des jobs richement payés dans de grosses boîtes et je les jalouse. Mais je suis un artiste et le confort financier m'est étranger. J'ai lutté longtemps contre cette contradiction et j'étais terriblement malheureux. Maintenant, je suis en accord avec moi-même, je n'ai pas un rond, je me fais un souci d'encre mais je suis terriblement heureux (sauf quand je souhaite me rendre la vie plus facile en faisant comme tout le monde).

Vous avez tellement raison… et je pense à ces choses de temps en temps, surtout que je vieillis. Il n'y a pas de « seconde chance » et certaines choses ne m'arriveront plus. Parfois, ça me rend triste. Mais je dois me faire une raison.

J'ai du mal à l'avouer mais je suis plutôt d'accord avec vous. J'aimerais être cette femme vraiment cool qui s'entend avec tout le monde, mais je ne suis pas comme ça. Les situations qui sortent de l'ordinaire me dérangent et j'aimerais être moins coincée. J'ai besoin de temps pour me lier d'amitié.

Je veux être différente et si je réussis à faire semblant, je suis au fond une personne timide. De même, j'aimerais que mon mari change, quoi que cela soit injuste et irréaliste. D'autant que je l'aime comme il est.

J'ai perdu une amie parce que je ne pouvais pas voir la différence entre ce que je voulais être et ce que je voulais devenir. J'ai toujours envié les femmes qui ont beaucoup de panache, connaissent des gens influents, discutent de haute couture. Mon amie est devenue telle et a décidé que je ne l'intéressais plus car je me suis refusée à la suivre sur ce chemin. À ce jour, je me demande si je ne suis pas en partie responsable car je lui avais laissé croire que j'étais prête à changer.

Mais voilà, quand j'ai le choix, je préfère rester chez moi. Je suis casanière et je n'apprécie ni la foule, ni les bars, ni me mettre sur mon trente et un. Grâce à ce blog... j'ai appris à être en accord avec moi-même... sans changer.

Ah ! la lutte constante entre aspirations et réalité. Je n'y ai jamais rien compris, sinon qu'il s'agit d'une sorte d'équilibre entre deux contraires. Oui, ça peut être pénible, car tout en passant mon temps à courir pour satisfaire tout ce qui figure sur ma liste de rêves et de désirs, je ne m'accepte pas comme je suis. Je cherche toujours à me dépasser. Autrement, je me sens frustrée. Le temps est venu d'accepter ce que je suis.

J'ai toujours voulu avoir ma propre entreprise, devenir un homme d'affaires. Pourtant, chaque fois que j'essaie d'agir en businessman, je ne suis pas heureux. Je lis certains magazines et fais différentes choses. Mais finalement j'agis sans plan et me laisse guider par mon instinct ou par ce qui me semble intéressant et attirant. Ce qui veut dire changer de direction, ce qui me ravit. Rétrospectivement, les choses que j'aurais dû faire ne m'auraient pas amené plus près de mon but et je serais allé contre ma nature (en perdant une masse de temps).

Vous parlez de regret quand vous n'appréciez pas quelque chose dont vous ne voyez pas la beauté. Je vous comprends mais au lieu d'en faire une idée fixe, vous devriez revenir dessus plusieurs fois. Chaque chose a sa beauté. Certaines nous attirent plus que d'autres.

Nos vies s'écoulent entre le « Nous sommes voués à choisir, et chaque choix engendre une perte irréparable » d'Isaiah Berlin et *Le Labyrinthe* de Borges où chaque choix produit une explosion quantique de futurs alternatifs. C'est dans ce contexte que je prononcerai mon propre « Je suis un berlinois[1] » ayant du mal à voir au-delà des pertes irréparables.

Cette dernière réponse me réconforte. En me débarrassant de mon *bazar nostalgique* et de mon *bazar de conservation* au mois de janvier, j'ai fait de la place pour les affaires que j'utilise au quotidien. De même, en renonçant aux chimères qui m'auraient amusée, j'ai plus de temps pour les choses qui me distraient réellement. Qu'ai-je à faire de boîtes de jazz quand j'ai envie de créer mon propre livre d'heures. Comme le dit le premier de mes Douze Commandements : « Sois toi-même ! »

PRENDRE LE TEMPS DE FAIRE L'IDIOT(E)

Préoccupée par mon travail, distraite par la liste de choses à faire qui défile dans ma tête, je perds mon sens de l'humour. Nombre de mes résolutions ont pour but de mieux contrôler mes nerfs, mais ça n'est pas assez. Le fait de ne pas élever la voix ou de ne pas harceler mon entourage suffit-il à créer une ambiance joyeuse ?

---

1. Référence à la célèbre phrase de John F. Kennedy lors de sa visite à Berlin-Ouest en juin 1963. *(N.d.T.)*

Non, il faut la nourrir de plaisanteries, de jeux, de farces.

Un jour où j'essaie de demander à ma petite famille de ranger les courses d'une façon ordonnée, Jamie nous fait une démonstration de ses talents de jongleur avec trois oranges. Eliza et Eleanor sont aux anges. Je suis furax :

— Allez, au boulot ! Jamie, range tes oranges et occupe-toi de l'autre sac !

Mais rien ne nous presse – ce n'est que plus tard que je m'aperçois que j'aurais dû apprécier cet entracte et m'amuser de cette corvée. Suis-je devenue un rabat-joie ? Courses suivantes, lorsque nous déballons nos emplettes, je prends deux mandarines pour me faire des yeux exorbités. Mes filles hurlent de plaisir, Jamie rit comme un fou et les courses disparaissent dans les placards.

Des études montrent que, par un phénomène appelé « contagion émotionnelle », nous sommes perméables à l'humeur des autres, bonne ou mauvaise. En prenant le temps de faire l'idiot, on distille de la bonne humeur autour de soi et les personnes qui apprécient nos facéties ont 30 % de chances de plus d'être heureux.

Tout au long de la journée, je cherche des occasions de voir le côté cocasse des choses, de participer à l'humeur joueuse des filles, de faire des blagues. Au lieu de râler parce que Eleanor veut jouer pour la millième fois à un genre de cache-cache, j'essaie d'y prendre autant de plaisir qu'elle.

Sortir des sentiers battus

« L'œil doit voyager », a dit Diana Vreeland. Une des choses que j'admire le plus chez ma mère est son esprit d'aventure. Les situations nouvelles ne l'intimident pas, elle ne cesse d'approfondir de nouveaux domaines. Je veux l'imiter et la résolution « Sortir des sentiers battus » doit m'inciter à m'ouvrir l'esprit, à découvrir de nouveaux horizons, à rencontrer des gens inhabituels et vivre des situations non conventionnelles – toutes choses qui sont à la base de l'énergie créatrice et source de plus grand bonheur. Au lieu de me préoccuper d'être efficace, je veux passer du temps à explorer, expérimenter, faire l'école buissonnière et parfois me tromper en abordant des sujets qui n'ont pas toujours *l'air* productifs. Mais quelles directions prendre ?

J'ai converti mes passions en thèmes de mes livres, quitte à me détourner de ce qui m'intéressait le moins et à me concentrer sur mes sujets « officiels ». Par exemple, travaillant sur Opération Bonheur, je n'ai cessé de me documenter et donc de me détourner de mes autres intérêts. Maintenant, je vais m'efforcer d'explorer ce que j'ai négligé. Mais je découvre que j'ai délaissé tellement d'autres sphères d'intérêt potentielles qu'aucun sujet ne me vient à l'esprit. J'ouvre donc un « Carnet de sujets » pour recueillir les thèmes qui attirent mon attention. Un article de journal, le titre d'un livre aperçu dans une vitrine, une conversation atterrissent dans mon Carnet.

En émerge un méli-mélo inouï de thèmes : sainte Thérèse de Lisieux, l'obésité, les biais cognitifs, Francis Galton, les dons d'organes, les koan zen, Joseph Cornell, des biographies, les relations personnelles avec les objets, le développement de l'enfant, les méthodes de présentation de l'information, la mise en pages des livres, les artistes de l'Age d'Or de l'illustration. J'abandonne bientôt mon Carnet. Mais je m'efforce de poursuivre mes recherches et de lire ce qui me fait plaisir. Entrent dans ma bibliothèque : *A Pattern Language* de

Christopher Alexander, *The Visual Display of Quantitative Information* d'Edward Tufte, les œuvres complètes de George Orwell, *L'Art invisible* de Scott McCloud, la correspondance de Flannery O'Connor, les biographies de Tolstoï et tout les écrits de L.M. Montgomery.

« Toute connaissance intéresse le sage », a écrit Matthew Arnold. Si je passais plus de temps à m'intéresser à la situation politique du Moyen-Orient, à l'architecture de Louis Sullivan, à l'héritage de John Marshall, je trouverais ces sujets intéressants. Sans aucun doute. Une pensée me traverse l'esprit : en m'y obligeant, j'arriverais probablement à aimer la musique de Bach, mais je n'ai pas envie de me forcer. Je désire consacrer plus de temps à des choses que j'aime déjà.

J'ai toujours en tête de « sortir des sentiers battus »... Aussi, je parcours des sections du journal que je ne lisais pas, je m'oblige à regarder les vitrines de magasins que je négligeais. Pour m'aiguiser l'œil, je garde à portée de main un petit appareil photo.

Tous les lundis de mai, j'achète trois magazines que je ne lis pas en temps normal. Le premier lundi, en sortant de mon cours de gym, j'entre dans un magasin de journaux que je n'avais jamais remarqué et tombe sur une vraie mine. Du sol au plafond, ce ne sont que rangées de magazines traitant des sujets les plus divers. Après avoir fait trois fois le tour de la boutique, je ferme les yeux et prends une revue au hasard. Je m'assure que je ne suis pas tombée sur un magazine érotique, et j'achète *Equus* (un numéro spécial sur « Le cheval sain »), *Paper Crafts Gourmet* (gastronomie, réceptions et plus) et *Fresh Outlook* (le premier magazine chrétien traitant de l'esprit, du corps, de la vie, de la maison, de l'argent).

Le soir venu, je les parcours de la première à la dernière page. Je n'ai jamais réfléchi à la difficulté d'amener un cheval malade dans un hôpital vétérinaire ou aux soins à apporter aux sabots. Je n'ai jamais pensé au cycle de vie des parasites des chevaux. Fascinant! Cependant, je me demande ce que vient faire un magazine comme *Equus* en plein Manhattan. Un article du *Paper Crafts Gourmet* m'étonne. Il s'agit d'une invitation du magazine, en l'honneur de son treizième anniversaire à une « soirée Mocktail ». On n'y servira pas d'alcool, mais les boissons auront un parfum de Caraïbes. Une nouvelle mode ?

Dans *Fresh Outlook* une citation de la Bible retient mon attention. Et pour cause : toute la journée, j'ai été très perturbée par un truc qu'une amie a fait. J'ai eu envie de la critiquer. D'un côté, je savais que si je me laissais aller, j'allais le regretter. De l'autre, ça me démangeait de trouver une oreille compatissante à qui en parler. À ce moment-là, je tombe sur cette page du magazine qui ne contient que très peu de texte, ce qui rend chaque mot plus lourd de sens : « Faute de bois le feu s'éteint et en absence d'un boutefeu, les rixes s'apaisent. » Proverbes 26:20. Leçon bien reçue.

Chaque lundi, je l'avoue, j'ai peur de me plonger dans des magazines inconnus. J'ai l'impression de perdre mon temps alors qu'il serait plus raisonnable de plancher sur mon ordinateur. Ce n'est pas le moment de m'amuser ! Mais à la fin de la semaine, je suis ravie. D'une manière ou d'une autre, je trouve à m'instruire, à me distraire, à me remuer les méninges. C'est une manière indolore (quoique un peu onéreuse) de me faire entrer des idées nouvelles et inattendues dans le crâne.

J'ai l'intention de lire un poème chaque soir, mais je n'arrive pas à démarrer. Cela me serait sûrement profitable, mais c'est trop de travail. Je garde ce projet pour mon Opération Bonheur II.

J'aimerais tellement faire une collection – à part les bibelots de mes huit ans je n'ai jamais rien collectionné. Une collection, c'est un but, une raison de découvrir de nouveaux endroits, l'excitation de la chasse, l'ouverture d'un champ de connaissances (même de moindre importance) inédit, et souvent l'occasion de créer des liens. Vraiment fun !

Il y a deux sortes de collectionneurs. Les premiers cherchent à réunir une série complète de timbres, de pièces de monnaie, de poupées Barbie. Leur collection est ordonnée et très complète. Les seconds sont guidés par un désir intense, un chant des sirènes. Ma mère, qui appartient à cette dernière catégorie, possède des connaissances fantastiques et a une passion pour les objets et les matières ; elle passe le plus clair de son temps dans les musées et les boutiques. Elle est enchantée par ses collections de paniers destinés à l'ikebana, d'objets écossais, de tomates en porcelaine Royal Bayreuth, et par son ensemble éblouissant de Pères Noël divers et variés.

J'ai envie de commencer une collection, mais de quoi ? Je ne suis pas suffisamment passionnée pour dépenser des sommes folles et je n'ai pas envie de bricoles. Je me décide pour les oiseaux bleus, symboles du bonheur. Mais aussi en raison de la pièce de Maurice Maeterlinck que j'ai déjà évoquée, *L'Oiseau bleu*. Une fée dit à deux enfants que l'Oiseau bleu représente le bonheur et leur ordonne de le trouver pour sa fille malade. Après bien des aventures, les enfants reviennent les mains vides et trouvent l'Oiseau bleu qui les attend : « Nous avons parcouru des kilomètres et des kilomètres et il était là !» La morale, plus qu'évidente, colle parfaitement avec mon Opération Bonheur !

Sans aucune raison, sauf « sortir des sentiers battus », j'entre un après-midi dans un magasin du voisinage qui vend des ampoules, des puzzles en bois, des aspirateurs et des bougies fantaisie. Je m'arrête devant une vaste sélection d'oiseaux mécaniques pourvus de capteurs qui leur permettent de gazouiller et de se déplacer quand quelqu'un approche. Il ne me serait pas venu à l'idée d'en acheter si l'un d'eux n'avait pas été bleu. Je reste pétrifiée : voilà pour ma *collection* !

Un autre jour, j'accompagne une amie dans le Flower District. Nous nous promenons parmi les bouquets, les fleurs artificielles et toutes sortes de babioles. Nous sommes fascinées par les petits sacs en plastique pour enfants, les faux zinnias, les papillons en sequins d'or.

Nourrir ma collection transforme une simple promenade en chasse au trésor. Je lui demande :

— Tu connais un endroit qui vendrait des trucs ayant un rapport avec les oiseaux bleus ?

— Bien sûr ! Au coin de cette rue, il y a une boutique qui vend de faux oiseaux.

Comment le sait-elle ? Mystère !

J'achète un beau spécimen pour deux dollars et soixante et onze cents !

Il y a un an, je ne me serais pas autorisée à acheter ces babioles. Je n'aurais pas peuplé mon bureau d'oiseaux bleus et me serais sentie coupable de perdre mon temps au lieu de travailler. Mais mes résolutions «Faire des projets» et «Sortir des sentiers battus» m'ont changée. Je me rends compte qu'il est important de prendre du bon temps et, par la même occasion, qu'un peu de fouillis ne fait de mal à personne. Je suis dans une de mes phases de rangement radical quand une amie me donne ce conseil :

— N'oublie pas de laisser un peu de désordre.

— Tu plaisantes ! Pourquoi ?

— On a besoin de tiroirs à fourbi où l'on retrouve des trucs inespérés. C'est sympa d'avoir un endroit un peu chaotique où fourrer les choses qui n'ont pas leur place ailleurs et qu'on veut conserver. Tu ne sais jamais quand tu risques d'en avoir besoin et tu seras contente de pouvoir mettre la main dessus.

Bien sûr, elle a raison ! J'ai besoin d'une étagère vide et d'un tiroir à bric-à-brac. Tant pis si mes oiseaux bleus font un peu désordre. Ça me plaît que mon bureau abrite des trucs marrants et inutiles.

Un fil de fer me permet d'attacher mon oiseau bleu à ma lampe : je suis heureuse d'être sortie des sentiers battus. C'est vrai que je m'amuse. Sur ma lancée, je trouve l'énergie mentale nécessaire pour entreprendre une chose que j'ai toujours remise ; trouver la façon d'afficher mes propres photos sur mon blog. Un bon point ! Alors que je pense perdre mon temps, je suis réellement efficace – et autrement qu'en tapant sur mon clavier.

Un jour, en travaillant avec Eliza sur son cahier de brouillon, je pense à une autre idée de collection, une « Boîte à bonheurs » où je déposerai toute une bimbeloterie qui un jour me rappellera des souvenirs heureux.

Je possède la boîte idéale – une jolie boîte jusqu'à maintenant totalement inutile, offerte par une copine d'université il y a des années. C'est un coffret ancien au couvercle divisé en quatre sections : deux décorées de roses et deux panneaux en miroir moiré. Enfin, elle ne restera plus là à prendre la poussière sans servir à rien. Je mets dedans un bloc-notes Snoopy qui me rappelle ma sœur quand elle était petite ; une tasse à thé miniature provenant de la collection de ma grand-mère ; une figurine de Dorothy du *Magicien d'Oz*, souvenir de la passion d'Eliza pour les pantoufles rouges de son héroïne. (« Ces pantoufles rouges ont le pouvoir de te ramener dans le Kansas », chantonnait-elle, en rejouant la scène dramatique du film. « Frappe trois fois des talons, Dorothy, et tu seras chez toi en deux secondes. ») Je dépose également mes deux paires de lunettes style Coca-Cola aux verres épais qui me paraissent risibles et démodées maintenant que je ne suis plus obligée de les porter ; un Petit Chaperon rouge miniature pour me rappeler les nombreuses soirées passées à lire l'histoire à Eleanor ; un petit arbre Lego en forme de cône pour tous les sapins de Noël de mon enfance ; un marque-page de la Bibliothèque municipale de New York en référence à mon institution favorite ; quatre dés usagés comme porte-bonheur ; une carte de vœux représentant un oiseau bleu.

La « Boîte à bonheurs » se révèle aussi utile que les caisses à jouets des filles. J'ai des tonnes de babioles que je garde pour des raisons sentimentales. Au lieu d'en avoir un peu partout, elles sont devenues une collection.

Je demande à mes blogueurs de me parler de leurs collections. S'amusent-ils ? Que collectionnent-ils ?

Mes collections me donnent beaucoup de satisfaction. Pendant mes week-ends et mes voyages, elles me donnent une excuse pour entrer dans des petites boutiques, hanter les marchés aux puces... Je collectionne les boules à neige, les bijoux en bakélite, les globes lumineux et les trucs de scout. Cela me rappelle mes voyages et les bons moments passés avec des copines. Mon appartement me ressemble (je crois), « déco » mais à l'économie.

J'adore collectionner les vieux livres d'art religieux.

Oui, j'ai plusieurs collections... des figurines anciennes de gâteaux de mariage, des mouchoirs en forme de cœur, des oiseaux bleus anciens et d'autres choses. Je collectionnais les cœurs, mais alors tout le monde m'en a offert et je me suis sentie obligée de les exposer. Du coup ce n'était plus drôle du tout.

Il est important de savoir que les goûts changent. Je me suis débarrassée de ma collection de poupées car elle ne me plaisait plus. Ma mère voulait que je la garde pour ma fille mais je suis sûre qu'elle aura plus de plaisir à faire sa propre collection plutôt que d'hériter de trente à quarante poupées qui ne signifient rien pour elle. J'en ai juste gardé quelques-unes.

Quand on parle de collections, je suffoque en voyant tous ces trucs encombrants. J'adore voir la façon dont les gens décorent leurs maisons pour les fêtes, mais pour moi c'est une corvée, pas une distraction. Pour Noël, nous préférons quelques choses simples et significatives, un point c'est tout.

Les collections, c'est bien pour les autres, mais je n'ai pas envie de stocker, d'épousseter, de conserver encore plus de choses. Je préfère passer mon temps à lire, à décorer ma maison, à essayer de nouvelles recettes.

Après avoir mis en route mes deux collections, je me rends compte que finalement je n'ai pas l'âme d'une collectionneuse. Un jour, peut-être, je trouverai un sujet qui me passionnera, mais ce n'est pas le cas pour l'instant. Je n'arrive pas à me décider, c'est aussi simple que ça. Un de mes Secrets de l'Expérience se justifie, hélas : « Ce que *d'autres* trouvent amusant peut ne pas *vous* faire rire et réciproquement. »

À la fin mai, je comprends que « s'amuser » se divise en trois catégories.

L'amusement-défi est le plus gratifiant mais aussi le plus exigeant. Il peut demander beaucoup de travail, générer de l'angoisse et des frustrations. Il nécessite de faire des achats, prend du temps et de l'énergie. À la fin, il est payant car c'est le plus distrayant.

L'amusement-concession demande moins d'efforts, mais quand même. Un exemple : aller jouer au jardin avec les enfants. Je le fais pour les filles et ça m'amuse vaguement. N'est-ce pas le comique Jerry Seinfeld qui a dit : « S'amuser en famille ? Ça n'existe pas ! » ? Un dîner de famille en vacances ou encore un cinéma suivi d'un dîner avec des amis demande des concessions. *L'amusement-concession* fortifie l'amitié, crée des souvenirs, est drôle mais demande des efforts, de l'organisation, de la coordination et… des compromis.

L'amusement-relax est facile. Je n'ai pas à aiguiser mes talents ou à agir. Il n'y a presque rien à organiser ou à coordonner. Regarder la télévision – occupation qui vient en troisième position après le travail et le sommeil – est un amusement-relax.

Des études montrent que, à long terme, l'amusement-défi et l'amusement-concession apportent le plus de joie car ils sont à la source de ce qui rend les gens le plus heureux : des liens personnels forts, une certaine maîtrise, une atmosphère de progression. L'amusement-relax est plutôt passif – c'est son but. On peut se demander pourquoi la télévision est un loisir aussi populaire s'il n'apporte qu'un peu de bonheur. C'est que, à l'inverse des deux autres amusements, il ne demande que très peu d'apport personnel.

Les résolutions de ce mois-ci ne sont pas faciles à mettre en œuvre. Alors que je pensais me distraire en m'amusant, en sortant des sentiers battus, en commençant une collection – et c'était assez sympa –, il a fallu que je me force. À mon grand regret, je suis routinière. Au fond, la nouveauté ne m'intéresse pas tant que ça. Et je déteste me priver du plaisir de lire et d'écrire. Suis-je vraiment aussi encroûtée que ça ?

Minute papillon ! Il est évident que la nouveauté me stimule et me fait du bien. De temps en temps. Mais tous mes efforts me prouvent d'une façon inattendue que ma routine me plaît, ainsi que le tempo de mes journées. Je note la satisfaction que j'éprouve à répéter la même chose, de la même façon, à la même heure, chaque jour. Comme Andy Warhol l'a remarqué : « Soit *une fois seulement*, soit *tous les jours*. C'est excitant de faire une chose une seule fois ou quotidiennement. Mais le faire deux fois ou presque tous les jours n'apporte rien. » J'adore passer les portes de la bibliothèque à quelques pas de la maison, mon lieu de prédilection pour écrire. J'adore les trois cafés où j'écris quand je ne travaille pas à la bibliothèque. J'adore ajouter un nouvel ouvrage dans mes étagères pleines de livres sur le bonheur. J'adore mes journées de travail. Pour moi, c'est fun.

À la fin du mois consacré aux jeux, je suis étonnée une fois de plus par ma chance. Il n'y a pas d'obstacle insurmontable sur mon chemin vers le bonheur. Un des buts de mon Opération Bonheur est de me préparer pour les mauvais jours, de développer une autodiscipline et des réflexes pour surmonter les drames de l'existence. Pourtant, en l'affichant noir sur blanc sur mon blog, j'ai peur que les personnes vraiment malheureuses – à la suite d'une maladie grave, d'un licenciement, d'un divorce, d'une toxicomanie, d'une dépression – le prennent mal. Elles pourraient penser : « Que sait-elle du bonheur, cette fille qui n'a aucun souci ? » Je leur pose donc quelques questions :

Avez-vous tendance à songer au bonheur et à agir pour le construire quand tout va bien dans votre vie ou au contraire quand votre situation est catastrophique ?

Si tout est catastrophique, des petits pas vous aideraient-ils à reconstruire un peu de bonheur (déjeuner avec un ami, faire votre lit le matin, aller vous promener) ? Ou ces modestes efforts seraient-ils anéantis par l'ampleur de votre malheur ?

En présentant mes idées dans *Opération Bonheur* (livre et blog), j'espère aider les personnes qui essaient d'être plus heureuses dans leur vie quotidienne mais aussi celles pour qui tout va mal. Pensez-vous que les plans proposés peuvent contribuer à la recherche du bonheur ?

Plusieurs lecteurs me répondent. Ils semblent d'accord sur un point : agir progressivement afin d'être plus heureux – quelles que soient les circonstances – en vaut la peine.

Il est important d'identifier les bons moments quand ils sont là. Victime d'une douleur chronique, je suis heureux les jours où je peux sortir déjeuner avec un ami, respecter un délai ou remarquer le soleil dans le ciel. Être conscient de ces bons moments m'aide à ne pas m'écrouler lorsque la douleur est insoutenable.

On ne comprend pas ce qu'est le bonheur tant qu'une épreuve ne vous y a pas forcé. J'ai divorcé l'année dernière. Mes enfants et moi avons été terrassés de colère et de tristesse. Ma fille a raté une année scolaire et a dû être soignée pour dépression. Mon fils a eu par deux fois de graves problèmes d'alcool. Nous faisons face à la situation chacun à notre manière. Je mets toutes mes forces à combattre ma colère et ma tristesse pour ne pas laisser la douleur m'engourdir... L'important est de profiter du moment et d'apprécier les petites choses. De s'entourer de ce qui vous inspire et rejeter les obsessions qui envahissent votre esprit. C'est une lutte quotidienne et un dur travail sur soi-même, mais je comprends désormais que le bonheur passe par ma propre attitude et ma vision du monde...

Le malheur intensifie tous les comportements. Vous voulez tout contrôler ? Ça va barder pour les autres. Vous mangez trop ? Vous allez devenir un ogre. Au contraire, si vous avez tendance à vous concentrer sur les solutions et à célébrer les moindres succès, vous le ferez aussi dans le malheur. Et vous vous en sortirez vainqueur.

J'ai commencé mon projet bonheur il y a quatre ans. Par obligation plus que par choix. Quand, après trente ans de mariage, mon mari est mort, je me suis rendu compte que si je ne faisais pas un effort conscient pour être heureuse, je n'y arriverais pas. À notre époque, la majorité des gens ont réfléchi au bonheur et savent comment le trouver. Mais face à ma situation actuelle je m'aperçois que j'ignore ce que le mot bonheur peut bien vouloir dire.

Hélas ! il faut parfois qu'un drame remette votre vie en question pour vous apporter la réponse. Cependant, si avant ce drame vous avez déjà une idée de ce qu'est le bonheur, vous serez mieux préparé à faire face. Mon conseil : apprenez DÈS MAINTENANT ce qui vous rend heureux.

Ces dernières années, j'ai connu des moments difficiles. J'étais assoiffée de bonheur. J'ai cherché tout ce qui pourrait me remonter le moral, m'aider à passer le cap. Les blogs m'ont soutenue. Je fais du yoga tous les jours et je médite, ce qui m'apporte une grande paix intérieure. Je m'occupe de mon potager, de ma famille, de mes animaux, de cuisine, et je recherche les livres que j'aime. Je dessine et tiens un journal intime. Quand il y a du soleil, je trouve ça formidable de pouvoir sortir et quand il pleut, je trouve ça formidable de rester à l'intérieur. Tout est dans le comportement. J'ai choisi d'être heureuse, et tant pis pour les drames qui émaillent mon existence.

J'ai été mariée longtemps et pendant toutes ces années la vie a tourné autour de mon époux. Finalement, il m'a laissée tomber quand la vie est devenue trop ennuyeuse, enfin je crois. Pendant des années, j'ai été en dépression. Pourquoi ??? Je n'avais pas de vie à moi, j'ignorais totalement qui j'étais ou ce que je voulais. Pendant mon mariage, il ne m'était pas venu à l'idée de me ménager un petit espace à moi, d'avoir des activités rien qu'à moi. Avant le drame, pas après ! Après, c'était trop tard. J'attendais la mort mais elle n'est pas venue, Dieu n'étant pas prêt pour ma petite personne. Maintenant je comprends que c'est comme faire des économies, il faut épargner quand l'argent rentre régulièrement, avant d'être au chômage. La vie est ainsi faite, il faut agir quand vous savez ce que vous voulez, ce que vous aimez, ce que sont vos besoins, ce qui vous importe le plus, ce qui vous maintient en forme. Afin d'avoir des réserves pour les moments de vaches maigres.

Quand les choses vont bien, quand je suis heureuse, je ne pense pas beaucoup au bonheur. Mais quand je suis malheureuse et déprimée, j'y songe et cherche les moyens d'améliorer ma situation.

En quatre ans, j'ai été deux fois en dépression, des dépressions graves : depuis, je guette les signes avant-coureurs et tente de réagir avant que les choses ne s'aggravent. Être occupée, voir beaucoup de gens m'aide. Parfois, c'est dur car vous vous renfermez sur vous-même, mais en me forçant je finis par m'amuser et me sentir mieux. Une autre stratégie me réussit, quoiqu'elle soit assez pénible : je prends conscience de mon dialogue intérieur et quand les choses deviennent trop négatives, je discute avec moi-même. Lorsque je suis déprimée, je me trouve inutile, méprisable, indigne d'être aimée, etc. Pour éviter de tomber dans cette spirale, je me force à penser tout le contraire ou à faire des choses qui m'empêchent de penser, comme me plonger dans un livre, aller au cinéma... (J'avoue que discuter avec soi-même peut sembler bête, mais ça marche !)

Quand on a subi un traumatisme il est difficile de croire que la joie existe. La joie est un concept important qui peut sembler hors de portée quand on est au fond du trou. Mais le bonheur... est plus accessible. On peut être malheureux et éclater de rire, même si cela ne dure que quelques secondes. La volonté de vivre en est raffermie, ce qui ouvre bien des voies. Croire au bonheur est à la base de la survie. De petits bonheurs m'ont conduite peu à peu à la joie qui finalement m'a libérée d'un syndrome post-traumatique. Me voici aujourd'hui parfaitement heureuse et visant de plus grandes joies. On peut donc réussir ! Votre recherche de bonheur – comme celle de chacun – est le point de départ d'une longue route vers un rétablissement total.

On peut « engranger » le bonheur, c'est-à-dire apprendre à se connaître quand la mer est calme. Lorsque le mauvais temps arrive, il vous reste le souvenir des jours heureux. Vous savez qu'il est possible de retrouver cet état ancien. Il ne s'agit que de surmonter la tempête et de mettre le cap vers le bonheur et l'atteindre. Probablement pas par la même route mais c'est faisable.

En lisant ces commentaires, je suis de plus en plus convaincue qu'il ne faut pas seulement prendre conscience du bonheur quand tout va bien ou quand tout va mal. Comme Samuel Johnson l'a écrit : « L'affaire du sage c'est d'être heureux. » En toutes circonstances.

6

Juin : consacrer du temps à ses amis

L'amitié

> • Ne pas oublier les anniversaires
> • Se montrer généreux
> • Être présent
> • Halte aux cancans
> • Se faire trois nouveaux amis

Mes recherches m'ont appris une chose à laquelle les anciens philosophes et les savants les plus modernes croient dur comme fer : le bonheur dépend pour une grande part des liens avec autrui.

Ed Diener et Martin Seligman, les superstars de la psychologie positive, citent des études montrant qu'« une existence satisfaisante dépend des liens interpersonnels ». Épicure l'avait dit dans un langage plus poétique : « De toutes les choses que dicte la sagesse pour vivre une existence heureuse, la plus importante est l'amitié. »

Il est nécessaire d'entretenir des relations à long terme, nécessaire d'avoir confiance en ses amis, nécessaire d'appartenir à un groupe. Selon les recherches, quiconque a cinq amis ou plus avec lesquels discuter de questions importantes est en droit de se dire « très heureux ». Depuis vingt ans, le nombre des amis dits intimes a chuté aux États-Unis. Pour quelle raison ?

Les gens déménagent-ils plus souvent ? Travaillent-ils plus tard ? Ils ont en tout cas moins de temps pour se faire des amis. (À l'opposé, les liens familiaux se renforcent.) En conséquence, en cas de crise de la quarantaine, ils se plaignent généralement du manque d'amis véritables.

Toutes circonstances confondues, on est plus heureux en compagnie. Que l'on fasse de la gymnastique, que l'on prenne le métro ou le bus, que l'on s'occupe de sa maison, c'est plus amusant de le faire à plusieurs. Cela est vrai pour les extravertis mais, d'une façon plus surprenante, également pour les introvertis. Des documents démontrent que parmi quinze activités quotidiennes, il n'y en a qu'une où l'on préfère la solitude : la prière. À mon avis, ce n'est pas une exception à la règle. Car prier, n'est-ce pas s'adresser à quelqu'un ?

Si cultiver des relations étroites avec les autres améliore l'existence, certaines recherches ont prouvé que ces amitiés prolongent la vie (bien plus que d'arrêter de fumer), renforcent l'immunité biologique et réduisent les risques de dépression. Pour chasser la solitude, on a besoin d'au moins un ami solide à qui se confier (pas juste un copain ou une copine à qui l'on parle de sujets impersonnels comme le sport, le cinéma ou la politique) et d'un réseau de relations proches qui contribue à développer la personnalité et l'amour-propre. Des amis qui aident et que l'on aide.

En juin, je me focalise sur mes amies : renforcer mes amitiés anciennes, approfondir mes relations actuelles, nouer de nouvelles amitiés.

Les spécialistes sont tous d'accord sur l'importance de renforcer les liens avec ses amis – mais comment y parvenir ?

Un premier pas consiste à se souvenir des anniversaires. Je ne possède pas ce don – ou du moins je ne me souviens d'aucun anniversaire (sauf celui d'une amie qui tombe le lendemain du mien). Envoyer des mails à la date spécifique montre que je garde le contact, au moins une fois par an. C'est maigre, mais dans bien des cas, c'est une nette amélioration.

La plupart de mes amies sont sur Facebook, qui affiche les anniversaires. Mais pour celles qui n'y figurent pas, je dois envoyer des tas de mails pour me renseigner. Pendant que j'y suis, je décide de mettre à jour mon carnet d'adresses et d'entrer les dates dans mon ordinateur. Une sage mesure de précaution quand je vois l'état de mon irremplaçable Filofax, plein d'ajouts et de ratures.

Les réponses commencent à me parvenir quand je découvre un site HappyBirthday.com qui rappelle les anniversaires. J'entreprends donc la lourde tâche de les retranscrire sur ce site et de taper les adresses dans un document Word. C'est ennuyeux comme la pluie, mais quand j'arrive au bout, je me sens gonflée à bloc et sacrément contente. Pour l'instant, cette précieuse liste ne me rapproche pas de mes amis, mais elle va m'aider à garder le contact.

Quand j'annonce à l'un d'eux ma décision d'envoyer des mails pour les anniversaires, sa réaction est immédiate :

— Tu devrais *téléphoner* ! C'est tellement mieux !

Au début, également, je me crois obligée d'accompagner mes « Joyeux anniversaire » de longs mails, surtout si j'ai perdu le contact depuis longtemps. Puis je me souviens d'un Secret de l'Expérience (merci, *monsieur de Voltaire*) : « Le mieux est l'ennemi du bien. » En fait, je déteste téléphoner, d'ailleurs, je n'appelle jamais personne. C'est ainsi. Mais envoyer des mails ne me dérange pas, surtout que dorénavant ils sont brefs. L'important est de garder le contact. Si ça devient une corvée, je risque de laisser tomber.

HappyBirthday.com ne me sert que pour les anniversaires, mais un ami me dit qu'il l'utilise pour se souvenir des dates importantes dans la vie de ses enfants :

— Quand je suis en déplacement pour mon boulot, cela me permet de me rappeler quand ils ont commencé à parler, à marcher... Je trouve ça ultra-sympa.

— Quelle bonne idée !

Passant en revue mon carnet d'adresses, je regrette de m'être éloignée de tant d'amis. Il est rempli de noms d'ex-intimes. Par exemple, je me rappelle une amie de lycée. Elle était une classe au-dessus de moi. À mes yeux, c'était une sorte de star qui pouvait tout se permettre alors que j'étais son esclave, sage et soumise.

J'ignore pourquoi nous nous sommes perdues de vue, mais voilà au moins dix ans que je ne lui ai plus parlé. Elle figure sur ma liste, mais sans autre information. L'association des anciens élèves du lycée n'a rien sur elle, ni numéro de téléphone ni adresse e-mail. Typique de sa part ! Comme en plus elle a un nom très répandu, je fais chou blanc en essayant de la retrouver sur le Web. Heureusement, je tombe un jour sur une amie commune de Kansas City qui m'apprend qu'elle vit peut-être à La Nouvelle-Orléans. Un précieux renseignement pour la retrouver enfin. D'autant qu'un détail me revient à l'esprit : elle détestait son second prénom, très original, ce qui m'aide à remonter la piste. Drôle, comme certains détails de l'enfance demeurent en vous. Je l'appelle à son bureau. Elle n'en revient pas mais semble heureuse de m'entendre.

Ce soir-là, nous bavardons pendant deux heures. Sa voix fait revivre des tas d'aventures que je croyais oubliées et réveille une partie endormie de mon cerveau.

Avant de raccrocher, je lui demande la date de son anniversaire. Je sais que je ne laisserai pas s'écouler dix ans sans me manifester.

Impossible, bien sûr, de réactiver notre amitié. Nous habitons trop loin l'une de l'autre et trop de temps a passé. Mais pendant des années, le souvenir de nos anciens liens m'a turlupinée. Aussi, quelle joie de lui parler longuement ! Je note de la convaincre de venir en vacances à Kansas City.

SE MONTRER GÉNÉREUX

La générosité renforce les liens d'amitié. Des études prouvent que donner est plus satisfaisant que recevoir. Personnellement, je retire plus de joie à faire de bonnes actions qu'à en être bénéficiaire. C'est un des Secrets de l'Expérience : en agissant bien, on se sent bien.

Je garde ainsi un bon souvenir de la manière dont j'ai aidé un jour une élève de terminale. Une association de sponsoring d'élèves nous avait réunies, j'étais marraine, elle était mon étudiante. Paralysée par l'angoisse, elle avait du mal à rédiger sa lettre de candidature pour entrer à l'université. Comment l'aider ? En me renseignant autour de moi, j'ai réussi à trouver l'adresse d'un organisme de soutien aux étudiants. À la minute où nous sommes entrées dans ce centre d'aide, nous avons toutes les deux poussé un ouf de soulagement : il y avait là des tas de panneaux d'affichage et d'étagères remplies de guides de préparation aux examens. Et même une conseillère spécialisée en lettres de motivation. Nous étions arrivées à bon port. Grâce à quoi mon étudiante a pu remplir son dossier d'inscription à temps.

Afin de « me montrer généreuse » à bon escient, je réfléchis sur le sens du mot « générosité ». Offrir des cadeaux est une chose, mais apporter une boîte de chocolats à un dîner ne me satisfait pas. Je ne rechigne pas à dépenser de l'argent pour mes amis, mais je déteste faire des courses. Je ne veux donc pas m'obliger à multiplier les emplettes. Comment donc me montrer généreuse ?

Je passe donc en revue différentes méthodes :
— Aider les gens à voir les choses en grand ;
— Rapprocher les gens ;
— Mettre la main à la pâte ;
— Être charitable.

Aider les gens à voir les choses en grand

Être vraiment généreux, c'est aider les gens à *voir les choses en grand*. Des mots d'encouragement, des paroles enthousiastes de la part d'un ami peuvent chasser vos inhibitions : « Fais-le ! », « Ouvre ta boîte », « Pose ta candidature », « Demande un prêt ».

J'en ai fait la merveilleuse expérience. Eliza venait d'entrer en maternelle quand la crèche a organisé une réunion pour tous les enfants qui étaient « passés » ! Pendant que les bambins jouaient avec leurs anciens camarades, Nancy Shulman et Ellen Birnbaum, les directrices de la crèche, bavardaient avec les parents. Sujet du jour ? Le passage au jardin d'enfants. Comme toujours, leurs points de vue ont été extrêmement utiles. En me levant pour partir, j'ai pensé qu'elles devraient écrire un livre. Convaincue que c'était une idée fantastique, je leur en ai parlé sur-le-champ.

Ellen m'a répondu :

— Bien sûr, on y déjà songé. Mais jamais très sérieusement.

Cette nuit-là, j'étais tellement excitée par ce futur ouvrage que j'ai eu du mal à m'endormir. Ne les connaissant pas très bien, je me suis demandé si je devais insister. Pourtant, leur livre pourrait être un best-seller. Afin de m'assurer qu'elles n'allaient pas laisser tomber, je les ai invitées à prendre le café avec moi pour en discuter. Finalement, je les ai mises en rapport avec mon agent littéraire à qui elles ont soumis un projet. Puis tout s'est passé très vite. Contrat en main, elles ont rédigé le livre qui figure maintenant dans toutes les librairies sous le titre : *Practical Wisdom for Parents : Demystifying the Preschool Years*. Savoir que j'ai contribué à ce succès m'a comblée.

En cherchant à rester en alerte pour « aider les gens à voir les choses en grand », je trouve ma Seconde Vérité Éclatante. Pourquoi m'a-t-il fallu tellement de temps pour en comprendre les principes ? En tout cas, en juin, elle m'apparaît, claire comme de l'eau de roche :

> Une des meilleures façons d'être heureux *soi-même* est de rendre *les autres* heureux.
> Une des meilleures façons de rendre *les autres* heureux est d'être heureux *soi-même*.

En fait c'est une vérité première, même si elle peut sembler évidente. Et elle a éclairé beaucoup de choses dans mon esprit.

En réalité, quel est le lien entre altruisme et bonheur ? Certains auteurs raisonnent ainsi : puisque les bonnes actions rendent heureux, aucun acte n'est totalement altruiste car en aidant les autres on se fait plaisir. Ma Seconde Vérité Éclatante (Première partie) fournit la réponse : bien sûr, et alors ? Tant mieux ! Le bonheur que l'on en éprouve ne minimise pas la générosité de l'acte. De plus, voir quelqu'un faire une bonne action me rend heureuse. Être témoin d'un acte vertueux vous transcende – c'est un des plus grands plaisirs qui soient. Comme l'a noté la philosophe Simone Weil : « Le mal imaginaire est romantique et multiple ; le mal réel est lugubre, monotone, stérile, ennuyeux. Le bien imaginaire est ennuyeux. Le bien réel est toujours nouveau, merveilleux, enivrant. » Cela reste vrai, quelle que soit la personne à l'origine du bien réel.

La Seconde Vérité Éclatante souligne le fait que la recherche du bonheur n'est pas une quête égoïste. Après tout, quand j'ai décidé d'être plus heureuse, c'était pour être moins angoissée, moins énervée, moins rancunière ; en regardant autour de moi les gens les plus heureux, ils étaient plus aimables, plus généreux, plus amusants. Heureuse moi-même, mon bonheur rejaillirait sur les autres. « Qui fait le bien se sent bien » s'accompagne de « Qui se sent bien fait le bien ».

Rapprocher les gens

Les clubs de lecture enfantine et mon Groupement stratégique d'écrivains me montrent qu'il existe une autre manière d'être généreux : rapprocher les gens. Il est prouvé qu'extravertis ou introvertis profitent des relations avec autrui ; ils en retirent de précieuses informations et de nouvelles connaissances qui servent à étayer leur existence.

C'est pourquoi j'essaie de mettre les gens en contact. En organisant une réunion de mes anciens collègues de la Cour suprême. En créant une association pour fournir des salles de lecture pour enfants à la Bibliothèque municipale. En organisant un rendez-vous entre un célibataire et une amie très proche (ce fut le coup de foudre). En collaborant à des séances de dégustation de barbecue : où les participants, venus de nombreux États d'Amérique, discutent des mérites respectifs du porc et du bœuf, des sauces à base de tomates et de celles au vinaigre ou de la supériorité du maïs, des haricots rouges ou des épinards comme accompagnement. En insistant pour que des copains qui déménagent près d'Albany rencontrent un couple très sympathique qui habite là depuis longtemps (ils sont devenus les meilleurs amis du monde). À chaque fois, cela me demande un peu d'effort : trouver les adresses, prendre des rendez-vous… Mais mes bonnes résolutions m'encouragent et les résultats m'aident à persévérer.

Comme je désire m'ouvrir à de nouvelles idées, je pose la question sur mon blog. Voici quelques-unes des réponses que je reçois :

Lors de nos réunions dans des églises, nous avons une règle d'or : nourriture, nourriture, nourriture. Des buffets variés sont une façon succulente de mettre les gens en relation. Surtout des plats exotiques qui leur sont souvent inconnus. Ils suscitent les conversations et sont le premier pas vers des échanges de vues… substantiels.

Il est plus facile de réunir des gens qui partagent les mêmes intérêts. Comme je suis doué pour combler les blancs et me souvenir des violons d'Ingres de chacun, j'utilise ces compétences. Ainsi, quand quelqu'un me parle d'un sujet qui le préoccupe, je sais à qui l'adresser. Sans être mondain, je sais qui présenter à qui au bon moment.

Lors de réunions amicales, un simple : « Amène un ami ou une amie » permet d'apporter du sang neuf à des groupes qui tendent à tourner en rond. C'est également le moyen de connaître d'autres groupes, d'âges ou de milieux différents.

Rencontrer de nouvelles têtes m'enchante mais fatigue ma femme. Cependant, elle connaît l'art et la manière d'entretenir de longues amitiés en « se donnant du mal », c'est-à-dire en organisant des rencontres et en écrivant souvent. À chacun sa façon de faire.

Je me sers des dîners pour présenter les gens et pour renforcer mes liens. Nous sommes en général entre quatre et huit, ce qui permet des conversations plus approfondies entre personnes dont les intérêts convergent. Ainsi, nous donnons des dîners pour les amateurs d'animaux, de grands voyages, ou les gens férus de tricot, de Harry Potter, de cinéma noir...

Mettre la main à la pâte

En songeant aux différentes manières d'appliquer ma résolution : « Être généreux », je choisis mon Premier Commandement : « Être soi-même. » C'est-à-dire : d'accord, je n'aime pas le shopping. Alors, comment me montrer généreuse sans acheter des bricoles dans les magasins ?

J'ai alors l'idée de tirer parti de la passion du rangement qui m'est venue en janvier dernier. Me voici donc en mesure d'aider de nombreuses amies que le fatras oppresse. Et *j'aime* ça. Chaque fois que je parle à l'une d'elles, je propose mes services : « Allez, laisse-moi venir ! J'adore mettre de l'ordre dans les placards. Je te le jure, tu ne le regretteras pas ! Tu verras, c'est comme une drogue, on devient accro ! » Un peu gênées – qui a envie montrer son désordre personnel ? –, elles sont d'abord réticentes. Mais ensuite, l'expérience s'avère satisfaisante pour elles et pour moi.

Un soir, par exemple, je passe trois heures à ranger une seule armoire chez une amie. Judy déteste tellement le chaos qui règne à l'intérieur qu'elle ne l'a pas ouverte depuis longtemps. Aussi met-elle toujours les mêmes affaires qu'elle entasse sur son bureau ou qu'elle étale sur le rebord de sa baignoire.

La veille de mon arrivée, Judy me demande :

— Qu'est-ce que je dois faire ? Acheter des cartons spéciaux, des cintres, des trucs de rangement ?

— Surtout, rien de spécial. Juste des grands sacs-poubelle. Et pense à qui tu vas donner tout ce dont tu ne veux plus.

— Je peux décider plus tard, non ?

— Non, sur-le-champ. C'est plus facile de te débarrasser des vieilleries quand tu sais à qui elles iront.

— Bon, pas de problème. Rien d'autre ?

— Si, fais provision de Coca light.

Le lendemain, dès que je franchis sa porte, Judy s'excuse du désordre :

— Je ne sais pas par où commencer.

— Ne te fais pas de souci. On passera ton armoire en revue plusieurs fois. Chaque fois, on éliminera ce que tu ne veux plus voir. À la fin, il ne restera que les affaires auxquelles tu tiens.

— D'accord, dit-elle, peu convaincue.

Je sais par expérience qu'il faut commencer l'élagage en douceur.

— On y va ! D'abord, les cintres superflus.

189

Comme toujours nous sortons une masse de cintres, ce qui libère une place folle. Excellent pour le moral !

— Bien. On va examiner maintenant les choses une par une, en concentrant nos efforts sur les vêtements qui ont encore des étiquettes, qui sont des cadeaux, qui ne te vont plus ou qui te rappellent ta grossesse.

Le premier tour produit une pile de vêtements à donner.

— Maintenant, on passe aux affaires en double. Si tu as quatre jeans, tu ne porteras plus jamais celui qui te va le moins bien. D'accord ?

Adieu, pantalons de toile, chemises, pulls à col roulé.

Mon amie serre un tee-shirt contre son cœur :

— Je sais, tu vas me dire de le jeter, mais à l'université, c'était mon préféré.

— Mais non, garde-le ! Conserve tout ce qui a une valeur sentimentale... mais range-le ailleurs. Évite que ces affaires encombrent l'armoire de ta chambre. Tiens, mets-les dans un carton à part.

Nous le plaçons sur l'étagère du haut, que mon amie n'utilise que très rarement.

— Ça prend forme ! fait-elle, ravie.

— On est loin d'avoir fini. Il faut encore trouver le moyen de gagner de la place. Chaque centimètre carré de cette armoire vaut de l'or. Ni ta couverture chauffante ni ton sac marin n'ont leur place ici. Ils seraient beaucoup mieux dans le placard de l'entrée. Et ces cartons à chaussures vides, tu t'en sers ?

— Non ! Je ne sais pas pourquoi je les garde !

Ils disparaissent dans une des poubelles.

— Et maintenant ?

— Je vois que tu es d'attaque pour continuer. On va faire une nouvelle inspection et on trouvera encore plein de choses à éliminer.

Petit à petit, le fond de l'armoire apparaît. Quand nous en avons terminé, on dirait une publicité pour un magazine de déco. Judy s'offre même le luxe d'une étagère vide ! Je quitte une amie aux anges. Quelques semaines plus tard, j'apprends qu'elle a montré son armoire à certaines de ses invitées !

Je n'exagère pas quand je dis que ranger cette armoire m'a procuré une grande joie. Cette marque de générosité m'est plus naturelle que l'achat d'un vague cadeau d'anniversaire, et elle ravit les bénéficiaires.

Je recherche d'autres occasions de me montrer généreuse. Depuis le mois dernier, dans le cadre de ma résolution « Sortir des sentiers battus », mon appareil photo ne me quitte plus. Une de mes amies est enchantée du cliché que je prends d'elle quelques semaines avant son accouchement. C'est la seule photo d'elle enceinte de son second enfant. Cela ne m'a pas donné beaucoup de mal et pour elle, quelle joie !

Être charitable

Pendant ce mois dédié à l'amitié, je lis deux études qui me rappellent une chose facile à oublier : la vie des gens est bien plus complexe qu'il n'y paraît. Aussi, dans le cadre de ma résolution « Se montrer généreux », je décide d'« *être charitable* ».

L'erreur fondamentale d'attribution est un phénomène psychologique qui nous fait prendre les actes d'autrui pour le reflet de leur caractère en oubliant l'importance du contexte, alors que lorsqu'il s'agit de nous, nous prenons en compte la pression des circonstances. Par exemple : au cinéma, si le portable de votre voisin sonne, c'est qu'il est mal élevé. Si c'est le vôtre, c'est que vous attendez un coup de fil de votre baby-sitter.

Je m'efforce de ne pas juger les gens durement, surtout lors d'une première rencontre. Leurs façons de se comporter ne révèlent sans doute pas leur caractère mais la situation dans laquelle ils se trouvent. La patience est une forme de générosité.

J'ai l'occasion de mettre en pratique cette résolution un jour où, comme je hèle un taxi dans la rue, un inconnu fonce au bord du trottoir, tend le bras et saute dans le taxi qui, selon le code de bonne conduite, m'était destiné ! Je vois rouge devant tant de grossièreté. Puis je songe à toutes les bonnes raisons que cet individu a d'agir ainsi. Doit-il se rendre d'urgence à l'hôpital ? A-t-il oublié d'aller chercher son fils à la sortie de l'école ? Moi, j'ai tout mon temps… pour me montrer charitable.

Dans une lettre à un ami, Flannery O'Connor l'exprime autrement : « Je me souviens qu'entre quinze et dix-huit ans, on est très à cheval sur les travers d'autrui. À ces âges, on ne cherche pas ce qui est caché. C'est un signe de maturité que de cesser d'être scandalisé et d'essayer de trouver des raisons charitables. » CQFD.

ÊTRE PRÉSENT

Woody Allen a dit que « 80 % du succès, c'est de se montrer ». On peut en dire autant de l'amitié. Sans effort continu, les amitiés se délitent.

Je m'en aperçois en bavardant avec une amie. Je lui avoue remettre toujours au lendemain une visite à une copine qui a eu des jumeaux. J'adorerais voir ses bébés mais cela m'éloignerait de ma table de travail.

— Force-toi, me conseille-t-elle. Ça compte pour elle.

— Tu crois vraiment ?

Jusque-là, je voulais me convaincre du contraire.

— Bien sûr. Je ne leur en tiens pas rigueur, mais je me souviens des amies qui ne sont pas venues après mon accouchement. Pas toi ?

Eh oui ! Ces gestes renforcent les liens entre vraies amies et transforment de vagues amies en amies de cœur. Je prends immédiatement rendez-vous pour aller admirer les nouveau-nés... qui ont eu le temps de grandir ! Je m'oblige également à être présente à l'inauguration de la nouvelle boutique de mode d'une autre amie. J'arrive une heure après l'ouverture et suis sa première cliente. Dans ces deux cas, je suis ravie de faire cet effort. C'est distrayant, ça me rapproche de mes copines et je suis bien dans la ligne de la Première Vérité Éclatante.

Je me fais un devoir de voir des amies proches mais aussi des gens que je connais moins bien – en allant aux fêtes données par le bureau de mon mari ou par les parents d'élèves de l'école de mes filles. Et plus on se voit, plus on s'apprécie. Cela s'appelle « l'effet de répétition ». C'est vrai pour les personnes mais aussi pour la musique, l'art contemporain, etc. Je remarque que plus on fréquente quelqu'un, plus on le trouve intelligent et sympathique. Même quand, de prime abord, une personne ne m'emballe pas, j'ai tendance à réviser mon jugement les fois suivantes. Ce qui est vrai pour moi, l'est également pour les autres. Plus je me montre et mieux je suis acceptée. Bien sûr, ce n'est pas toujours le cas. Il y a des gens franchement insupportables et les revoir plusieurs fois n'arrange rien. Au contraire, ils vous sortent très vite par les yeux !

HALTE AUX CANCANS

Souvent, le bonheur à long terme exige qu'on sacrifie des plaisirs immédiats. Un bon exemple ? Cancaner.

Quand on potine, c'est généralement pour critiquer des personnes qui ont enfreint soit les codes moraux, soit les règles de savoir-vivre. Malgré sa mauvaise réputation, le commérage a un rôle social important car il renforce les liens des membres du groupe. En se livrant aux papotages, ces personnes se sentent plus proches les unes des autres et s'estiment supérieures car, se conformant aux mêmes principes, elles clouent au pilori les époux infidèles, critiquent les gens qui n'invitent jamais chez eux et râlent contre ceux qui se poussent du col pour un rien. À noter : on préfère médire avec des femmes car ce sont de meilleures auditrices.

Malgré toutes ces qualités et le *plaisir* que cela procure, cancaner n'est pas joli, joli ! Après coup, j'ai toujours quelques remords de m'être laissée aller. Je veux arrêter de raconter des histoires malveillantes, de faire des remarques désagréables (même si elles sont justifiées), de fourrer mon nez partout. Parfois des questions dictées par un sentiment charitable peuvent être source de commérages. Le seul fait de dire : « Je me fais du souci pour elle, elle a l'air déprimée, tu crois qu'elle a des problèmes à son bureau ? » est une forme de médisance. Autre résolution plus difficile à tenir : je ne veux plus *prêter l'oreille* aux cancans.

Au cours d'une réunion, quelqu'un dit au sujet d'un couple d'amis :

— Il paraît que leur mariage bat de l'aile.

— Ah bon ! Je ne suis pas au courant, déclare une autre personne.

Sous entendu : *je meurs d'envie d'en savoir plus.*

Et là j'interviens :

— À mon avis, c'est faux !

Une manière de dire : *mettons fin à cette conversation*. Mais Dieu sait s'il m'en coûte ! Les hauts et les bas des autres couples *m'intéressent* au plus haut point !

Arrêtant de cancaner, je m'aperçois combien je m'adonnais à ce vice, dévoilant des choses que j'aurais dû taire. Pourtant, je n'ai pas l'impression d'être méchante. Lors d'un dîner où je vais avec Jamie, je suis placée à côté d'un homme absolument insupportable. (Dans son cas même l'« effet de répétition » ne marcherait pas !) Pourtant, pendant tout le repas, je me montre sous mon meilleur jour. En rentrant, Jamie me dit :

— Ce Jim est plutôt sympathique, non ?

— On voit que tu étais assis loin de lui. Je l'ai trouvé tellement antipathique que j'ai eu du mal à lui adresser la parole.

Immédiatement, je m'en veux de sortir un commentaire aussi vache sur un type qui n'avait pas l'air si désagréable (bien qu'insupportable). De plus, si Jamie trouve quelqu'un sympathique, ce n'est pas à moi de le faire changer d'avis par mes remarques désobligeantes. À mon avis, même si les époux sont libres de cancaner entre eux – un privilège conjugal, n'est-ce pas ? –, il vaut encore *mieux* s'abstenir.

Il existe une autre raison de tourner sept fois sa langue dans sa bouche avant de parler : le contre-transfert spontané. En terme de psychologie, c'est un transfert non conscient où mon interlocuteur m'attribue les caractéristiques de la tierce personne dont je lui parle. Ainsi, si je dis à Jeanne que Pat est arrogante, Jeanne m'attribue ce défaut. À l'inverse, si je dis que Pat est brillante ou amusante, j'hérite de ces qualités. Ce que je dis sur les autres, me colle à la peau – même quand je parle à quelqu'un qui me connaît bien. J'ai donc intérêt à ne dire que du bien des autres !

SE FAIRE TROIS NOUVEAUX AMIS

Il est trop facile de décréter : « Je n'ai pas le temps de rencontrer des gens ou de me faire de nouveaux amis. » Et en général, c'est faux. On peut trouver le temps et ça en vaut la peine. Un nouvel ami vous stimule sans vous énerver. Il vous fait pénétrer dans un univers inédit, élargit votre sphère de compétences, vous ouvre des horizons professionnels insoupçonnés, vous soutient en cas de problème. Et vous pouvez faire la même chose pour lui.

Dans le but de me faire de nouveaux amis, j'adopte une stratégie qui peut me faire passer pour calculatrice, mais qui est efficace. Quand je rencontre de nouvelles têtes, je me fixe un but : me faire trois nouveaux amis. L'école d'Eliza est par exemple un terrain fertile. Tout comme commencer un boulot, changer de domicile ou assister à des cours. Cet objectif en tête, je supprime les questions du genre : « Est-ce que cette personne me plaît ? Ai-je le temps de faire plus ample connaissance ? » pour me demander : « Est-ce qu'elle fera partie de mes trois amis ? » Plus ouverte, plus disponible, je me conduis différemment. Par exemple, je ne me contente plus d'un simple « bonjour ». Bien sûr, « être ami » change de sens selon les âges. À l'université, je passais chaque jour des heures avec mes copines. Aujourd'hui, avec Jamie, on se voit dix fois moins. Je suis proche de plusieurs personnes dont je ne connais pas le mari ou la femme. Sans que ça pose un problème.

Pour remplir mon quota, je m'efforce d'être plus aimable. J'applique à la lettre mon Troisième Commandement « Faire comme si ». D'ailleurs, en faisant semblant d'être plus amicale, je me sens dans le bain. Il est prouvé que les personnes qui s'ouvrent aux autres bavardent facilement, s'intéressent à leurs interlocuteurs, leur apportent une bonne dose de bonheur. Même aux plus introvertis ! Un résultat d'étude qui m'a surprise. En effet, j'étais persuadée que les gens réservés n'étaient heureux que si on les laissait tranquilles. Rien de mieux pour l'humeur que de se connecter aux autres.

C'est la première impression qui compte ! Quand j'essaie de me faire de nouveaux amis, je m'efforce de me souvenir de ce précepte afin d'attirer à moi des inconnus. La première impression est primordiale car elle est à la base de l'opinion que les gens se forgent de vous, laquelle pèse très fort par la suite. En dix minutes, on choisit quel genre de relation on désire. Je dresse une liste de ce que je dois faire lors d'une première rencontre.

Souris plus souvent

On a tendance à aimer les personnes qui semblent vous aimer. Pendant une conversation, plus je souris, plus on me trouve sympa. (Les personnes qui sont incapables de sourire en raison d'une paralysie faciale ont du mal à se faire des amis.)

Invite les gens à participer à la conversation

C'est poli et apprécié de tous. Une personne exclue est soulagée d'être admise dans votre cercle et celles qui en font déjà partie sont heureuses de ce geste charitable.

Réchauffe l'atmosphère

Ne rabâche pas que la file d'attente est trop longue ou que tu as vécu un sale quart d'heure dans le métro. Comme Samuel Johnson l'a écrit : « Entendre les gens se plaindre est aussi fatigant pour les gueux que pour les gens heureux.» Très juste ! Comme Jamie et moi l'avons constaté l'autre soir. Nous nous tenions dans l'entrée d'un grand salon où se déroulait un important cocktail. Un type que nous connaissions à peine s'est approché de nous en nous invitant à entrer.

Je lui ai répondu du tac au tac : « La pièce est glacée et la musique me casse les oreilles.» Vous savez quoi ? C'était l'un des organisateurs de la soirée !

Engage la conversation

En parlant d'un sujet d'actualité : l'objet de la manifestation, le décor de la pièce ou encore, un vieux marronnier des journalistes, le temps ! Avant de sortir, un de mes amis va sur Google pour connaître les dernières nouvelles et s'en servir comme amorce : « Vous avez entendu... ? »

Sois joviale et facile d'accès

Hoche la tête en faisant mine de t'intéresser, écoute chaque mot, regarde les gens dans les yeux, parle d'un ton enthousiaste, imite le débit des autres. Ne regarde pas autour de toi, ne croise pas les jambes, fais face à la personne avec qui tu converses.

Ris de toi-même et ne te prends pas trop au sérieux
Sois disposée à rire de tout

Les gens préfèrent faire rire que rire eux-mêmes. Enseigner qu'apprendre. Il est important d'être prêt à s'amuser et à se montrer intéressé. Après tout, un des plaisirs suprêmes est de faire plaisir à autrui.

Ne détourne pas la conversation à ton profit

Je suis souvent prise de l'envie perverse d'empêcher quelqu'un de mener la conversation à son gré. Ainsi, un jour avec un type qui voulait absolument parler du Vietnam où il avait vécu. Il ne cessait d'y faire référence. Et moi, j'aurais dû l'encourager au lieu de lui imposer un autre sujet.

Pose des questions

Une façon de montrer que l'on s'intéresse à ce que les gens racontent, surtout s'ils parlent d'eux – ce qu'ils adorent.

Mes recherches m'ont conduite à observer un phénomène intéressant : on devient plus facilement ami de quelqu'un qui est l'ami d'un de vos amis. Cela s'appelle une relation « triangulaire ». C'est pourquoi je suis tellement à l'aise dans les clubs littéraires dont je suis membre : le club de littérature enfantine et mon groupe d'écrivains. Non seulement les amies de mes amies deviennent mes amies, mais cette amitié me permet d'élargir mes réseaux.

La fin juin marque le point de non-retour de mon Opération Bonheur. Je suis arrivée à mi-chemin et je prends un peu plus de temps que d'habitude pour évaluer mes progrès. Il est essentiel que je pose des jalons pour m'aider à estimer mes progrès et réfléchir. Dans ma vie, tout comme dans celle des personnes qui communiquent sur mon blog, un événement-clé amène des changements positifs. Un événement qui peut être un anniversaire majeur, un mariage, le décès d'un parent, la naissance d'un enfant, la perte d'un boulot, une réunion importante, une promotion inespérée...

Première conclusion de mon évaluation : oui, je me sens plus heureuse. Sans que je puisse mettre le doigt sur une résolution particulière de mes Listes mensuelles de Bonnes Résolutions (au début de chaque mois), c'est mon Tableau des Bonnes Résolutions dans sa totalité qui a été le facteur principal de cette évolution vers le bonheur. Gardant toujours ces résolutions à l'esprit, je n'ai cessé de les appliquer. Devant le fatras de mon bureau, je pensais : « S'attaquer aux corvées. » Si j'avais envie de laisser mon appareil photo à la maison, je pensais : « Être la mémoire vivante des moments heureux. »

Dresser une Liste de Bonnes Résolutions plaît à beaucoup de gens. Je le découvre en ajoutant cette note sur mon blog quotidien :

Vous désirez commencer votre propre Opération Bonheur. Si vous avez envie de consulter ma Liste personnelle de Bonnes Résolutions, envoyez-moi un e-mail.

Au cours des mois suivants, des centaines de lecteurs me la demandent :

Je suis en première année d'université et votre liste m'aidera à être plus heureux et à mieux étudier.

Non seulement mon mari et moi voulons commencer une liste similaire, mais nous désirons faire du mois à venir le mois du Mariage.

Seriez-vous assez aimable pour m'envoyer votre liste ? Je suis officier de probation à Londres, et j'aimerais la punaiser sur mon mur, la coller au plafond au-dessus de ma tête et songer qu'il existe une AUTRE FAÇON DE FAIRE !

200

En me demandant ma Liste, plusieurs personnes m'ont écrit qu'elles commençaient leur propre Opération Bonheur et certaines m'ont envoyé leurs Douze Commandements. De quoi me fasciner car ils montrent la diversité et la richesse de la nature humaine :

- Oublier le passé.
- Agir.
- Parler aux inconnus.
- Garder le contact.
- Arrêter de râler.
- Sortir de chez soi.
- Rendre les gens heureux.
- Laisser tomber les gens qu'on déteste.
- Ne pas s'attendre à ce que ça dure toujours. Tout a une fin et c'est bien ainsi.
- Arrêter d'acheter n'importe quoi.
- Faire des erreurs.
- Remercier pour les grandes et les petites choses.
- Créer quelque chose d'original.
- Ne pas négliger le violet.
- Laisser des empreintes pour montrer son passage.
- Savoir faire l'idiot. Savoir être léger.
- Être un exemple pour mes filles quand elles seront adultes.
- Impossible d'échapper aux emmerdements.
- L'amitié est plus importante que la baise.
- Ne pas prendre les choses trop au sérieux.
- La tendresse attire l'amour.
- S'imprégner.
- Tout passe.
- Se souvenir que chacun fait de son mieux.
- Se contrôler.
- Qu'écrire sur sa pierre tombale ?
- S'attendre au miracle.
- Je me suffis à moi-même.

- Relax, Max !
- Allumer une bougie ou fermer sa gueule.
- Identifier mes fantômes.
- De quoi ai-je vraiment envie ?
- On trouve de l'aide partout.
- Que ferais-je si je n'avais pas peur ?
- Quand on ne peut pas s'en sortir, plonger !
- Ne rien compliquer.
- Donner sans compter, donner sans rien attendre en retour.
- Être prêt à réagir.
- Identifier les dangers de toutes sortes : les acides gras saturés, les conducteurs ivres, la publicité mensongère...
- Commencer là où vous vous êtes arrêté.
- On ne donne que ce qu'on a.
- Exprimer clairement ses besoins.
- Laissez faire Dieu.
- Si vous n'êtes pas ici, vous n'êtes nulle part.
- Tirez parti de vos atouts.
- Être moins cupide, être plus généreux.
- Un c'est trop, cent ce n'est pas assez.
- Il n'y a pas de limites.
- Communiquer.
- Soyez un havre de paix.

Amusant de voir que les commandements des uns sont les interdits des autres ! J'imagine la réaction de gens face à ces conseils contradictoires :

- Contentez-vous de dire oui.
- Contentez-vous de dire non.
- Agissez tout de suite.
- Attendez.
- Une chose à la fois.
- Faites tout en même temps.

- Essayez de faire pour le mieux.
- Se rappeler la loi 80/20, dite aussi de Pareto, selon laquelle 80 % des effets sont le produit de 20 % des causes.

Quant à moi, six mois après le début de mon Opération Bonheur, ma nature n'a pas changé, mais je me sens chaque jour plus gaie et moins coupable. Je m'amuse plus et éprouve moins d'angoisses. Mon existence est plus agréable, avec des armoires et une conscience en ordre.

L'avancement de mon travail m'apporte une surprise : l'importance de ma forme physique. Dormir suffisamment, faire ma gym tous les jours, me nourrir régulièrement, ne pas attraper froid se révèlent d'une grande importance. Je veille à ne pas me fatiguer outre mesure et à prendre soin de moi. En revanche, je ne suis pas étonnée par les conséquences heureuses de mes efforts vis-à-vis des autres. Renforcer mes liens avec Jamie, Eliza, Eleanor, ma famille, mes amis m'enchante. De plus, étant plus heureuse, je suis plus facilement tolérante, gaie, aimable, généreuse. Je cultive plus facilement certaines qualités qui me faisaient défaut. Mes bonnes résolutions étant plus aisées à tenir, je ris au lieu de me mettre en colère et j'ai toujours une réserve d'énergie pour entreprendre des activités qui m'amusent.

Les pierres d'achoppement remarquées depuis le début sont toujours là. Des schémas émergent de mon Tableau des Bonnes Résolutions. Les bons et les mauvais points montrent que j'ai toujours du mal à maîtriser mes nerfs, à sortir des sentiers battus, à être plus généreuse, entre autres. Dans ces domaines, déçue par mes échecs, je me rends malheureuse. Mes défauts me sautent aux yeux. « Le bonheur n'apporte pas toujours la gaieté » est un des Secrets de l'Expérience et la prise de conscience de mes fautes ne m'apporte aucune joie à court terme, mais j'espère en l'avenir. Benjamin Franklin, mon modèle, me réconforte quand il écrit : « Généralement, bien que je ne sois pas arrivé à la perfection que j'avais eu l'ambition d'atteindre, et de loin, j'ai été un homme meilleur et plus heureux que si je n'avais rien tenté. »

Je soupçonne même que j'aurais pu me distraire plus souvent si je n'avais pas tant sacrifié à mon Opération Bonheur. Si mes bonnes résolutions m'ont apporté joie et rires, je me suis moins adonnée à mes hobbies. Ranger la maison avant de me coucher, me souvenir des anniversaires de mes amis, me rendre aux invitations, faire mes recherches m'ont empêchée de relire *David Copperfield* dans mon lit. Reste à prendre la résolution de m'octroyer le temps de lire !

7

Juillet : acheter son bonheur

L'argent

> • Le temps d'une petite folie
> • Acheter à bon escient
> • Consommer
> • Renoncer à quelque chose

Argent et bonheur : deux notions passionnantes, compliquées, parfois taboues, que les gens, spécialistes inclus, ont du mal à faire coexister.

Pendant mes recherches sur le sujet, une phrase de Gertrude Stein me traverse souvent l'esprit : « On doit décider si l'argent c'est de l'argent ou si l'argent n'est pas de l'argent et finalement on se persuade que l'argent c'est de l'argent. »

L'argent sert à satisfaire les besoins vitaux. Il est à la fois la fin et les moyens. Il permet de savoir où l'on en est, de se sentir en sécurité, de se montrer généreux, de se faire connaître. Il fait de vous un expert ou un dilettante. Il symbolise le statut social et le succès. Il fait gagner du temps – à vous de le perdre ou de l'utiliser au mieux. Il engendre la puissance. Il remplace ce qui vous manque : si seulement j'avais de l'argent, je serais plus ambitieux, plus mince, plus cultivé, plus respecté, plus généreux.

Avant de sélectionner mes bonnes résolutions du mois, je dois clarifier ma position vis-à-vis de l'argent. Ce que j'ai lu sur le sujet me laisse sceptique. En particulier, le vieil adage si rebattu : « L'argent ne fait pas le bonheur. » Car la plupart des gens sont convaincus que l'argent contribue à leur bonheur. L'argent ne manque pas d'atouts même s'il n'est pas toujours convaincant. Il est généralement admis que les populations des pays riches sont plus heureuses que celles des pays pauvres et, à l'intérieur d'un pays, les riches ont tendance à être plus heureux que ceux qui manquent de moyens. De plus, à mesure qu'un pays s'enrichit, ses habitants sont moins obsédés par l'acquisition du minimum vital et se concentrent davantage sur des notions comme le bonheur ou l'épanouissement personnel. La prospérité nous permet de nous tourner vers des concepts plus élevés au lieu d'être uniquement concentrés sur le confort matériel.

Aux États-Unis, d'après une étude du Pew Research Center de 2006, 49 % des personnes dont le revenu familial dépassait 100 000 dollars par an s'estimaient « très heureuses ». Pour les foyers ayant moins de 30 000 dollars annuels à leur disposition, on tombait à 24 %.

Si le *niveau absolu* de la richesse est primordial, la *position relative* importe également. Pour se déterminer les personnes interrogées se comparent à leurs voisins ou notent leurs expériences passées. Elles se situent par rapport aux gens de leur âge et si elles gagnent plus qu'eux, elles sont contentes. De même, les gens qui habitent dans des quartiers où vivent de plus riches qu'eux sont en général malheureux, alors qu'ils sont satisfaits d'avoir pour voisins des familles qui gagnent autant qu'eux. Des études menées parmi les ouvriers montrent que leur satisfaction au travail dépend moins de leur salaire que du niveau de leur rémunération par rapport à leurs collègues. Un exemple très clair : une majorité de cadres ont préféré gagner 50 000 dollars quand d'autres en gagnaient 25 000 plutôt que d'encaisser 100 000 dollars alors que d'autres en engrangeaient 250 000. Ma mère avait l'impression d'appartenir à une famille aisée, dans ma ville natale de North Platte dans le Nebraska car son père avait un job très envié d'ingénieur à l'Union Pacific Railway. En revanche, un ami se disait pauvre parce qu'il vivait sur la Cinquième Avenue à New York, mais au-delà de la 96e Rue, le secteur le moins chic de cette avenue ultrachic.

Les tenants de « l'argent ne fait pas le bonheur » citent des études montrant que les Américains n'estiment pas que leur qualité de vie soit nettement supérieure à celle des pauvres de Calcutta – alors que leur niveau de confort n'a aucune commune mesure ! Dans le monde, les gens ont tendance à trouver qu'ils sont moyennement heureux.

Je trouve admirable que les gens s'estiment heureux quelles que soient leur richesse ou leur misère. C'est la preuve du courage humain. Mais je me refuse à croire qu'on soit indifférent aux écarts entre l'indigence des rues de Calcutta et les belles demeures d'Atlanta. Le fait est que des denrées jadis précieuses sont devenues monnaie courante, et que, de la même manière, les gens sont trop habitués à l'électricité, à la climatisation, au téléphone portable et à l'Internet pour en être encore éblouis. Ce qui ne veut pas dire qu'ils n'apprécient pas de disposer d'eau potable en ouvrant un robinet. Sinon, qui s'occuperait d'améliorer les conditions de vie des gens de Calcutta ?

En planchant sur les mystères de l'argent, j'ai épluché tellement de livres, documents, études qu'ils mériteraient un ouvrage entier. Vaste sujet auquel un jour je consacrerai peut-être un volume. Mais aujourd'hui ce n'est pas le sujet qui m'occupe. Je veux seulement comprendre comment le bonheur et l'argent se marient.

Alors, l'argent fait-il le bonheur ? Certainement pas. En tout cas, pas tout seul.

Mais peut-il *contribuer* au bonheur ? Oui, si on l'utilise *avec modération*. Riche ou pauvre, on choisit comment dépenser son argent et ce choix influe sur le bonheur. Il serait faux de penser que l'argent affecte tous les êtres de la même manière. C'est à l'évidence, une question de circonstances et d'environnement. Après mûre réflexion, j'identifie trois facteurs principaux qui influent sur notre comportement :

La personnalité

L'argent n'a pas la même valeur pour tout le monde. Certains aiment collectionner de la peinture moderne et d'autres louer de vieux films. Certains ont six enfants et des vieux parents malades et d'autres pas d'enfants et des parents dans une forme éblouissante. Certains adorent voyager et d'autres préfèrent rester chez eux. Certains mangent bio et d'autres achètent des produits discount.

La façon de dépenser son argent

Certains achats sont plus satisfaisants que d'autres. De la coke ou un chien ? Un grand écran dernier cri ou un nouveau VTT ?

La « fortune » se détermine par rapport à celle de ses voisins et de ses antécédents.

Tout est relatif. Il y a toujours plus riche ou plus pauvre que soi.

Je cogite sur ces trois facteurs, quand je passe douloureusement de l'abstrait au concret. Un après-midi, je fais un faux mouvement en sortant Eleanor de son berceau et, le lendemain, je me réveille avec un mal de dos pas possible. Pendant un mois, j'ai du mal à rester assise trop longtemps, à taper sur mon clavier, à dormir. Bien sûr, je dois continuer à lever ma fille, et donc mon douleur s'accroît chaque jour.

— Tu devrais consulter mon kiné, suggère mon beau-père qui a des problèmes de dos depuis des années. Il pourra sans doute te soulager.

— Je suis sûre que ça s'arrangera tout seul.

Une nuit où je souffre le martyre, je me demande pourquoi je ne suis pas son conseil, pourquoi je résiste.

Aussi, le lendemain, je téléphone à son kiné pour prendre rendez-vous et deux séances plus tard, je n'ai plus mal du tout. Un vrai miracle ! La douleur oubliée, ma forme revenue, j'ai bientôt une révélation : l'*argent* ne fait pas le bonheur tout comme la *bonne santé* ne fait pas le bonheur !

Quand on a mal, quand on a des problèmes d'argent, plus rien ne compte. Et quand tout va bien, on n'y pense plus. L'argent et la santé contribuent donc au bonheur d'une manière négative : c'est leur absence qui rend malheureux.

Être en bonne santé ne vous garantit pas d'être heureux. Bien des gens en grande forme sont malheureux. Bien d'autres la gaspillent ou ne s'en préoccupent pas. On peut même dire que quelques limitations physiques éviteraient à certains bien des excès. (Une année, en vacances, un membre de notre groupe d'amis prenait de tels risques que j'ai été soulagée qu'il se casse une jambe pendant une escalade. Cela lui a évité de rester paralysé ou pire encore). De même pour l'argent. Dépensé avec raison, il peut contribuer grandement au bonheur.

La Première Vérité Éclatante affirme que penser au bonheur c'est *penser à ce que signifie se sentir bien, se sentir mal, se sentir en phase avec soi-même, tout en se perfectionnant.* L'argent est particulièrement important dans la catégorie « se sentir mal ». Nos soucis majeurs ont trait aux problèmes financiers et de santé, aux jobs précaires et aux corvées fastidieuses. Dans ces cas-là, utilisé à bon escient, l'argent peut être un excellent remède. J'ai la chance de n'avoir jamais été dans la position de me « sentir mal ». Nous avons suffisamment d'argent pour faire tout ce que nous voulons – et même pour nous sentir à l'abri du besoin, ce qui est si difficile et si rare. Cependant, je décide de mieux dépenser mon argent pour être plus heureuse en mettant en pratique trois éléments du bonheur.

LE TEMPS D'UNE PETITE FOLIE

Je n'ai jamais suffisamment réfléchi à la façon dont l'argent permet de s'offrir un supplément de bonheur.

Comme je pensais vaguement que dépenser était une forme d'égoïsme, je me restreignais le plus possible. Ainsi, à ma grande satisfaction, j'ai vécu avec cinq dollars par jour pendant six mois à San Francisco (sauf lorsque je devais aller à la laverie automatique). Aujourd'hui, au contraire, je veux découvrir comment dépenser pour être plus heureuse. Des études prouvent que psychologiquement on a besoin de se sentir en sécurité, d'aimer son travail, d'être aimé, d'avoir de bonnes relations avec autrui, de savoir qu'on peut se contrôler. L'argent ne remplit pas ces rôles *automatiquement* mais il peut y contribuer. Peu importe les sommes dont on dispose : l'essentiel est de cibler ses dépenses afin d'être plus heureux – ou alors ne pas en tenir compte.

Pour moi, l'argent doit me servir à rester en contact avec ma famille et mes amis ; à me maintenir en forme et à me soigner ; à créer une atmosphère de paix et de tranquillité à la maison ; à travailler plus efficacement ; à éliminer les sources de conflits conjugaux ; à me distraire ; à financer les œuvres qui me semblent en valoir la peine ; à m'enrichir l'esprit. Le tout raisonnablement !

La forme. Depuis janvier, je sais dépenser mon argent pour faire de l'exercice. Mes séances de gym sont chères, mais quel excellent investissement à long terme – je n'ai plus qu'à y être assidue... Quand je déjeune dehors, je me nourris mieux : fini les sandwichs bon marché sur le pouce. Je me donne un bon point quand je m'assieds pour m'offrir une grande salade ou une soupe et un fruit. Tant pis pour le prix !

Les relations avec les autres. Je vais donner une fête à l'occasion du mariage de ma sœur. Ce sera une grosse dépense mais aussi une merveilleuse source de bonheur. Mes liens avec ma sœur – et maintenant avec son fiancé – sont d'une extrême importance, mais le fait qu'elle habite Los Angeles ne me simplifie pas la vie. Cette fête sera ma contribution au week-end de mariage.

Le travail. Désormais, j'achète des stylos de bonne qualité. Jusqu'à maintenant, je me contentais de stylos à bille poussifs que je trouvais au fond de mon sac ou d'un tiroir. Puis, un jour, entrée dans une papeterie pour me procurer des enveloppes, j'aperçois une boîte de mes stylos favoris.

Devant le prix exorbitant – trois dollars pièce – je me rebiffe. Puis, après une belle tempête sous mon crâne, j'en achète quatre.

Quelle joie d'écrire avec une bonne plume au lieu de ces gadgets publicitaires distribués un peu partout. Mes nouveaux stylos ne sont pas bon marché, mais quand je pense au temps que je passe à écrire et au plaisir qu'ils me donnent, c'est de l'argent bien placé.

Autrui. J'adresse un chèque à l'Association des Enfants de la Bibliothèque municipale de New York. J'ai déjà consacré beaucoup de temps et d'efforts pour former cette association qui a créé des salles spéciales pour les enfants. Mais ça ne suffit pas. L'argent est important, lui aussi.

De bons souvenirs. J'ai acheté des dossiers en avril, une modeste folie des plus utile. Je n'oublie pas non plus une remarque d'une amie de longue date : « Je regrette de ne pas posséder de photos de mes enfants prises par un vrai professionnel quand ils étaient jeunes. » Or, il se trouve que je connais un photographe exceptionnel. Je lui amène mes filles et le résultat est fantastique. J'aurais été incapable de faire aussi bien. Les clichés me plaisent tellement que j'en envoie à mes parents et à mes beaux-parents. Se souvenir de moments heureux est une grande joie : les photos sont indispensables pour se rappeler tous les détails. L'argent dépensé pour ces portraits renforcera les liens familiaux, ravivera les souvenirs heureux, fixera à jamais les éclats de rire des enfants. Un investissement d'un excellent rapport.

J'encourage une amie à « s'offrir un peu de bonheur » quand je vais la voir après son accouchement (appliquant ainsi ma résolution de juin « Être présent »).

— Une chose me chagrine, me dit-elle. Enfant, j'étais proche de mes grands-parents, mais mes beaux-parents, qui habitent tout près, ne s'intéressent pas à mon bébé. Ils ont déjà sept petits-enfants. Ma mère serait ravie de le voir tous les jours mais elle habite Cleveland et ne vient à New York qu'une fois par an.

— Écoute, tant que ton fils n'est pas d'âge scolaire, va donc à Cleveland tous les deux ou trois mois.

— Mais c'est hors de prix ! répond-elle en riant.

— D'accord, mais ça en vaut la peine. Tu peux te le permettre ?

Je sais pertinemment qu'elle en a les moyens.

— Sans doute, mais quel boulot de prendre l'avion avec un bébé.

— Et si tu offrais des billets d'avion à ta mère pour qu'elle vienne de temps en temps ? Elle accepterait ?

— Je crois bien… que oui !

Cet exemple montre que l'argent peut acheter un peu de bonheur et l'importance de mon Huitième Commandement : « Identifie les problèmes. » Quel était le problème posé ? Trouver la manière de réunir grand-mère et petit-fils.

Le pur plaisir de faire un achat ne doit pas être sous-estimé. Pourtant la théorie du bonheur suggère que si j'aménage dans un nouvel appartement ou si je m'offre une paire de bottes, je vais bientôt m'y habituer et je ne serai pas plus heureuse qu'avant. Pourtant, sur le moment, ça marche !

Ce n'est pas le vrai bonheur, diront certains. Pour eux, celui-ci émane d'une bonne action, de solides liens familiaux et amicaux, d'une certaine spiritualité… Il n'empêche qu'en regardant autour de moi, je vois des gens qui rayonnent quand ils font des emplettes. Certes, le bonheur qu'ils montrent à la caisse n'a rien d'admirable – mais il est réel et fait partie du caractère. De plus, il est prouvé que recevoir un cadeau inattendu ou une rentrée d'argent imprévue est excellent pour le moral. Dans une étude sur le comportement de gens heureux, les chercheurs se sont arrangés pour que leurs sujets trouvent des pièces de monnaie dans une cabine téléphonique ou leur ont offert des boîtes de chocolats. Afin d'être sûrs qu'ils seraient de bonne humeur ! Pour certains individus, la bouffée de plaisir ressentie au moment d'un achat est si forte qu'ils dépensent bien au-delà du raisonnable. Quitte à s'en mordre les doigts quand ils reçoivent leur relevé de compte bancaire. Ils paient alors cher un moment de bonheur.

Ces dépenses exagérées ne sont pas seulement dues à la fièvre du consommateur. Il existe une foule de raisons qui expliquent le plaisir d'acheter : avoir une jolie maison en bon état et pourvue de tout ce qu'il faut ; faire des cadeaux à ses proches ou à des inconnus ; maîtriser une nouvelle technique (et donc posséder le dernier gadget) ; avoir enfin un objet longtemps convoité ; offrir des leçons à ses enfants ; vivre comme ses pairs ; vivre différemment de ses pairs ; se faire beau (ou belle) ; compléter une collection ; être à la mode ; refuser d'être à la mode ; s'adonner à un violon d'Ingres ; donner aux autres ; justifier le plaisir de faire du shopping ; accueillir des amis ; offrir des cadeaux ; s'élever dans la société ou maintenir son rang ; dominer autrui ; exprimer sa personnalité ; célébrer une fête ; maintenir les traditions ; innover ; rendre son existence plus agréable, plus saine, plus sûre ; prendre des risques ; oser l'aventure.

Personnellement, dépenser me laisse froide. Dès que j'ouvre mon portefeuille, le remords me saisit et j'éprouve ce que j'appelle « le traumatisme de l'acheteur ». C'est peut-être pour cette raison que l'enthousiasme dépensier des autres me touche tant. J'avoue pourtant que m'offrir une petite folie n'est pas désagréable ! Si je le fais à bon escient.

Quand j'ai affiché sur mon blog « S'offrir une petite folie » je reçois une foule d'exemples qui me montrent une extraordinaire variété de goûts :

Pendant des années je me suis contentée de couteaux très moches pour la cuisine. L'année dernière, j'ai dépensé 200 dollars pour trois couteaux (scie, à pain, à découper). Ils sont divins et vont durer toute ma vie.

J'ai honte de l'avouer, mais j'ai loué les services d'un spécialiste pour ranger notre cave. Depuis trois ans, ma femme m'asticotait pour que j'enlève tout le fourbi accumulé. Finalement j'ai trouvé le nom de cet « expert » chez l'épicier. J'ai été absolument ravi de lui signer un chèque. D'ailleurs, je m'y suis retrouvé car nous avons vendu quelques vieux trucs inutiles.

Pour Noël, je me suis offert des oreillers. Je n'aimais pas ceux que j'avais et depuis j'apprécie le changement : je dors mieux et plus longtemps. Le lendemain, je suis de meilleure humeur et je travaille mieux.

J'ai pris une chienne. Ce qui m'a coûté plus cher que prévu en nourriture, vaccinations, sommes versées à un voisin pour qu'il la garde quand je suis en voyage... Mais je m'amuse follement avec elle, bien plus que prévu. Vivant seule, je lui suis redevable de grands moments de bonheur.

Une de mes douces folies – sans doute pas au goût de tout le monde – me permet de mettre la main sur quelque chose qui me faisait envie depuis longtemps. Je l'ai commandée dans une célèbre librairie pour enfants de Manhattan. Il s'agit du *Super Special Wizard*, la série complète des quinze livres consacrés au Magicien d'Oz de L. Frank Baum. Quand je les reçois, quinze jours plus tard, je suis excitée comme une puce. La collection est magnifique avec des couvertures épaisses au design recherché et contenant la reproduction des illustrations originales en couleurs.

Bien sûr, certains psychologues positivistes diront que je vais m'habituer à cet achat. Ils vont affirmer que je n'y ferai bientôt plus attention et que les livres ne seront plus que des nids à poussière. Je me retrouverai comme avant. Pas d'accord ! Étant donné ma passion pour la littérature enfantine, je sais que je serai heureuse en les voyant dans ma bibliothèque. Après tout, je conserve de vieux exemplaires défraîchis du magazine *Cricket* datant de mon enfance : ils font mon bonheur chaque fois que je les regarde.

Une fois encore, il s'agit d'« être soi » et de choisir avec discernement. Je suis heureuse de dépenser de l'argent pour des choses auxquelles j'attribue de la valeur – il faut une bonne dose d'expérience et de discipline pour savoir ce qu'on aime vraiment, sans se laisser influencer par la mode. Un des plus beaux jours de la vie de mon père ? Quand il s'est offert un flipper ! Enfant, il jouait au flipper pendant des heures et cet achat lui a permis de réaliser un de ses rêves : jouer gratuitement sans bouger de chez lui. Des goûts et des couleurs, on ne discute pas !

Alors que cette réflexion sur la relation argent-bonheur me trotte dans la tête, lors d'une conversation avec une invitée lors d'une réception de mariage, je lui dis que je cherche des façons d'« acheter du bonheur ». (En lui expliquant mon propos, j'ai l'impression de devenir rasoir.)

Elle se rebiffe :

— C'est faux ! L'argent ne fait pas le bonheur !

— Vous en êtes sûre ?

— J'en suis un exemple vivant. Je ne gagne pas beaucoup. Il y a quelques années, j'ai investi toutes mes économies dans un cheval. Ma mère et tous mes amis m'ont traitée de folle ! Mais ce cheval fait mon bonheur, bien qu'il me coûte tout ce que je gagne.

J'en perds mon latin :

— Mais l'argent vous a rendue heureuse ! Il vous a permis de vous acheter votre cheval.

— Pourtant je n'ai pas d'argent. Je dépense chaque cent.

— Parce que votre argent vous l'avez dépensé pour ce cheval.

Elle hoche la tête et tourne les talons.

Il m'est arrivé d'essayer d'« acheter mon bonheur », mais j'ai échoué. Ainsi, j'appelle « fiasco de la gym » l'idée futile de m'abonner à des séances de gym très chères en pensant que je serais assidue.

Je songe au « fiasco de la gym » quand j'investis de l'argent en espérant que ça m'encouragera. Par exemple, j'ai cherché dans trois magasins du vernis/colle Mod Podge parce que je voulais commencer à faire des collages. J'étais vraiment déterminée. Mais la colle est restée au fond d'un placard et avoir dépensé de l'argent ne m'a pas suffisamment motivée. De même, un de mes amis a acheté une nouvelle raquette car il voulait jouer plus souvent au tennis, mais il ne l'a jamais utilisée. La raquette était l'expression de son désir de changer quelque chose dans sa vie, mais son achat n'a pas suffi. Il aurait dû réorganiser son emploi du temps, au lieu de s'offrir une raquette.

« Acheter du bonheur » a ses limites. Dépenser sans compter vient à bout de plaisirs rares et les transforme en choses banales. M'offrir une petite folie n'est source de bonheur que si cela reste exceptionnel. C'est comme pour le petit déjeuner au lit. Avant mon voyage de noces, je ne savais pas ce que c'était. Et ça m'a enchantée. Mais si je voyageais constamment pour mes affaires, ce luxe perdrait de son charme.

Comme l'argent met un certain faste à votre portée, il peut l'affadir en supprimant tout suspense. La satisfaction du moindre désir est immédiate. Plus le temps de se faire ce « cinéma » si jouissif, d'économiser sou par sou, d'élaborer des plans, d'espérer.

Même un modeste plaisir peut être un luxe, s'il est rare – commander un café dans un bar, acheter un livre, regarder un film à la télévision. En être privé est le remède le plus efficace contre la routine. Une amie qui a vécu en Russie dans les années 90 m'a raconté que l'eau chaude était parfois coupée pendant des semaines entières. Quand elle était rétablie, c'était le bonheur suprême. De retour aux États-Unis, où l'eau chaude coule à flots, elle n'y pense plus jamais.

Dépenser sans compter ne mène pas au bonheur mais l'argent peut y contribuer. Mon père parle encore du jour où il a pu se permettre de payer un jardinier pour tondre sa pelouse. Certaines très bonnes choses de la vie ne sont pas gratuites !

Une autre façon de considérer les conséquences de l'argent est de songer à ma Première Vérité Éclatante, comme à une partie du climat de *progression*, si important quand il s'agit du bonheur. Progression *matérielle* ou progression *spirituelle*, selon la philosophie de chacun.

Le changement nous affecte beaucoup. Nous comparons le présent et le passé et sommes heureux de constater que les choses ont évolué dans le bon sens. Lors d'une étude, on a demandé à des personnes si elles préféraient recevoir un salaire de 30 000 dollars la première année, 40 000 la deuxième et 50 000 la troisième ou bien 60 000 la première année, 50 000 la deuxième et 40 000 la troisième. La majorité a opté pour la première proposition alors qu'avec l'autre, à la fin des trois années, elles auraient gagné 120 000 dollars au lieu de

150 000. Leur décision semble illogique mais elle montre l'importance de la notion d'évolution croissante dans la recherche du bonheur.

Cela est si vrai que l'on préfère progresser vers le sommet plutôt que d'y être. Lisa Grunwald qui n'est ni une scientifique ni une philosophe mais une romancière l'a brillamment résumé : « Le mieux c'est bien, le meilleur c'est encore mieux. »

En avril, je n'ai pas attaqué le problème des limites à fixer quant à l'achat de petits cadeaux pour les enfants. Par exemple, pour lui faire une surprise, j'achète un livre d'illusions d'optique pour Eliza. Évidemment, elle l'adore, le montre à ses copines, le garde sur sa table de nuit. Quelques jours plus tard, dans un drugstore, je repère une étagère pleine de livres pour enfants bon marché. Parmi eux, un livre d'illusions d'optique. J'hésite à l'acheter ! Mais je m'abstiens. Elle en a déjà un qui comporte trois cents illusions. Celui que j'ai sous les yeux ne lui apportera rien de nouveau. De plus, avoir deux livres sur le même sujet ne fera sans doute pas plaisir à Eliza. Le premier perdrait de sa magie.

La directrice de l'école d'Eliza raconte l'anecdote suivante. Un gamin de quatre ans possède une petite voiture bleue qu'il adore. Il joue avec constamment, elle ne le quitte pas. Un jour, sa grand-mère venue lui faire une visite, lui apporte dix autres petites voitures. Il n'y touche pas.

Sa grand-mère l'interroge :

— Pourquoi tu ne joues pas avec ? Tu adores ta voiture bleue ?

— Je ne peux pas aimer toutes ces voitures.

Conclusion : la surabondance de biens nuit au bonheur.

En observant le comportement des clients dans les magasins, je remarque deux façons d'acheter : à l'économie ou en gaspillant. Moi, je suis du genre économe. Je remets à plus tard mes achats le plus longtemps possible ou alors je ne dépense que le minimum. J'utilise une solution pour les yeux deux fois par jour mais je ne me procure qu'un petit flacon à la fois. Un manteau ? Un maillot de bain ? Je ne les achète qu'en fin de saison. Je déteste les produits qui n'ont qu'une seule utilité, valise, crème pour les mains, après-shampooing, chaussures de pluie, mouchoirs en papier (pourquoi ne pas se servir de papier-toilette pour se moucher ?). En général, je remets au lendemain ou aux calendes grecques le moindre achat. Mieux encore, je me dis que je n'en ai pas besoin. Résultat : je suis souvent stressée car il me manque des produits de base. Il m'arrive d'être obligée de courir partout pour trouver un drugstore ouvert à des heures impossibles. Je suis entourée d'objets de mauvaise qualité, inutilisables.

Mes amies dépensières m'étonnent. Elles ont d'énormes stocks de produits qui ne s'usent que lentement, comme le shampooing ou le sirop contre la toux. Elles investissent dans des outils ou des gadgets dernier cri en songeant : « Un jour, je m'en servirai peut-être. » Elles se ruent dans les magasins avant de partir en voyage ou en vacances. Elles jettent tout ce qui risque d'être périmé, lait, médicaments, soupes en boîte. Elles se précipitent sur les objets étranges en se disant : « Ça fera un beau cadeau » sans savoir à qui elles les offriront. Comme moi, elles sont stressées. Par le nombre de courses qu'elles doivent faire, par le fouillis qui règne chez elles, par leur gaspillage.

Après avoir affiché ces commentaires sur mon blog, je reçois les réactions des économes et des dépensiers. Ils se sont reconnus dans mes portraits.

J'ai tendance à trop dépenser sinon je suis stressée et désorganisée. J'aime que mes filles aient un surplus de collants, avoir une réserve de papier-toilette pour quinze jours, une bouteille de shampooing supplémentaire. Si jamais il me manquait du lait, des couches ou des rouleaux d'essuie-tout, je me sentirais une mauvaise mère. J'adore revenir du supermarché avec de quoi remplir mes armoires.

Je suis économe et j'adorais mon pyjama vieux de quinze ans jusqu'au jour où l'élastique a lâché...

J'étais un radin invétéré et fier de l'être. Jusqu'à ce que je me rende compte que c'était une obsession, et non un choix. J'ai rarement des réserves de dentifrice ou de savon. J'attends d'être à la dernière extrémité pour en acheter. J'ai beaucoup de mal à changer d'attitude. Cependant, je suis heureux de dire que j'ai acheté récemment six rouleaux de papier-toilette au lieu de mon habituel paquet de deux. Et trois serviettes. Incroyable ce que je me suis senti riche ! Ces simples achats m'ont fait tourner la tête.

Je sais que je serais plus heureuse si je faisais un réel effort pour me débarrasser de ma manie et m'efforçais d'acheter ce dont j'ai besoin. Par exemple, je mets enfin un terme à ma politique concernant le papier-toilette. Une de mes résolutions de janvier stipulant « Cache un rouleau de secours », nous n'en manquons plus jamais, mais on a souvent frôlé la catastrophe.

Je parle de mon problème avec Jamie. Il me répond :

— Nous sommes comme Walmart, la chaîne discount. Nous faisons travailler notre capital au lieu d'avoir des stocks énormes.

— Oui, mais dorénavant, on va investir dans des biens de consommation indispensables.

Si la modération est une preuve de sagesse, le papier toilette est une nécessité que je veux avoir à portée de la main. Sinon, c'est l'enfer. Comme le remarquait Samuel Johnson : « Vivre en manque de petites choses, ce n'est pas une torture mais un état de vexation constant. »

Autre besoin : des tee-shirts blancs, car j'en porte toute la journée. N'aimant faire des courses qu'en compagnie de ma mère, j'attends qu'elle vienne de Kansas City pour me les acheter. Ils doivent être doux, souples, pas trop fins, décolletés en V, à manches longues. Les trouver me pose un défi fantastique. Maman ne se décourage pas :

— Allons chez Bloomingdale !

Ce grand magasin me donne le tournis (bien sûr) alors que ma mère va d'un rayon à l'autre d'un pas martial. Pendant son inspection systématique, je la suis et porte à bout de bras les tee-shirts qu'elle sélectionne. Elle passe en revue chaque coin et recoin, choisit une vingtaine de modèles. J'en achète huit !

Arrivée à la caisse, elle s'inquiète de l'uniformité des tee-shirts retenus :

— Tu ne veux pas d'autres couleurs ou d'autres formes ? Ça ne te fatigue pas, tout ce blanc ?

— Bof...

Ai-je vraiment envie d'autant de tee-shirts blancs ? Puis je me souviens d'une étude qui montre que les gens disent aimer la variété mais sont en fait beaucoup plus conservateurs. Par exemple, au supermarché, ils achètent toujours le même plat surgelé.

Ma mère n'a pas tort, un peu de variété ne me ferait pas de mal. Mais je sais pertinemment qu'une fois devant mon armoire je sélectionnerai toujours les mêmes affaires : un tee-shirt blanc avec un décolleté en V, un pantalon ou un jean noir, des chaussures de tennis.

Acheter utile.

— Oui, je ne veux que du blanc, je confirme.

Sur ma lancée, je change mon mixeur qui fuit. Je me procure un tampon en caoutchouc ce qui m'évite d'écrire mon adresse au dos des enveloppes. Je me rends compte que mes soucis d'économie m'obligent à faire du shopping plus souvent, alors qu'acheter en plus grande quantité m'éviterait de faire autant de courses. Je fais un stock de piles électriques, de pansements adhésifs, d'ampoules, de couches... Lors d'une réunion, on me tend une carte de visite de toute beauté : je n'ai de cesse de connaître les coordonnées de l'imprimeur pour m'en procurer de semblables.

Commander ces cartes me prouve que je ne suis pas seulement économe mais aussi « satisfaite de peu ». Oui, une « satisfaite de peu », l'inverse d'une « maximaliste ». Une « satisfaite de peu » est une personne qui choisit la chose qui correspond à ses critères. Ça ne veut pas dire qu'elle se contente d'un rien. Ses critères peuvent être élevés mais quand elle trouve ce qui lui plaît, un hôtel, une sauce tomate, une carte de visite, elle en est satisfaite. La « maximaliste » désire ce qu'il y a de mieux. Elle ne peut rien acheter avant d'avoir étudié toutes les options, retenu le top.

Il est prouvé que les « satisfaits de peu » sont plus heureux que les « maximalistes ». Ces derniers passent beaucoup de temps, dépensent beaucoup d'énergie avant de prendre une décision et s'inquiètent finalement de n'avoir pas fait le bon choix. Ma mère est l'exemple heureux de la « maximaliste raisonnable ». Dans certains domaines, elle est cependant une maximaliste qui se livre à d'intenses recherches. Eliza et Eleanor étant les demoiselles d'honneur de ma sœur, ma mère va se délecter à choisir les plus jolies robes du monde. Juste pour s'amuser. Mais il arrive souvent aux maximalistes de faire des enquêtes harassantes avant de trouver l'objet de leurs rêves. Malheur à eux s'ils habitent New York ! Ils peuvent passer des mois avant de trouver un meuble ou un cintre qui leur convienne parfaitement. À Kansas City, le choix est plus restreint !

La majorité des gens sont un peu des deux. « Je suis une satisfaite de peu » pure et dure, et il m'arrive souvent de culpabiliser car je ne fouine pas suffisamment. À la faculté de droit, une amie a passé cinquante entretiens avant de choisir le cabinet d'avocats dans lequel elle voulait travailler pendant l'été. Moi, huit m'ont suffi. Nous avons atterri dans le même cabinet. Maintenant que j'ai appris à me classer parmi les « satisfaites de peu », mes décisions me paraissent plus acceptables. Au lieu de me sentir paresseuse et inconsciente, je me trouve prudente. Un bon exemple de recadrage.

CONSOMMER

J'ai tendance à tout garder – affaires ou idées. J'utilise mes lames de rasoir jusqu'à ce qu'elles ne coupent plus, mes brosses à dents jusqu'à ce qu'elles virent au jaune et soient tout effilochées. Certes, pantalons kaki délavé et chemises en coton sont à la mode, mais il n'est guère agréable de porter des affaires défraîchies, tachées ou élimées. Et je n'ose pas mettre mes affaires neuves. Comme mes huit tee-shirts. Après avoir réussi à les acheter, je dois relever un autre défi : les porter. En les sortant de leur emballage, impeccablement pliés par la vendeuse, je sens l'envie de les conserver au chaud sans y toucher. Mais ne pas les porter équivaudrait à les jeter.

Mon Opération Bonheur me dicte d'arrêter de stocker mes affaires, d'apprécier une certaine aisance, d'utiliser mes vêtements, de distribuer certaines choses, d'en jeter d'autres. Pas seulement. Je veux cesser de faire des comptes et de peser mes profits et pertes. Je veux consommer ! Profiter !

Il y a quelques années, ma sœur m'a offert un très joli papier à lettres. Je l'adorais mais je ne l'utilisais jamais. Quand j'envoyais des photos à mes grands-parents, c'était dans des enveloppes banales, car je voulais « garder » mon beau papier. Pourtant, quel meilleur usage possible ? J'aurais dû m'en servir. Et en retirer de la satisfaction !

Je fouille l'appartement pour voir ce dont je peux me débarrasser. Le plus dur est de choisir parmi ce qui fonctionne encore plus ou moins : l'appareil photo dont le zoom est cassé, l'étiqueteuse qui marche une fois sur deux. Je déteste gaspiller mais les faire réparer me coûterait beaucoup plus de temps et d'argent. Et j'en ai assez de les utiliser dans leur état actuel. Il est temps de les remplacer.

Mes efforts ne portent pas seulement sur les objets mais s'étendent aux idées. Par exemple, songeant à un très bon sujet à mettre sur mon blog, je me dis : « C'est une excellente idée. Je devrais la garder pour une autre fois ! » Pourquoi ? Pourquoi attendre ? Je dois avoir confiance en moi, savoir que j'aurai d'autres idées, et qu'il me faut profiter *tout de suite* de celles que j'ai à l'esprit.

Consommer et profiter signifient également de ne pas être trop rigide. L'autre soir, Jamie et moi louons *Junebug*, un film extraordinaire sur la nature de l'amour et du bonheur. Je suis tentée de revoir certaines séquences, puis je décide que ce serait une perte de temps. Je me souviens alors de ma résolution qui me conseille de profiter des bons moments. Et je remets la vidéo en route pour profiter à nouveau de la scène de l'église.

La principale leçon du chapitre « Consommer-Profiter » n'est pas de comptabiliser chaque dépense mais de ne pas lésiner sur l'amour qu'on donne, sur les cadeaux qu'on fait. Il existe un lien direct avec ma résolution de février : « Ne pas attendre de compliments. » En effet, j'ai toujours envie d'être félicitée, « payée de retour ». Comme sainte Thérèse de Lisieux l'a écrit : « Quand on aime, on ne compte pas. » Mais moi, je suis une calculatrice-née, à l'affût d'une récompense, surtout dans mes rapports avec Jamie :

— Hier soir, j'ai donné son bain à Eleanor, alors à toi...

— Je t'ai laissé faire ta sieste, alors...

— J'ai dû m'occuper des billets d'avion, alors...

Surtout pas ! Ne pas songer à ce qu'un bon geste vous rapportera. Sarah Bernhardt a noté : « C'est en se dépensant qu'on devient riche. » Une étude a montré que l'actrice avait *littéralement* raison. Les personnes qui donnent aux œuvres de bienfaisance s'enrichissent plus que celles qui ne donnent rien. Après des calculs savants, un chercheur a découvert que la charité ne dépend pas du niveau élevé de la fortune ; elle augmente le niveau de la fortune ! Les explications de ce phénomène étrange montrent que le cerveau est stimulé par des gestes de bienfaisance. En outre, cette conduite généreuse peut, paraît-il, conduire à belles promotions dans le monde des affaires.

Autour de moi, le don de soi amène amour et tendresse tandis que les calculs mesquins et l'égoïsme n'apportent que de l'amertume et des dissensions.

Un souvenir ou plutôt une relique m'aide à conserver à l'esprit cette résolution importante. Lors d'une de mes dernières visites à ma grand-mère avant sa mort, j'ai ouvert un coffret de parfum contenant un flacon de *My Sin*. Posé sur sa coiffeuse depuis ma plus tendre enfance, il était intact. Sans doute un cadeau auquel elle n'avait jamais touché pour le « garder ». Dans quel but ? Après sa mort, je l'ai emporté et l'ai placé sur mon bureau pour me souvenir de « Consommer-Profiter ».

Je parle de ce flacon sur mon blog et plusieurs lecteurs me font part de leurs expériences.

Vous m'avez fait penser à de jolies serviettes que j'ai trouvées chez ma mère après sa mort. J'ai vécu dans cette maison pendant longtemps sans jamais les voir. Elle devait les « garder ». Pour quelle raison ? Je n'en ai aucune idée. En tout cas, elle ne les a jamais utilisées. Maintenant qu'elles m'appartiennent, je vous jure que je vais m'en servir pour mon prochain dîner. Au fait, c'est demain !

La vie est trop courte pour « garder » sa porcelaine précieuse, ses beaux draps ou n'importe quel objet de valeur. Demain ne viendra peut-être jamais.

C'est dans la douleur que j'ai appris cette leçon. Enfant, j'ai reçu de mes grands-parents pour Noël une magnifique boîte de couleurs avec des pinceaux, des craies, du papier. Je l'ai « gardée » intacte pour plus tard, pour le jour où je serais un meilleur artiste, car je ne voulais pas gâcher tous ces trésors. (Gosse, on pense qu'on deviendra très doué et ce n'était pas si fou que ça.) Un jour, j'ai cherché ma boîte : impossible de mettre la main dessus. Ma mère m'a dit : « Comme tu n'y touches jamais, j'ai pensé qu'elle ne t'intéressait pas ! » Elle l'avait donnée à une œuvre. J'étais effondré. Je n'ai jamais oublié ce drame. Parfois « plus tard » devient « jamais ».

RENONCER À QUELQUE CHOSE

Parfois, ce qui vous rend heureux peut vous rendre malheureux. Fumer, se resservir de gâteau à la crème, rester éveillé jusqu'à trois heures du matin afin de regarder *Le Parrain* pour la cinquième fois. Sans oublier l'activité la plus gaie et la plus douloureuse : le shopping. Dans la boutique, c'est l'euphorie. À la maison, le remords et la déprime.

Quoique du genre économe, il m'arrive de temps en temps de passer au stade « acheteuse », comme si j'étais atteinte du virus de la consommation. Ça m'est arrivé quand nous avons emménagé dans notre appartement actuel. Pour la première fois, je disposais d'un petit bureau et j'ai perdu la tête en le décorant. J'ai acheté un fauteuil perfectionné, une table de travail en bois, un coffret pour ranger mes fournitures, une foule d'enveloppes, de blocs-notes, des Post-it, des élastiques multicolores, un casque, une pile de secours pour mon portable, tout ce qui me passait sous la main.

C'est après avoir craqué pour une pince aimantée en forme d'oiseau que j'ai commencé à me sentir coupable. J'ai décidé de « renoncer à quelque chose ». Comme j'ai tout ce qu'il me faut, je me suis fait la promesse : « Plus rien pour le bureau. » Je m'y tiens, et j'en suis fière.

Quand j'affiche sur mon blog « Renoncer à quelque chose », je reçois le commentaire suivant :

« Il vaut mieux se concentrer sur du positif. Au lieu de se dire "non" ou "jamais" ou "je m'interdis", concentrons-nous sur ce que nous voulons tout en étant raisonnables. Sinon, on n'arrive à rien. »

C'est un point de vue intéressant, mais pas forcément toujours vrai. D'abord, quand je veux cesser de faire quelque chose, il m'est plus facile de stopper net que de me brider. Parfois, il est agréable de se dire : « Je vais arrêter » ou : « Plus jamais ! » ou : « On verra demain ! » Il a été démontré que prendre une décision et s'y tenir sont des sources de bonheur car l'on se sent sûr de soi, efficace et responsable. Lors de difficultés financières, prendre les rênes de son budget – même symboliquement – remonte le moral car on se sent apte à redresser la situation. Quand les frais d'emménagement dans notre nouvel appartement m'angoissaient, je trouvais un certain réconfort à décider de ne plus rien dépenser dans un certain secteur. (Pas très logique financièrement, car en achetant une chaise, j'anéantissais les économies faites en dédaignant une agrafeuse qui me tentait. Mais psychologiquement efficace.)

Je demande aux lecteurs de mon blog s'ils ont été plus heureux en s'interdisant un certain nombre d'achats. Voici quelques-uns de leurs exploits : ne plus manger de pâtisseries industrielles dans les centres commerciaux ou les aéroports (chers et pas terribles pour la santé), ne plus posséder de voiture, ne plus acheter de billets de loterie, ne plus acheter de journaux (autant les lire en ligne), ne plus se procurer le portable dernier cri.

Quand j'ai emménagé dans mon appartement, il y a dix-huit mois, je ne me suis pas abonné au câble. Fini donc la télévision. Depuis, je ne regarde que des DVD ou rien.

Une décision teintée de philosophie et de frugalité. Depuis, je n'ai plus besoin de me restreindre mais si je me réabonne, je sais que je la regarderai moins qu'avant.

— Pas d'eau minérale.
— Pas de friandises au bureau.
— Dîners au restaurant; seulement le week-end.
Résultat: ma femme et moi avons maigri et fait des économies.

Fini les achats sur eBay. C'était drôle au début et ensuite c'est devenu une drogue. Je me retrouvais avec des choses dont je n'avais pas besoin car j'aimais fouiner un peu partout. Mon portefeuille en prenait un sacré coup. Un jour, j'ai fermé la session en me disant: « Terminé! » Je suis tellement soulagé. Et quelle économie de temps!

Mes lecteurs sont également heureux de renoncer à certaines choses qui n'ont rien à voir avec des achats : dormir jusqu'à midi les week-ends, regarder une chaîne d'infos sans arrêt, manger des céréales ou bronzer.

J'ai une histoire à raconter qui montre que je suis devenu plus heureux en renonçant à quelque chose.
Il y a cinq ans, j'ai été engagé par un refuge pour animaux. Quand j'ai commencé à travailler, j'étais grand amateur de viande. Mais petit à petit je me suis retrouvé dans une position inconfortable où je mangeais certains animaux alors que j'en sauvais d'autres. C'était illogique et surtout inhumain.
Certains de mes collègues étant végétaliens, je les ai imités. Je ne mange plus ni viande, ni produits laitiers, ni œufs. Je ne porte pas de vêtements à base de fourrure, de cuir ou de laine. J'ai lu l'ouvrage de Gary Taubes *Good calories, bad calories* mais j'ignore si mon régime a des effets dramatiques sur ma santé. Au moins, mes actes sont

en accord avec ma pensée. Et, que j'aie passé une bonne ou une mauvaise journée, je sais en me couchant, que je n'ai pas contribué à l'exploitation de créatures sensibles.

J'ai cessé de manger du sucre raffiné. Ç'a été difficile, mais pas pour les raisons que je craignais. Je suis un drogué de tout ce qui est friandises. Je croyais que cela me manquerait. Mais comme j'ai arrêté d'un coup et que j'en ai parlé à mes amis, ça s'est bien passé. Pas de compromis, pas d'entorses au règlement ! Je ne suis pas encore tout à fait habitué à boire mon café sans sucre, alors que je mettais 5 à 7 dosettes de Splenda ! Trente-quatre jours plus tard, quand je me demande si j'ai eu raison, je réponds : Absolument. Je n'ai qu'une seule vie.

Bien sûr, les goûts de chacun sont différents. Ce n'est pas parce que je suis plus heureuse quand je n'achète rien pour mon bureau que les gens doivent se priver de surligneurs. Pourtant, si la résolution de « renoncer à quelque chose » peut sembler sévère et spartiate, il est parfois agréable de faire ce choix.

Samuel Butler a écrit : « Le bonheur et le malheur consistent en une progression vers le meilleur ou le pire ; peu importe que l'on soit euphorique ou déprimé, l'important est la direction vers laquelle on tend. » Voilà, me semble-t-il, la clé pour comprendre la relation entre argent et bonheur.

Cependant comme personne ne réagit de la **même** manière devant l'argent et ce qu'il peut acheter, il **est** difficile de généraliser. Prenez mon mixeur. Quand je l'ai remplacé, j'ai choisi un modèle très puissant et très cher. Comme je confectionne des smoothies tous les jours, ce nouveau mixeur est une bénédiction. Pour quelqu'un qui ne met jamais les pieds dans une cuisine, ce serait juste de l'épate. S'il l'achetait, cela ne lui ferait aucun plaisir. Pour que l'argent rende plus heureux, il faut l'employer dans un domaine privilégié.

« L'argent est un bon serviteur mais un mauvais maître. »

C'est pendant ce mois de juillet où je me débats avec les mystères de l'argent, que je désespère de mon Opération Bonheur.

Un samedi matin, nous sommes tous de mauvaise humeur. Jamie me laisse gentiment dormir, mais tout va de travers dès que je pose le pied par terre. Je bois une tasse de café et il me demande si ça ne me dérange pas qu'il aille à sa gym – ce à quoi je consens. À contrecœur. Dès qu'il est parti, les filles jouent calmement cinq minutes, puis se mettent à se taquiner, à se battre, à hurler.

Au pire moment, Eleanor pique sa crise. Couchée par terre, elle rue des quatre fers, frappe le sol de ses poings, crie de plus belle. Pourquoi ?

— Eliza m'a regardée, dit-elle.

Eliza se met à pleurer à son tour :

— Ce n'est pas de ma faute. Je déteste quand elle pleure.

Mes bonnes résolutions défilent dans ma tête mais je n'ai pas envie de « chanter le matin », ni de « faire l'idiote » ni de « donner des preuves d'amour ». J'aimerais que quelqu'un s'occupe de *me* remonter le moral. Je n'ai cessé de vouloir appliquer mes bonnes résolutions, mais est-ce que ça marche ? Non. Rien en moi n'a changé. Mais si j'oublie mes résolutions, que va-t-il me rester ? Je pourrais m'asseoir par terre et hurler. Ne plus m'occuper des filles, me recoucher et lire un bouquin. Mais est-ce que je serais plus heureuse ? Non.

Les minutes passent et personne ne fait mine de bouger. J'en veux à Jamie d'être allé à la gym. Eleanor continue de pleurer. Eliza continue de pleurer. Je me tiens près de la porte et crie à mon tour :

— C'est grotesque ! Arrêtez toutes les deux ! Vous pleurez pour rien.

Les sanglots redoublent. Je me retiens de leur donner une fessée.

— Ne me crie pas dessus ! gémit Eliza, ce n'est pas ma faute.

Eleanor se tourne pour pouvoir donner des coups de pied contre le mur.

Il faut que j'intervienne. Je fais appel à toute ma force de caractère pour leur dire :

— Pleurer donne soif. Je vais vous chercher un verre d'eau à chacune. (Mes deux filles adorent boire de l'eau.)

Je me rends à la cuisine où j'ouvre une cannette de Coca light et prépare deux verres d'eau. De retour auprès de mes gamines, je respire à fond et tente de dire gaiement :

— Qui a soif ? Qui veut des amandes ?

Elles foncent dans la cuisine en reniflant d'une façon mélodramatique. Elles boivent leur eau et grappillent quelques amandes. Puis elles s'assoient, finissent leur verre et mangent encore des amandes. L'atmosphère se détend. Je demande à Eliza :

— Tu as pris un bon petit déjeuner ?

— Non, on a joué aux petits chevaux à la place.

— Souvenez-vous-en ! Vous devez prendre un petit déjeuner copieux !

Je commence à rire comme une folle, tandis que les filles me regardent sans piper.

Si le calme est revenu, le reste de la journée reste mouvementé. Eliza et Eleanor ne cessent de se chamailler. Jamie et moi nous nous asticotons sans cesse. On a tous les nerfs à vif.

Au cours de l'après-midi, alors que je demande aux filles de ramasser les crayons de couleur éparpillés sur le sol de la cuisine, je m'aperçois que Jamie a disparu. Je crie son nom à plusieurs reprises sans obtenir de réponse. Je le cherche partout et suis ivre de rage de le trouver en train de dormir au milieu du lit, dans la position de Superman en plein vol. Je fais le bilan de la journée : Jamie m'a laissée dormir, mais en échange il a été faire sa gym. Pourquoi n'ai-je pas eu droit à une sieste ? Qu'est-ce que j'ai eu en échange ? Ma conscience a beau me murmurer de cesser mes calculs, je n'en tiens pas compte.

Mon Opération Bonheur ne me rend pas plus heureuse, bien au contraire. Je suis parfaitement consciente de mes erreurs et de ce que je *devrais* faire, sans y parvenir. Tant pis. Le diable emporte mes bonnes résolutions ! Pourquoi me donner tant de mal ? La plupart d'entre elles ont pour but de rendre les autres heureux et ils ne m'en sont pas reconnaissants, ils ne les remarquent même pas. Je suis surtout en colère contre Jamie. Est-ce qu'il se préoccupe de mes recherches ? M'a-t-il remerciée une seule fois d'avoir rangé les placards ? Envoyé de charmants e-mails ? Cessé (enfin, presque !) de le tanner. Absolument pas !

Dans la pièce d'à côté, les filles s'en donnent à cœur joie :

— Il est à moi.

— Non, à moi.

— Je jouais avec la première !

— Ne me pousse pas !

— Tu me fais mal au bras !

Et ainsi de suite.

J'entre comme une furie dans la chambre où dort Jamie :

— Lève-toi ! Tu les entends ? Tu ne vas rien faire ? Ça te plaît qu'elles se battent comme des sauvages ?

Jamie se retourne et se frotte les yeux. Il me fixe d'un air qui veut dire : j'attends que tu te calmes !

Je réagis violemment :

— Écoute, arrête de faire ton pacha ! C'est aussi *ton* problème.

— Quoi donc ?

— Écoute tes filles. Ça dure depuis des heures. Occupe-t'en !

— Désolé de ne pas être plus utile, mais je ne sais pas quoi faire.

— Alors, tu préfères attendre que *je* règle le problème !

— Bien sûr ! s'exclame-t-il en m'ouvrant ses bras.

(Depuis mes recherches de février je sais que c'est une tentative de réparation.)

— Tu me donnes un bon point ? je demande en m'étendant près de lui.

— Absolument.

Les hurlements des filles redoublent puis se calment.

— Ah ! la paix du foyer ! dit-il.

Nous éclatons tous les deux de rire.

— Sommes-nous sur la même longueur d'onde ? Même si je suis un fainéant de mari ?

— Sans doute.

Je pose ma tête sur sa poitrine.

— Voilà ce que je te propose. Allons nous promener dans le parc. On a besoin d'une bouffée d'air frais.

Il se redresse et crie à l'intention des filles :

— Mettez vos chaussures ! On va au parc.

Cette annonce est accueillie par des cris stridents :

— J'veux pas mettre mes chaussures ! J'veux pas sortir !

— Allez, obéissez ! Je vais vous aider.

Ce n'est pas notre jour, et il y en aura d'autres comme celui-là. Le bonheur ne vient pas sur un tapis volant. Pourtant, ce soir-là, je réussis à appliquer une de mes résolutions : « Se coucher de bonne heure. » Le lendemain matin, les choses ont l'air d'aller mieux. Il me faudra encore quelques jours pour éliminer ma mauvaise humeur mais au moins, je serai capable de mettre en œuvre de nouvelles résolutions.

8

Août : scruter les cieux

L'éternité

- Lire des récits dramatiques.
- Tenir un carnet de connaissance.
- Prendre modèle sur un guide spirituel.

Je suis fermement convaincue que l'argent fait le bonheur. Pourtant, trop y penser est déplaisant et me donne l'impression d'être vénale et étroite d'esprit. C'est dire si, à la fin juillet, je suis contente de passer des picaillons à la spiritualité.

Août me semble le mois idéal pour me concentrer sur l'éternité, car c'est l'époque des vacances. Sortir de la routine va me permettre d'étudier les valeurs transcendantes qui sous-tendent notre quotidien. Mais d'abord, je dois déterminer précisément ce que je cherche à accomplir dans ma contemplation de l'éternité.

Je n'ai pas été éduquée religieusement. Enfant, j'allais à l'école du dimanche quand j'étais chez mes grands-parents dans le Nebraska. Et l'on célébrait Noël avec force décorations, un point c'est tout. Puis j'ai épousé Jamie qui est juif. Il n'est pas plus religieux que moi, et comme notre couple est peu croyant, il n'est pas question de religion chez nous. On célèbre les fêtes chrétiennes avec mes parents et les fêtes juives avec ceux de Jamie,

237

et tout le monde est content. Sans oublier toutes les fêtes laïques, même récentes.

Ce qui ne m'empêche pas d'être intéressée par les religions et les croyances des gens pieux. Je me décrirais comme une agnostique fervente. Les croyances m'attirent, et c'est par la lecture que je pénètre dans ces mondes. Donc, sans être spécialement religieuse, je suis amenée à considérer les états spirituels – élévation, effroi, gratitude, conscience, contemplation de la mort – comme essentiels au bonheur.

Quand j'annonce à Jamie que le mois d'août aura pour thème l'éternité, il se montre méfiant :

— Tu ne feras rien de morbide, hein ?

Sa remarque m'intrigue :

— Je ne crois pas. Comme quoi ?

— Je ne sais pas. Mais contempler l'éternité risque d'être rasoir pour le reste de la famille.

— Ne t'en fais pas ! Il n'y aura pas de crâne sur la table de la salle à manger.

Je dois trouver un moyen de me concentrer sur l'éternité et le transcendantal en oubliant le présent immédiat et futile. Cultiver un état d'esprit apaisé et reconnaissant. Apprécier les hauts faits de ma vie ordinaire. Placer le bonheur des autres avant le mien. Trop souvent, ces valeurs immuables se perdent dans le tohu-bohu quotidien et les soucis égoïstes.

En serai-je plus heureuse ? Les études sur la question l'affirment. Elles montrent que les croyants sont plus heureux en général. Ils sont plus sains de corps et d'esprit, combattent mieux le stress, sont heureux en mariage, vivent plus longtemps.

En 524 après J.-C., alors qu'il attendait en prison d'être exécuté, le philosophe Boèce a écrit : « Contemplons l'immense stabilité des cieux et finissons d'admirer les choses vaines. » Sans vouloir comparer mes petits heurs et malheurs au sort fatal qui l'attendait, je recherche moi aussi une certaine sérénité et la manière de mettre les choses en perspective. En me fortifiant, je serai capable d'affronter le pire (s'il se présente). Dans ce but, les grands esprits philosophiques et religieux nous incitent à songer à la mort. Comme le dit Bouddha : « De toutes les méditations, celles sur la mort sont suprêmes. »

D'accord pour approfondir mes réflexions sur la mort. Mais comment ?

Les moines du Moyen Âge conservaient des squelettes dans leur cellule pour se rappeler la mort. Les peintres de *vanités* du XVIe siècle incorporaient dans leurs natures mortes des symboles de la brièveté de la vie et de l'imminence de la mort : bougies vacillantes, sabliers, fruits pourris. Comment m'élever à ces hauteurs sans mettre de crâne sur la table familiale ?

Parmi toutes les applications de ces *memento mori*[1], j'en trouve une qui me convient : la lecture de récits de personnes qui ont affronté la mort.

J'emprunte à la bibliothèque des masses de livres. Je commence par des personnes ayant souffert de maladies mortelles, puis j'élargis mes recherches pour inclure toutes sortes de drames : divorce, paralysie, dépendance… J'espère profiter de ces face-à-face avec la douleur sans avoir à en faire l'expérience.

---

1. « Rappelle-toi que tu vas mourir. » *(N.d.T.)*

Août, mois de soleil et de détente, est par contraste avec ces sombres récits, la toile de fond parfaite pour ce genre de lectures. La présence rassurante de ma famille facilite ma descente dans l'enfer du malheur et de la mort.

Au moment où nous partons pour la plage, Jamie jette un coup d'œil aux livres que j'ai fourrés dans un cabas :

— C'est ça que tu vas lire ? Stan Mack sur le cancer ? Gene O'Kelly sur les tumeurs du cerveau ? Martha Beck sur un enfant trisomique ?

— Je sais, tu crois que ça va me déprimer, mais non. Ils sont tristes, mais encourageants, si j'ose m'exprimer ainsi.

— D'accord ! Moi j'emporte *A Bright Shining Lie*, une histoire de la guerre du Vietnam et *Middlemarch*, un roman de George Eliot.

À la fin de notre séjour, j'ai terminé tous mes livres. Je ne suis pas d'accord avec la phrase de Tolstoï : « Toutes les familles heureuses se ressemblent. » Je dirais plutôt : toutes les familles malheureuses le sont à leur façon. Si ces documents décrivent tous des situations de lutte contre une maladie gravissime – chacun est unique.

Conséquence de ces lectures, j'apprécie beaucoup plus mon existence ordinaire. Mon quotidien semble stable et immuable. Mais ces auteurs m'ont montré qu'il peut être bouleversé par un simple coup de téléphone. Chaque récit commence par le moment où la vie du protagoniste a basculé.

Gilda Radner écrit : « Le 21 octobre 1986 on m'a diagnostiqué un cancer des ovaires. J'en suis avertie par un coup de fil à sept heures le soir. La tumeur est maligne et inopérable. »

Cornelius Ryan se souvient du 23 juillet 1970 : « En cette belle matinée, il me faut admettre que je suis en train de mourir… Ce diagnostic change tout. »

Lire ces comptes rendus me fait apprécier pour la première fois le plaisir de posséder un corps obéissant – qui marche, mange, urine sans problème. Les vacances m'autorisent à relâcher mon régime : je m'offre des chips, des milk-shakes, des sandwichs au fromage fondu. Arrive ce qui devait arriver : je prends quelques kilos. Au lieu de m'apitoyer sur mon sort, je songe au malheureux atteint d'un cancer de la prostate dont je viens de lire l'histoire. Et plutôt que de gémir sur mon excès de poids, je suis reconnaissante à mon corps de rester en forme et de m'éviter douleurs et peurs.

Profiter de la vie, jouir du *moment présent* sont les thèmes récurrents dans la religion et la philosophie ainsi que dans des récits dramatiques. Souvent ce n'est qu'après une catastrophe qu'on apprécie ce dont on dispose. L'historien irlandais William Edward Hartpole Lecky a remarqué au XIXe siècle : « À un certain moment de notre vie, nous aurions tout donné pour être ce que nous étions hier, mais ce jour passé s'est écoulé sans que nous nous en apercevions ni que nous en profitions. »

Tandis que je prends conscience de la valeur des jours ordinaires, le désir de capturer chaque instant, même le plus banal, m'envahit. Le passé m'intéressait peu, mais avoir des enfants m'a rendue nostalgique. Aujourd'hui, je promène Eleanor dans son landau, demain elle me poussera dans une chaise roulante. Est-ce que je me rappellerai alors ma vie présente ? Un vers du poète latin Horace me trotte dans la tête : « Les années qui passent nous dérobent les choses les unes après les autres. »

Je décide de tenir un journal où je n'écrirai qu'une seule phrase à la fois. Sachant que je suis incapable de pondre chaque matin une longue prose lyrique dans un magnifique carnet (mon écriture est d'ailleurs tellement illisible qu'il m'est impossible de me relire), je me contenterai de taper chaque soir une ou deux phrases sur mon ordinateur.

Ce journal est destiné à conserver le souvenir des moments agréables trop vite oubliés. En notant mes impressions, j'ai la possibilité d'amplifier les effets de mes expériences heureuses, l'occasion d'observer de nouvelles étapes vers le bonheur. Quand cet été se sera évanoui, j'aurai le moyen de me rappeler quelques moments éphémères mais délicieux – la nuit où Jamie a inventé un nouveau gâteau ou le jour où Eliza s'est rendue seule à l'épicerie pour la première fois. Je ne veux pas oublier notre fou rire quand Eleanor a pointé son doigt vers son assiette de spaghettis en demandant poliment : « Pyjama, s'il te plaît ! » alors qu'elle voulait dire « Parmesan ! ».

Le dernier jour des vacances, valises bouclées et prêts à partir, nous lisons le journal en attendant le ferry. Eleanor s'éloigne pour s'exercer à monter et descendre les trois marches en bois qui mènent à la plage. Je l'aide : en haut, en bas, en haut, en bas ! J'hésite à la quitter pour chercher l'autre partie du journal mais je m'abstiens. Soudain, je m'en rends compte : *je vis un moment exceptionnel.*

Bientôt, Eleanor ne sera plus ce bébé si gai, si adorable, si déterminé à escalader ces quelques marches. Elle est ravissante dans sa petite robe rose. Le soleil brille, les fleurs embaument. Pourquoi lire le supplément littéraire quand je profite d'Eleanor qui a déjà tellement grandi. Nous n'aurons plus jamais de petit enfant.

J'y ai déjà pensé, mais cette fois-ci je ponds ma Troisième Vérité Éclatante : Les jours sont longs mais les années sont courtes. On dirait une phrase tirée d'un horoscope bon marché, mais c'est la vérité. Chaque jour, chaque phase de la vie semble ne jamais finir, mais les années s'écoulent trop vite. J'ai envie de savourer le présent, les saisons, l'existence. Trop de choses se sont déjà passées avec Eliza : les Wiggles, *Pat le Lapin*, les jeux de rôle. Un jour – dans un avenir trop proche –, je songerai à la petite enfance d'Eleanor avec regret. Sur ce perron, la nostalgie du futur m'étreint. Ce moment d'illumination renforce en moi la sensation que j'ai toujours eue : celle de l'inéluctabilité de la mort et de la fuite du temps.

J'en prends note dans mon journal et je sais qu'elle ne me quittera plus. Voici ce que j'écris : « Fin prêts à rentrer à la maison – nous attendons le ferry. Eleanor s'amuse comme une folle à grimper et à descendre les marches de la plage. La voir avec l'adorable chapeau blanc que Jamie lui a acheté me fait fondre. Elle tient à la main sa brosse à dents préférée. Mais tout change, tout passe. » (Au fait, parfois je triche et rédige plusieurs phrases.)

Quand j'affiche sur mon blog l'idée d'un journal où je me limiterai à une phrase chaque fois, je suis surprise par son succès. Beaucoup de mes lecteurs souffrent de l'envie rentrée de tenir un journal mais, comme moi, ils sont intimidés et ont du mal à passer à la rédaction. En revanche, consigner en phrases courtes leurs pensées ou leurs expériences dans un cahier les attire.

Plusieurs correspondants me font parvenir la version de leur journal. L'un d'eux le rédige pour l'offrir un jour à ses trois enfants ; il voyage beaucoup et glisse un carnet dans sa mallette quand il prend l'avion. Il écrit pendant l'embarquement des passagers. Il lui confie les derniers faits et gestes familiaux. À mon sens, c'est une manière brillante de rendre créatifs des moments perdus. Un autre lecteur m'explique qu'il a été inspiré par une interview d'Elizabeth Gilbert à la télévision, dans laquelle l'auteur de *Mange, prie, aime* racontait qu'elle tenait un journal où elle ne relatait que les événements heureux de la journée. Un homme d'affaires me parle de son journal de travail où il note les problèmes, les succès, les faits importants. Pour lui, c'est une mémoire vivante inestimable qui lui rappelle la façon dont il s'est sorti d'un mauvais pas : « Travaillant seul, si je ne tenais pas ce journal, je referais éternellement les mêmes erreurs. Il me montre également les progrès parcourus depuis que j'ai créé mon entreprise. »

En plus de mon journal et de la lecture de récits dramatiques, je prends une décision plus difficile. Jamie et moi devons mettre de l'ordre dans nos affaires et papiers personnels. Tout le monde sait combien il est odieux d'avoir à s'occuper de choses matérielles quand un deuil vous frappe.

— Jamie, nous devons actualiser nos testaments.

— D'accord, allons-y !

— Voilà des années qu'on en parle sans jamais rien faire.

— Bon.

— Ce n'est pas une partie de plaisir, mais il faut se décider.

— Je suis bien d'accord avec toi. Fixons une date.

Aussitôt dit, aussitôt fait. Misère ! Rien de plus « *memento mori* » que de voir les mots « Dernières volontés » et « Testament » écrits en lettres gothiques sur les dossiers du notaire. Bien que l'étude n'ait rien de romantique, je ne me suis rarement sentie aussi amoureuse de Jamie que face à l'homme de loi. Je suis éperdue de reconnaissance de le sentir vivant et en grande forme.

Les documents me paraissent anodins et sans importance pour l'avenir.

Comme nous approchons du 4 septembre, date de notre anniversaire de mariage, je trouve utile de revoir notre situation. Jamie est-il au fait de nos finances ? Je sais pertinemment qu'il ignore où je range les papiers concernant nos impôts, nos assurances ou les certificats de naissance de nos filles. Je dois lui en parler. Et le lui répéter chaque année pour le lui mettre peu à peu dans la tête. Notre anniversaire deviendra alors « le jour des paperasses » et les festivités feront passer la pilule.

Un soir, alors que Jamie dort à côté de moi, je finis de lire *L'Année de la pensée magique*, où Joan Didion raconte l'année qu'elle a passée après la mort de son mari. En refermant le livre, je suis transportée de reconnaissance par la présence de Jamie qui somnole paisiblement. Pourquoi me suis-je mise en colère quand il attendait que je change la couche d'Eleanor ? Pourquoi gémir quand il ne répond pas à mes e-mails ? Allez, relax !

J'ai l'impression d'avoir mal réagi à la lecture des récits dramatiques. Ai-je tort d'être réconfortée par le malheur d'autrui ? Suis-je une sorte de vampire qui se nourrit des angoisses des autres ? Pourtant, ce soulagement (temporaire) est une des réactions que ces écrivains ont cherché à susciter. Page après page, ils insistent sur l'importance de veiller à sa santé et d'apprécier le quotidien. (Autres thèmes : ne manquez pas les rendez-vous avec les médecins, surveillez votre corps, ayez une bonne assurance-maladie.)

Cela dit, je ne pense pas que ces récits me remonteraient le moral si j'étais sérieusement malade. Je ne pourrais même pas les lire ! Jamie, par exemple, refuse cette sorte de littérature. Il a passé trop d'heures douloureuses à l'hôpital pour avoir envie d'y retourner, même en pensée, même par procuration !

TENIR UN CARNET DE RECONNAISSANCE

Quelle chance j'ai de ne vivre aucun de ces horribles drames ! C'est la réflexion que je me fais après avoir lu tous ces ouvrages. D'ailleurs, de la même manière que nous comparons souvent notre sort à celui des autres ce dernier influe sur notre bonheur. Une étude a montré précisément que les gens étaient plus ou moins satisfaits de leur vie selon qu'ils devaient compléter des phrases comme : « Je suis heureux de ne pas… » plutôt que : « J'aimerais être… » Après les attentats du 11 septembre 2001, la plupart des Américains ont ressenti deux choses : d'abord de la pitié, puis la gratitude d'être toujours en vie.

La gratitude est un composant important du bonheur. Il est prouvé que les gens reconnaissants sont plus heureux ; ils se sentent en meilleure forme et font plus d'exercice.

La gratitude libère de la jalousie car qui est reconnaissant de ce qu'il a ne meurt pas d'envie d'obtenir autre chose ou plus. Du coup, il est plus facile de se contenter de ce qu'on a et de se montrer généreux.

La gratitude développe l'indulgence – il est difficile de se sentir déçu par quelqu'un qui vous inspire de la reconnaissance.

Mais en outre, la gratitude crée un lien avec la nature parce que la reconnaissance face à sa beauté est l'une des plus simples à éprouver.

Il me semble toutefois difficile d'éprouver de la gratitude pendant un long laps de temps – les choses me paraissent vite aller de soi, j'oublie ce que les gens font pour moi, j'attends toujours plus. Pour me corriger, je suis le conseil de nombreux psychologues et commence un carnet de remerciements. Chaque jour, je note trois choses dont je suis reconnaissante. En général au moment où je remplis mon « journal à une phrase ». (Ces tâches contribuent à mon bonheur mais m'occupent beaucoup.)

Au bout d'une semaine, je constate que je ne pense jamais à mentionner certains éléments à la base de ma bonne fortune. Par exemple, je trouve normal de vivre en démocratie ; normal de pouvoir compter sur l'amour de mes parents, leur soutien, leur bon sens ; normal d'aimer mon travail, d'avoir des filles en bonne santé, d'habiter tout près de mes beaux-parents (ce que certains trouveraient un inconvénient). J'adore vivre dans un appartement, et non dans une maison : pas de jardin à entretenir, pas de neige à déblayer, pas d'ordures à sortir. Je suis reconnaissante de ne plus avoir d'examens à préparer, de concours à passer. Je m'efforce de mieux apprécier les éléments fondamentaux de ma vie ainsi que les problèmes que je *n'ai pas*.

Ainsi, un jour, à midi, Jamie ne m'a toujours pas appelée pour me donner le résultat de sa visite chez son spécialiste du foie. N'y tenant plus, je lui téléphone :

— Qu'est-ce qu'il t'a dit ?

— Pas de changement, fait-il, la tête ailleurs.

— Comment ça, pas de changement ?

— Il n'y a rien de changé.

En général, je suis rassurée et je n'y prête pas beaucoup d'attention. Mais, ayant en tête les récits de drames intimes, je songe à quel point c'est un jour heureux. Rien de nouveau : *très très* bonne nouvelle ! Je marque cette journée d'une pierre blanche dans mon carnet. Je me souviens également d'être reconnaissante d'avoir échappé de justesse à des catastrophes : une chute sur une route glacée, la peur causée par Eliza quand elle a traversé une rue noire de voitures sans que j'aie eu le temps de la retenir.

Les lecteurs de mon blog m'envoient leurs impressions sur leur carnet :

J'ai commencé un journal il y a quelques mois, sous la forme d'un blog personnel. Je passe beaucoup de temps à écrire les choses qui me turlupinent, les occasions gâchées, mais je mentionne à peine ce dont je suis reconnaissant.

D'après mon expérience, un journal de reconnaissance est formidable, mais inutile de le faire par écrit. J'ai bien essayé mais au bout de quinze jours, j'ai trouvé ça artificiel. Désormais, lors de ma méditation du soir, je m'oblige à prendre conscience des choses dont je suis reconnaissant – ce qui intensifie mes émotions. Ne plus m'astreindre à écrire libère mon cœur. Je l'ai appris en Thaïlande, où les gens se rendent dans les temples pour des actions de grâces. Les premières fois où je les ai accompagnés, je leur ai demandé ce que je devais faire et ils m'ont répondu de prier avec mon cœur et de me montrer reconnaissant pour tout ce que celui-ci m'inspirait. J'ai senti la différence entre une reconnaissance factice et cette expérience vraie, pleine d'enrichissements.

J'ai traversé une période épouvantable où tout allait de travers. Je n'avais aucune confiance en moi. J'ai donc commencé un journal de reconnaissance où je notais ce par quoi je m'améliorais. Je m'étais reconnaissant de me forcer à tenir ce journal, même quand je n'en avais pas envie, d'avoir cessé de fumer deux ans plus tôt, d'avoir organisé une fête pour l'anniversaire de mon père. Je ne veux pas sembler prétentieux, mais ce journal m'a aidé à ne pas me laisser paralyser par la haine que j'avais de ma personne.

Après avoir tenu ce carnet pendant quinze jours, je m'aperçois qu'il cesse de m'apporter le moindre bonheur. Il a quelque chose de forcé et d'affecté. Au fond, au lieu de me mettre dans un état d'esprit joyeux, il m'agace. Plus tard, je tombe sur une étude qui conseille de le rédiger deux fois par semaine. Mais c'est trop tard. Mon carnet a perdu de son charme !

Que faire alors ? Chaque fois que j'allume mon ordinateur et tape mon code, je pense à quelque chose dont je suis reconnaissante. Cette méditation a le même effet que de tenir un carnet, mais je trouve ça agréable. (Parler de « méditation » en relation avec une activité confère à celle-ci une certaine qualité spirituelle. En attendant un bus, je songe donc à une « méditation du bus » et quand je fais la queue au supermarché, c'est de la « méditation de la file d'attente ».) Je me donne chaque jour plus de mal. Je m'en aperçois en couchant les filles. Je fais boire son verre de lait à Eleanor, la câline sur mes genoux et la berce jusqu'à ce qu'elle s'endorme. Quand Jamie a fini de lire Harry Potter à Eliza pendant une demi-heure, je m'étends auprès d'elle, la tiens serrée, sa tête sur mon épaule, et nous parlons pendant un quart d'heure.

Je fais plus attention aux changements de saison, à la couleur du ciel entre les immeubles, à la qualité de la lumière, aux fleurs dans les jardinières. Comme l'a écrit Samuel Johnson : « Il y a quelque chose de merveilleusement indéfinissable dans le renouveau annuel du monde et dans le spectacle des trésors de la nature. »

Parfois, j'essaie de compenser mon manque de reconnaissance en appliquant mon Troisième Commandement : « Fais comme si... » Puis-je transformer mes griefs en remerciements ? Quand je râle d'avoir à conduire Eleanor chez le pédiatre, je me dis : « Je suis reconnaissante d'avoir à conduire Eleanor chez le pédiatre. » Et, incroyable mais vrai, ça marche ! Je serais tellement déçue si quelqu'un d'autre l'emmenait. Une nuit d'insomnie, je suis éveillée à trois heures du matin, puis à quatre heures. Au lieu de me tourner et de me retourner dans mon lit, au lieu de pester, je me dis : « Je suis reconnaissante d'être éveillée à quatre heures du matin. » Je me lève, me prépare une tasse de thé, me rends dans mon bureau, sombre et tranquille. J'allume ma bougie parfumée à la fleur d'oranger et m'installe confortablement à ma table de travail. Je sais que j'ai deux heures de paix devant moi. Au lieu de commencer ma journée en songeant que je suis crevée et de mauvaise humeur, je suis heureuse d'avoir déjà accompli autant. *Voilà !* Au lieu de me plaindre, je suis reconnaissante.

Je passe énormément de temps à me forcer à être plus reconnaissante. Puis un dimanche, par un chaud après-midi où nous sommes à la piscine avec les parents de Jamie, Eliza m'annonce : « Tu sais à quoi je pense ? J'ai sept ans, je suis à la piscine, c'est l'été. Je porte un joli maillot et ma grand-mère me demande si j'ai envie de quelque chose à boire ou à manger. » Avec cette longue phrase, ma fille me fait comprendre que la vie est top.

— Je vois très bien ce que tu veux dire, je lui réponds.

PRENDRE MODÈLE SUR UN GUIDE SPIRITUEL

C'est la méthode universelle pour acquérir savoir et discipline. Les chrétiens, par exemple, étudient *l'Imitation de Jésus-Christ* du moine Thomas a Kempis et se posent la question : « Que ferait Jésus ? » Et je pense que dans le monde laïc, beaucoup cherchent dans les biographies des exemples spirituels, pour s'inspirer de la vie de grands hommes tels Winston Churchill, Abraham Lincoln ou du financier Warren Buffett. C'est d'ailleurs ce qui m'a poussée à écrire des biographies. Aujourd'hui, je décide d'étudier un nouveau maître spirituel et de prendre modèle sur lui – mais qui choisir ? Je demande aux lecteurs de mon blog quels maîtres ils ont suivis.

Vincent Van Gogh. Je sais, je sais, comment un homme qui s'est coupé l'oreille peut-il être un mentor spirituel ? (D'abord, il ne s'est pas vraiment coupé l'oreille...) Il suffit de lire ses lettres à son frère Théo pour constater combien Vincent était un être spirituel et vouloir s'inspirer de sa vie, de sa pensée, de ses idées, de sa philosophie, de sa persévérance, aussi bien dans son art que dans l'art de la transcendance, de la volonté et de la confiance en soi.

Charles Darwin. Un savant formidable qui a consacré sa vie à comprendre pourquoi le monde naturel est ce qu'il est. Il n'a pas enseigné mais démontré à force de recherches et de rude labeur. Il existe un grand nombre d'excellentes biographies qui relatent son enfance banale, son voyage sur le *Beagle* et sa détermination à devenir une autorité scientifique reconnue avant de publier ses thèses qui ont ébranlé le monde, thèses étayées par un nombre immense d'exemples. De plus, il semble avoir été un homme charmant. Quiconque a une vision aussi claire du monde mérite le respect.

Deux noms me viennent à l'esprit. Le docteur Andrew Weil, l'un des grands promoteurs de la médecine alternative, auteur de nombreux ouvrages sur le sujet. Il montre comment l'on peut se sentir mieux sur le plan physique, mental et spirituel et ses conseils me touchent directement. Natalie Goldberg l'auteur de *L'Écriture. Du premier jet au chef-d'œuvre.* Son approche zen de l'écriture peut s'appliquer à bien d'autres domaines, dit-elle. Pour moi, son idée centrale est de se pardonner ses fautes.

En fait, je dirais que le monde naturel est un professeur spirituel (je n'aime pas le terme de « maître »). La culture occidentale prétend que seul l'homme est capable d'enseigner la spiritualité. Mais pour les peuples indigènes, toute créature, tout élément naturel est un professeur. On peut apprendre énormément en écoutant et en observant le monde naturel.

Viktor Frankl, professeur de neurologie et de psychiatrie.

Je n'ai sans doute pas trouvé de maître spirituel, mais la poésie et la passion de saint Paul me captivent. Mon mari, lui, est inspiré par la vie de George Orwell.

Le dalaï-lama. Il me suffit de voir sa photo pour que cela me rende heureux. Sans pour autant songer à l'imiter. Il nourrit ma pensée.

Je veux en apprendre plus sur la vie fascinante de celui que j'ai choisi. C'est l'un de nos Pères fondateurs, Benjamin Franklin. Je viens de lire ce que Wikipédia dit de lui : « Esprit universel, écrivain et imprimeur, auteur satirique, théoricien politique, politicien, il était aussi un savant, un inventeur, un militant des droits de l'homme, un homme d'État et un diplomate. » Comment pouvait-il mener toutes ces activités de front ? Il faut que je fasse des recherches.

Le lama Norlha Rinpoche (www.kagyu.com si vous voulez en savoir plus à son sujet. Un bouddhiste tibétain, comme le dalaï-lama). Il m'enseigne la méditation depuis vingt-cinq ans sans se poser en maître. Pourtant, il est une source réelle d'inspiration. On dirait qu'il tente de me libérer de moi-même d'une façon très positive.

Ça peut paraître bizarre mais j'adhère aux idées de Dan Savage (le journaliste spécialiste des relations sexuelles). Il n'est pas un guide spirituel mais est très à cheval sur l'éthique. Bien que facilement grossier, il plaide pour l'honnêteté, l'amour, le respect. Il est facile à citer : « C'est une relation, pas un témoignage. » Comme vous le dites, on ne choisit pas toujours ce qu'on aime et... je n'aurais sans doute pas choisi de placer Dan Savage à ce niveau, mais c'est vraiment ce que j'éprouve à son sujet.

J'ai immédiatement songé à Henry David Thoreau. Et à la nature. Cette citation de saint Bernard exprime bien ma pensée : « Vous trouverez plus d'enseignements dans la forêt que dans les livres. Les arbres et les pierres vous apprendront ce que nul maître ne pourra vous enseigner. » Il faudrait que j'étudie saint Bernard...

Herman Hesse. J'aurais dû penser à lui en tant que guide spirituel car je possède tous ses livres, mémoires, poèmes. Cette citation pourrait vous intéresser : « Le bonheur n'est pas un quoi mais un comment. Un talent n'est pas un objet. »

Mère Teresa et la féministe Gloria Steinem !

Saint François d'Assise m'a appris à accepter des choses qui me semblaient hostiles. Au lieu de haïr, je suis capable de renverser une situation. Par exemple, au lieu de détester les moustiques, je me rappelle qu'ils nourrissent les oiseaux et ont leur utilité. Je ne les aime toujours pas, mais je ne les hais plus. Il y a beaucoup de choses qui me plaisent chez saint François et j'essaie de l'imiter.

Entre autres choses, je travaille avec des gens qui recherchent le bonheur. Cependant, au lieu de les encourager à prendre modèle sur un guide spirituel par exemple, je leur demande de songer à plusieurs individus de leur sexe qu'ils admirent. Il peut s'agir de personnalités historiques, d'écrivains, d'acteurs ou de gens qu'ils connaissent personnellement, un homme politique, un mentor, un membre de leur famille, une célébrité. L'important c'est qu'ils admirent ces deux ou trois personnes.

Une fois qu'ils ont fait leur choix, je veux qu'ils précisent les caractéristiques qu'ils trouvent le plus attachantes (en dehors du physique, par pitié !).

Puis je leur dis (ceci est très inspiré par Jung) que ce qu'ils admirent chez ces personnes (en général elles ont en commun les mêmes traits) existe au fond d'eux-mêmes au stade embryonnaire et qu'ils doivent le développer.

Cette présence embryonnaire explique leur admiration. Une fois qu'ils auront commencé à cultiver ces caractéristiques, ils passeront à d'autres qualités chez d'autres personnes afin de se libérer et d'atteindre à un plus grand bonheur.

Reconnaître ce qu'on admire chez les autres reflète parfaitement ce qui est ancré au plus profond de soi-même et pas encore développé.

Ces suggestions m'intriguent, les livres sur le sujet s'accumulent, mais je n'ai pas encore trouvé mon modèle quand je tombe sur sainte Thérèse de Lisieux. Elle m'a déjà intéressée quand j'ai lu que Thomas Merton faisait son éloge dans *La Nuit privée d'étoiles*. Surprise que ce moine grincheux parle avec autant de respect de celle qu'il nomme « Petite Fleur », je me plonge dans ses mémoires spirituels, *Histoire d'une âme*. Ce livre me fascine tellement que je deviens à mon insu quasiment obsédée par sainte Thérèse. J'achète ses livres, relis plusieurs fois *Histoire d'une âme*.

Un jour, tandis que j'essaie de glisser dans ma bibliothèque la dernière biographie acquise, entre *Le Visage caché de sainte Thérèse* et *Deux Portraits de sainte Thérèse*, Jamie me demande, ébahi :

— Combien d'ouvrages sur cette sainte vas-tu encore acheter ?

La vie d'une sainte laisse Jamie totalement froid !

Surprise néanmoins par sa question, je compte les ouvrages – biographies, récits, analyses – et j'arrive à dix-sept ! Que j'ai tous lus ! Je possède également une vidéo et un livre de photos que j'ai payé 75 dollars d'occasion (« S'offrir une petite folie »). La lumière se fait. *J'ai trouvé* mon guide spirituel. C'est sainte Thérèse. Mais qu'est-ce qui m'attire chez cette sainte morte à vingt-quatre ans après avoir passé neuf années cloîtrée avec vingt autres nonnes et connue pour sa « Petite Voie » ?

Après avoir réfléchi cinq secondes, la réponse est évidente.

J'ai entrepris mon Opération Bonheur pour tester ma théorie selon laquelle je pourrais être plus heureuse en n'apportant que de petits changements dans ma vie quotidienne. Je ne voulais pas bouleverser le cours naturel de mon existence en allant vivre dans l'Antarctique ou en prenant une année sabbatique loin de mon mari. Je ne me passerais pas de papier-toilette ou de shopping et je ne commencerais pas à me droguer. J'avais déjà changé de métier. Je désirais changer de vie sans en changer fondamentalement, trouver le bonheur sur le pas de ma porte.

Chacun voit son bonheur où il veut. Certains aspirent à un changement radical. Tant mieux pour eux, mais ce n'est pas mon genre. Mon chemin vers le bonheur se ferait par petites étapes, dans l'esprit même de sainte Thérèse.

Elle est née Thérèse Martin, à Alençon, en 1873. Avant leur mariage, son père voulait devenir moine et sa mère nonne, mais ils furent rejetés par diverses congrégations. Ses cinq sœurs sont devenues religieuses et Thérèse a été sanctifiée. À quinze ans, elle tente d'entrer chez les carmélites de Lisieux (où deux de ses sœurs sont déjà) mais l'évêque s'y oppose, en raison de son jeune âge. Elle se rend à Rome pour plaider sa cause auprès de Léon XIII, mais le pape confirme la décision de l'évêque. Puis ce dernier change d'avis. Quand Thérèse entre au couvent, la mère supérieure est sa sœur Pauline. Celle-ci lui demande d'écrire l'histoire de son enfance, laquelle sera à la base de l'*Histoire d'une âme*. En 1897, Thérèse meurt de la tuberculose dans d'affreuses souffrances.

Durant sa vie, personne en dehors de sa famille ou de son couvent n'entend parler d'elle. Après sa mort, une version abrégée de son récit est envoyée aux différents couvents de carmélites et aux officiels de l'Église. À l'origine, on en imprime deux mille exemplaires. Mais le succès de cette « Histoire printanière d'une petite fleur blanche » se répand à une vitesse extraordinaire. Deux ans après sa mort, sa tombe est placée sous bonne garde pour empêcher les pèlerins d'en arracher des reliques. (Il est difficile de comprendre comment un si bref et modeste récit de son enfance peut posséder un tel pouvoir spirituel – mais je peux en témoigner.)

Sa canonisation est accélérée et, vingt-huit ans après sa mort, Thérèse devient sainte Thérèse. En 1997, pour le centenaire de sa disparition, le pape Jean-Paul II la fait docteur de l'Église l'introduisant dans une élite de trente-trois saints dont saint Augustin et saint Thomas d'Aquin.

Je suis fascinée par le fait que Thérèse de Lisieux soit parvenue à la sainteté en accomplissant de petits actes ordinaires. C'était sa « Petite Voie », un exemple où la sainteté vient aux âmes simples, au lieu d'être le fait de grands personnages effectuant de grandes actions. « L'amour se prouve par des actes, alors comment vais-je montrer mon amour ? Les grandes actions me sont interdites. La seule façon de prouver mon amour… c'est par de petits sacrifices, par chaque mot et chaque regard, par l'accomplissement des moindres actes d'amour. »

Il n'y a rien d'extraordinaire dans la vie de Thérèse de Lisieux ou dans sa mort. Elle a vécu une existence obscure, sortant rarement de son couvent et, bien qu'elle soit née un an avant Churchill (quand elle meurt dans l'infirmerie de son couvent, il est en train de se battre aux Indes), elle semble appartenir à un passé vague et lointain. Elle ne venait pas d'une famille désunie ou misérable ; elle avait des parents aimants et a reçu une éducation convenable dans un environnement confortable. Bien qu'elle ait confié dans *Histoire d'une âme* : « Je veux être un guerrier, un prêtre, un apôtre, un docteur de l'Église, un martyr… j'aimerais mourir sur les champs de bataille pour la défense de l'Église », elle n'a pas accompli de coups d'éclat ni entrepris des projets audacieux. À vrai dire, en dehors de son voyage à Rome pour remettre une pétition au pape, elle est restée toute sa vie près de son village natal. Elle voulait souffrir et verser son sang pour Jésus, ce qu'elle a fait, mais discrètement, sans périr dans un duel glorieux ou brûlée sur le bûcher, mais en pitoyable victime de la tuberculose.

Lors de sa canonisation, Pie XI a déclaré que Thérèse s'était parée d'une vertu héroïque « sans aller au-delà de l'ordre ordinaire des choses ».

Sans pouvoir aspirer à la sainteté de Thérèse, je peux suivre son exemple en visant la perfection dans l'ordre commun de mon quotidien. Nous nous attendons à ce que les vertus héroïques soient éclatantes – aller vivre en Ouganda pour aider les victimes du sida ou s'occuper des sans-abri. La vie de Thérèse montre qu'une existence ordinaire elle aussi offre bien des occasions de gestes vertueux, quoique relativement confidentiels.

Voici l'un de mes exemples préférés : Thérèse détestait une certaine Teresa de Saint-Augustin, une des nonnes du couvent qu'elle décrivait ainsi sans pourtant la nommer : « Une sœur qui a la faculté de me contrarier en actes, en paroles et par son caractère. » Mais au lieu de l'éviter, Thérèse recherchait sa compagnie le plus possible et la traitait « comme si je l'aimais de tout mon cœur ». Résultat ? Un jour cette sœur a demandé à Thérèse : « Qu'est-ce qui vous attire tant chez moi ? Chaque fois que vous me voyez, vous souriez. »

Quand Teresa a témoigné lors du procès en béatification de Thérèse, elle a déclaré d'un air suffisant : « Quant à moi, je peux dire au moins ceci : pendant sa vie, je l'ai rendue heureuse. » Teresa n'a appris qu'elle était la sœur détestable mentionnée dans l'*Histoire d'une âme* que trente ans plus tard quand l'aumônier, exaspéré, lui a révélé la vérité. C'est un modeste exemple, mais quiconque a subi les foudres d'un collègue geignard, d'un colocataire imbu de lui-même ou de beaux-parents envahissants peut apprécier la sainteté d'une telle conduite.

Pendant mes recherches sur le bonheur, un des passages de *Histoire d'une âme* qui m'ont le plus marquée est la remarque suivante : « Pour l'amour de Dieu et de mes sœurs (si charitables envers moi), je prends soin de paraître heureuse et de *l'être véritablement*. » Thérèse y a si bien réussi et son rire résonnait si facilement que la plupart des autres religieuses n'ont pas soupçonné sa force d'âme. L'une d'elles a noté : « Sœur Thérèse n'a pas de mérite à être vertueuse, cela lui vient naturellement. » À la fin de la vie de Thérèse, une autre sœur a observé qu'elle faisait tellement rire les gens qui venaient la voir à l'infirmerie « que je pense qu'elle rira en mourant, tellement elle est heureuse ». Alors qu'elle souffrait de douleurs atroces et de tourments spirituels secrets.

Les bouddhistes parlent d'émotions « habiles » ou « malhabiles », ce qui renvoie aux notions d'effort et de compétence. Quand une personne paraît heureuse dans ses actes, on en déduit qu'elle se sent heureuse et agit spontanément. Pourtant cela lui demande souvent beaucoup d'efforts.

Je cherche à imiter sainte Thérèse en faisant mine d'être heureuse quand je sais que mon attitude sera contagieuse. Sans simuler ma joie, je peux m'efforcer d'être moins critique. Trouver des façons de paraître plus enthousiaste – pour des plats que je n'aime pas, pour des activités qui ne me tentent pas beaucoup, pour des films, des livres, des pièces de théâtre qui ne m'emballent guère. Et sortir un petit compliment.

Je dois également manifester mon contentement. Pas facile quand on est comme moi une perfectionniste angoissée, rarement satisfaite, plutôt du genre à me plaindre. Par exemple, lorsque ma biographie de Kennedy a été publiée, plusieurs membres de ma famille m'ont posé des questions qui auraient dû susciter des réponses enthousiastes du genre : « Je suis absolument ravie ! Quel bonheur que mon livre soit dans les librairies ! C'est formidable ! Je suis si heureuse ! » Hélas, je l'ai compris trop tard. En y repensant, je me rends compte que la réaction généreuse aurait été d'étaler ma joie, non pour moi mais *pour eux*. Je sais combien je suis heureuse quand l'un d'eux est heureux. Combien j'ai été heureuse d'entendre Eliza dire à ma mère, alors qu'elles préparaient ensemble un succulent goûter : « Bunny, c'est *si bien* ! » et ma mère lui répondre : « Oui, *tu as raison* ! »

Comme souvent en ce moment, c'est seulement quand je me promets de cesser de tout critiquer que je m'aperçois de ma nature critique. Mais par amour pour mes proches et mes amis, si aimants à mon égard, je cherche à rectifier le tir.

Un modèle plus proche de moi que sainte Thérèse est mon père. Surnommé « Jack Tout-Sourire » par les amis de ma sœur, un de ses traits les plus attachants est sa manière d'être gai et enthousiaste, ce qui influe formidablement sur l'humeur de son entourage.

Il y a peu de temps, alors que nous rendions visite à mes parents à Kansas City, mon père est rentré du bureau et ma mère lui a annoncé :

— Ce soir, on mange des pizzas !

— Épatant ! Tu veux que j'aille les acheter ?

Je connais suffisamment mon père pour savoir qu'il aurait répondu de la même façon s'il n'avait pas voulu de pizza pour dîner ni eu envie de ressortir pour en chercher. Ce genre d'enthousiasme permanent semble facile, mais quand j'ai commencé à vouloir l'imiter, je me suis rendu compte que c'était un sacré boulot. *Facile d'être sinistre ; difficile d'être gai.*

En fait, c'est un défi que d'*être* réellement heureux. De plus, et il m'a fallu longtemps pour accepter cette vérité pour la moins pernicieuse, des tas de gens ne veulent pas être heureux, ou du moins le paraître. (Et donc, s'ils ne font pas mine d'être heureux, ils ne le seront pas.) Je n'inclus pas les dépressifs dans cette catégorie. La dépression est une maladie grave qui ne concerne pas notre sujet bonheur/malheur. Qu'elle réponde à une situation particulière, à la perte d'un emploi ou d'un époux ou à un déséquilibre des neurones, la dépression est un mal terrible en soi. Mais bon nombre de non-dépressifs ne sont pas heureux et ne souhaitent pas l'être.

Pourquoi?

Les raisons sont multiples.

Pour certains, le bonheur n'est pas un but valable. Banal, typiquement américain, ce serait le résultat de trop d'argent et de trop de télévision. Pour eux, c'est le signe d'un manque de valeurs. Alors que le malheur serait la preuve de leur profondeur d'âme.

Pendant un dîner mon voisin de table me sort :

— Maintenant les gens ne se fixent plus aucune limite, ils veulent se gorger de tout. Ils pensent que ça fait partie de la Déclaration d'indépendance et que le bonheur est un *droit*. Ça n'a rien à voir.

Je lui rétorque :

— Maintenant que notre pays a atteint un certain degré de prospérité, les gens visent plus haut. N'est-ce pas admirable que les gens veuillent être heureux ? Si le bonheur n'est pas un but, qu'est-ce qui l'est ?

— Se dépenser au nom de la justice sociale, la paix, l'environnement est plus important que le bonheur.

Je me permets une objection :

— Si vous jugez utile d'aider les autres, de travailler pour eux – et ça l'est ! –, quel est votre but ? Pourquoi se préoccuper d'enfants misérables ou atteints de malaria en Afrique si, au bout du compte, vous ne voulez pas qu'ils soient en bonne santé, en sécurité, à l'aise – et donc heureux ? Si leur bonheur vous concerne, pourquoi pas le vôtre ? De toute façon, des études ont démontré que plus les gens sont heureux, plus ils aident autrui. Les questions sociales les intéressent plus. Ils sont souvent bénévoles et donnent généreusement. Et en corollaire, leurs problèmes personnels les préoccupent moins.

Il éclate d'un rire moqueur. Les principes de mon Opération Bonheur me dictent de changer de sujet plutôt que de chercher la bagarre. Néanmoins, ce type a soulevé un sacré lièvre. À savoir : il ne serait pas juste d'être heureux quand il y a autant de souffrances de par le monde.

Refuser d'être heureux car quelqu'un d'autre est malheureux, c'est comme jeter la nourriture de son assiette parce que des bébés meurent de faim en Inde. Votre malheur ne rend personne plus heureux. En fait, c'est le contraire qui se produit, étant donné que plus les gens sont heureux, plus ils sont généreux. Nous voici dans le cercle de la Deuxième Vérité Éclatante :

Une des meilleures façons d'être heureux *soi-même* est de rendre *les autres* heureux.
Une des meilleures façons de rendre *les autres* heureux et d'être heureux *soi-même*.

Certaines personnes associent bonheur et manque de rigueur intellectuelle, comme cet homme qui dit à Samuel Johnson : « Vous êtes un philosophe. À une époque, moi aussi j'ai essayé d'être philosophe, mais, je ne sais pas pourquoi, de la gaieté s'y mêlait. » Créativité, authenticité, discernement, affirment certaines personnes, ne sont pas compatibles avec l'autosatisfaction bourgeoise du bonheur. Bien que les personnages sombres et pessimistes puissent *avoir l'air* plus intelligents, les études montrent que bonheur et intelligence n'ont aucun lien.

Bien sûr, c'est *à la mode* de ne pas être trop heureux. Être heureux, naïf, facilement content peut vous faire passer pour un niais. Entrain et enthousiasme brûlent de l'énergie, demandent une certaine humilité, une forme d'engagement ; se montrer ironique, critique, blasé est moins prenant. Paraître détaché du monde et narquois évite certaines moqueries si vous aimez le fast-food, les clubs chics, les 4 × 4 dévoreurs d'essence, la téléréalité. J'ai rencontré une femme qui n'arrêtait pas de se moquer des célébrités et des amateurs de potins, mais ses remarques désobligeantes montraient qu'elle suivait les uns et les autres à la loupe. J'ai dû tourner sept fois ma langue dans ma bouche pour ne pas citer ce que Samuel Johnson pensait de l'écrivain britannique Alexander Pope : « Son mépris pour les grands de ce monde est trop répété pour être vrai ; personne ne pense autant aux gens qu'il méprise. » Ses commentaires railleurs lui servaient à masquer son goût pour les ragots concernant les célébrités de son temps.

Certaines personnes cultivent le malheur pour avoir prise sur les autres. Elles s'y accrochent car sans lui, elles renonceraient aux avantages qu'il procure : la pitié et la considération. Je sais que j'en joue pour me rendre intéressante. Exemple, si Jamie me demande de l'accompagner à un dîner d'affaires et que je lui réponds en toute franchise : « Ce dîner me *barbe* prodigieusement, mais j'irai si tu insistes », il appréciera beaucoup plus mon geste que si je lui dis : « Mais oui, mon chéri, avec le plus grand plaisir. » Si je ne gagnais pas un peu, si je ne montrais pas ma contrariété, il ne s'apercevrait de rien et je ne gagnerais pas de bons points.

Parfois, les gens font durer leur malheur pendant des années. Une de mes amies me raconte :

— Ma mère n'arrêtait pas de nous rappeler qu'elle avait interrompu ses études supérieures pour rester à la maison avec mon frère et moi. Un sacrifice qu'elle n'avait jamais digéré. Elle était frustrée et de mauvaise humeur. Elle utilisait son malheur pour manipuler ses enfants et son mari. Évidemment, nous nous sentions coupables.

Dire que le malheur est désintéressé et le bonheur égoïste erroné, voilà qui est faux, archifaux ! Paraître heureux demande des efforts. Il faut de l'énergie, de la générosité, de la discipline pour sembler toujours gai, alors que pour l'entourage le bonheur vient naturellement à une personne heureuse. Personne ne s'occupe des sentiments de l'individu ni ne tente de le réconforter. Il semble se suffire à lui-même et devient un pilier pour les autres. Et, comme son bonheur semble couler de source, on ne lui attribue aucun mérite. C'est arrivé à sainte Thérèse : les religieuses qui l'entouraient ne prêtaient pas attention aux immenses efforts qu'elle faisait. Je connais quelques rares personnes – dont mon père – qui ont toujours le sourire aux lèvres. À présent, j'aimerais bien savoir si ça ne leur demande aucun effort !

Les gens qui ont une frousse intense de tenter le sort répugnent à afficher qu'ils sont heureux. C'est un réflexe universel que j'ai vu dans la plupart des cultures – la peur de s'attirer les foudres cosmiques en montrant sa bonne fortune. Cette peur me hante d'ailleurs pendant que je travaille à mon Opération Bonheur. Étaler mon bonheur m'exposera-t-il à des représailles ?

Autre superstition dans le même ordre d'idées : à force de s'attendre à des ennuis ou à des drames, ils risquent de vous tomber dessus. Craintes et angoisses peuvent avoir du bon car elles vous obligent à être prudent en vous faisant penser aux conséquences désagréables de vos actes. Comme porter une ceinture de sécurité en voiture ou faire de l'exercice pour ne pas grossir. Ce qui n'empêche pas des tas de gens d'être malheureux en songeant au pire – lequel les positionne d'emblée en victimes. Ainsi, à un certain niveau, je culpabilise de ne pas me faire plus de souci pour l'hépatite C de Jamie. Bien sûr, je me tiens informée des recherches en cours, j'accompagne mon mari lors de ses nombreuses consultations, j'ai appris des tas de choses sur sa maladie. Mais comme elle n'a pas d'influence directe sur nos vies, je n'y pense pas beaucoup et mon détachement peut sembler... irresponsable. Ne devrais-je pas être plus concernée ? Mais me ronger les sangs ne changerait rien à la réalité. Au contraire, cela nous rendrait, Jamie et moi, deux fois plus *malheureux*. (Certaines personnes vont même jusqu'à croire que le cancer peut être causé par le malheur. Ce qui n'a rien de nouveau. Pendant la Grande Peste de 1665, les gens croyaient qu'en restant gais, ils repousseraient la maladie.)

Il existe une autre catégorie : les gens qui sont malheureux parce qu'ils ne veulent pas faire l'effort d'être heureux. Le bonheur demande de l'énergie et de la discipline. Ceux qui sont enfermés dans le malheur sont pitoyables : ils sont piégés, sans avoir la possibilité de choisir ce qu'ils ressentent. Bien que leur malheur affecte leur entourage – la contagion émotionnelle se propage plus facilement dans le malheur que dans le bonheur –, ils souffrent également.

Philosophes, scientifiques, saints et charlatans donnent des recettes pour être heureux mais cela n'a aucune incidence sur la personne qui a décidé d'être malheureuse. Si l'on ne croit pas être heureux, on ne l'est pas. D'après le poète latin Publius Syrus, « Celui qui ne se croit pas heureux n'est pas heureux. » Si l'on pense qu'on est heureux, on l'est. Ce qui a fait dire à sainte Thérèse : « Je veille à paraître heureuse et surtout à l'être. »

Parmi mes résolutions du mois, une chose me trotte dans la tête : comment avoir le courage d'affronter une mauvaise nouvelle – qui arrivera inévitablement.

Elle arrive à la fin du mois.

Ma mère me téléphone et me demande :

— Tu as parlé à Elizabeth ?

— Non, pas depuis huit jours. Pourquoi ?

— Elle a du diabète.

— Du *diabète* ?

— Oui, les médecins croient que c'est du type 2, mais ils n'en sont pas sûrs. Ils l'ont diagnostiqué juste à temps, son taux de sucre était terriblement élevé.

— Comment est-ce qu'elle s'en est rendu compte ? Comment est-ce arrivé ? Et maintenant ?

Je passe en revue dans ma tête tout ce que je sais du diabète : l'influence du régime et du comportement sur le type 2 ; les souvenirs du lycée où je regardais une amie se faire une piqûre d'insuline dans le ventre. Ma mère me dit ce qu'elle sait. Puis j'appelle ma sœur pour entendre la même histoire.

Au cours des semaines suivantes, les nouvelles évoluent. D'abord, les médecins ont pensé qu'Elizabeth avait le type 2, malgré son profil différent de la moyenne – jeune, mince, en forme. Un diagnostic terrible, étayé par deux facteurs. D'abord elle était fatiguée, ensuite elle avait récupéré des forces en contrôlant son taux de sucre. Nous avons été soulagés d'apprendre qu'elle n'avait pas le type 1, qui nécessite une dose quotidienne d'insuline et que les régimes et l'exercice n'améliorent pas. Mais, finalement, on a appris que, hélas, elle souffrait du type 1.

Quand on est confronté à une grave épreuve, un processus psychologique se met en place qui aide à dégager les aspects positifs de la situation. Je commence ainsi à chercher les possibilités d'« évolution post-traumatique ». L'écho de bonnes résolutions résonnant dans mes oreilles, j'essaie de mettre la situation en perspective et d'avoir un point de vue positif. Je dis à Elizabeth :

— Quelle chance tu as eue d'être diagnostiquée à temps ! Tu vas bien manger et faire de la gym régulièrement. Quand ton diabète sera sous contrôle, tu t'y habitueras et tu t'en sortiras sans problème.

Elizabeth choisit de penser qu'elle l'a échappé belle :

— Oui, je pourrais avoir un tas d'autres trucs bien plus graves. Le diabète se soigne assez bien.

Ce qu'elle ne dit pas, et ce que je ne dis pas, c'est qu'elle pourrait ne souffrir de *rien du tout*.

Quelques années après la fin de nos études, ma plus proche amie de fac avait été gravement blessée dans un accident de voiture. J'avais pris l'avion pour Hawaii afin de la voir. Elle avait une attelle vissée sur le crâne. Je lui avais demandé :

« Tu penses que tu as de la chance d'être en vie ?

— À dire vrai, j'aurais préféré ne pas avoir ce foutu accident ! »

Difficile de se concentrer en permanence sur le positif. Mais je crois que mes résolutions m'aident à affronter cette mauvaise nouvelle concernant la santé de ma sœur. Et si cela était tombé sur moi ? je pense qu'elles m'aideraient encore plus. Une épitaphe bien connue du XVIIIe siècle affirme :

Amis, vous qui par ici passez,
Comme vous êtes maintenant, je l'ai été.
Comme je suis maintenant, vous le serez.
À me suivre, préparez-vous.

Parfait pour l'Opération Bonheur, non ? C'est *maintenant* que je dois conserver mes bonnes résolutions présentes à l'esprit. Parce qu'un jour le téléphone sonnera sûrement de nouveau.

9

Septembre : s'adonner à une passion

Les livres

- Écrire un roman
- Organiser son temps
- Ne pas s'occuper des résultats
- Maîtriser une nouvelle technologie

En rentrant de vacances, je retrouve avec bonheur ma bibliothèque municipale. Située à quelques pas de la maison, elle tient de la perfection : bâtiment superbe, accès Internet, grand choix de livres pour enfants, vaste pièce tranquille où je peux écrire – incroyable ce que c'est calme ! Je me souviens encore des regards hostiles quand, un matin, j'ai oublié d'éteindre la sonnerie de mon portable. Cette bibliothèque est comme ma seconde maison. Normal : j'y viens plusieurs fois par semaine depuis sept ans. Ma brève absence me montre combien je l'aime (ce qui confirme les conseils des spécialistes qui préconisent des moments de privation pour aiguiser le plaisir).

Vu ma joie de retourner à la bibliothèque – et septembre marquant le début l'année scolaire –, j'en déduis logiquement que ce mois sera consacré aux livres. Ma résolution principale étant « s'adonner à une passion », je vais bien sûr me vouer à tout ce qui concerne les livres. J'adore lire et écrire, pour mon plaisir mais aussi pour mon travail, quitte à ne plus avoir de temps pour autre chose.

Il y a longtemps, l'auteure Dorothea Brande a averti les écrivains qu'ils passaient trop d'heures avec les mots, c'est-à-dire à lire, parler, regarder la télévision, aller au cinéma et au théâtre. Elle leur a donc suggéré de recharger leurs batteries en délaissant les activités liées au langage pour écouter de la musique, visiter des expositions, faire des réussites ou se promener seul. J'ai apprécié ces conseils et je les ai mis en pratique – parfois. Mais au cours de la préparation de ce livre, alors que je fouille dans une librairie, une évidence s'impose : pour le meilleur ou le pire, j'aime lire, écrire, produire des livres, et, pour être honnête, au détriment de toute autre activité.

L'autre jour, une amie, mère de trois enfants, me confie :

— Pendant les week-ends, j'aime consacrer une journée aux jeux extérieurs, au moins deux heures le matin et autant l'après-midi.

— Moi, pendant les week-ends, j'aime que nous restions une matinée entière à lire en pyjama.

Mais cela me pose un problème : je n'ai pas la conscience tranquille. Pourquoi ? En quoi son choix serait-il supérieur au mien ? Pourquoi me sentir coupable de rester au lit à lire ? Parce que ça ne me demande aucun effort ? Je *regrette* de ne pas être différente, de ne pas avoir un champ d'intérêt plus vaste. Mais je suis comme ça. Cependant, le moment est venu de prendre plus au sérieux mes lectures et mes travaux d'écriture. C'est bien plus amusant que de jouer dehors. (Évidemment, tant qu'Eleanor est petite, les matinées au lit ne sont que chimères. Mais ça reviendra.)

Avant de « m'adonner à une passion », je devais la choisir. C'est fait. Il me faut maintenant l'inclure dans mon emploi du temps quotidien et cesser de la mesurer en termes d'hypothétique efficacité. Je désire également apprendre à maîtriser les nouvelles technologies qui facilitent l'élaboration des livres.

Tout le monde ne partage pas ma passion. Il y en a d'autres, comme le football universitaire, le théâtre amateur, la politique, les brocantes. Quelle que soit la vôtre, sachez que pour en tirer le maximum de plaisir, il vous faut la traiter comme une priorité, et non comme une sorte de superflu à caser quand vous avez un creux.

Mon blog m'apprend que certaines personnes sont incapables de répondre à la simple question : « Quelle est votre passion ? » Elle leur semble si vaste qu'elle les paralyse. La solution ? « Faites ce que vous aimez ! » Ce que vous aimiez faire quand vous aviez dix ans, ce que vous faites dans un moment libre est un précieux indicateur d'une passion sous-jacente. (Un de mes lecteurs m'indique une voie encore plus directe : « Mon professeur de physique m'a demandé un jour à quoi je songeais quand j'étais sur le trône, car ce que tu désires est alors le sujet de tes pensées. ») « Faites ce que vous aimez » vous amènera à examiner vos comportements plutôt que vos idées préconçues et sera un guide plus clair pour choisir parmi vos préférences.

ÉCRIRE UN ROMAN

Mon projet le plus ambitieux pour septembre est d'écrire un roman. En trente jours. Je n'ai jamais songé à participer à un marathon ou à escalader une montagne, mais l'idée de boucler un roman en un mois m'excite follement. Je veux voir si j'y arrive.

Une vague copine rencontrée dans la rue me confie qu'elle peut écrire un roman en un mois. Je suis sidérée :

— Sans blague ! Comment fais-tu ?

— J'ai acheté le livre de Chris Baty, *No Plot ? No Problem !* Tu commences sans aucune préparation, tu ne te corriges pas toi-même, tu écris entre cinq et six feuillets de 1 500 signes par jour et tu as terminé tes cent cinquante pages en un mois.

— Cent cinquante pages ? C'est assez long pour un vrai roman ?

— *L'Attrape-cœur* et *Gatsby le Magnifique* ne sont pas plus gros.

— Vraiment ! Écoute, je vais peut-être essayer.

— Chris Baty a également créé le Mois national de l'écriture de roman qui a lieu en novembre. Des tas de gens y participent.

— Bon, puisque Barnes & Noble est au coin de la rue, je vais immédiatement acheter son livre. Et puis j'y réfléchirai.

Livre en main, l'intrigue me vient : deux habitants de Manhattan ont une liaison.

Ayant lu Laurie Colwin, Roxana Robinson et autres romancières spécialistes des problèmes de couples dans la quarantaine, je veux décrire les heurs et malheurs de gens mariés qui ont une liaison. Ce serait amusant, je me dis, de penser à l'organisation matérielle que cela demande entre gens du même cercle, le tout dans le plus grand secret. Et j'aime l'idée d'écrire sur New York.

Le 1er septembre, je tape le titre, *BONHEUR*, et compose ma première phrase : « En y repensant, Emily se rendit compte qu'elle savait précisément quand sa liaison avec Michael Harmon avait débuté : vers huit heures du soir, le 18 septembre, lors d'un cocktail chez

Lisa et Andrew Kessel. » Dans la foulée, je noircis mes cinq feuillets.

Écrire un roman demande beaucoup de travail, mais j'ai moins de mal que je ne le pensais à trouver le temps pour l'inclure dans mes journées. Bien sûr, c'est plus facile pour moi qui suis écrivain professionnel, mais quand même. Je m'oblige à gratter quelques minutes par-ci, par-là, en lisant moins de journaux et de magazines, en invitant moins d'amies pour le café, en lisant moins de livres pour mon plaisir, en cessant de flâner. J'économise même sur mes blogs.

Après dix jours, surgit un problème : j'ai fini de raconter mon histoire mais il ne s'y passe pas grand-chose ! Jusqu'à maintenant mes personnages, Emily et Michael, déjeunent ensemble, couchent ensemble, arrêtent de coucher ensemble et je n'en suis qu'à la moitié ! Comme, d'après Baty, je ne dois pas me soucier du scénario, je continue. Et je continue. Chaque jour, d'une façon ou d'une autre, je ponds mon nombre minimum de feuillets. Jusqu'au 30 septembre, où je tape la dernière phrase : « Elle irait faire ses courses dans une autre supérette. FIN. »

Je compte les pages : j'ai rempli mon contrat. J'ai terminé un opus suffisamment long pour être un vrai livre, aussi épais en tout cas que certains de mes romans favoris, dont *La Sagesse dans le sang*, de Flannery O'Connor.

Cette énorme somme de travail venant s'ajouter à mes activités quotidiennes me rend-elle heureuse ? Absolument. Certes, la rédaction de *Bonheur* m'a pompé du temps et de l'énergie mais elle m'apporte aussi beaucoup de joie. Mener à bien un projet aussi ambitieux en un mois m'a aidée dans ma phase de progression. Quel plaisir de voir ce que je peux accomplir si je m'en donne la peine. Et comme je suis à la recherche d'anecdotes afin d'alimenter mon texte, le monde extérieur vient à moi. Un après-midi, en rentrant de la bibliothèque, j'aperçois un attroupement devant chez Frank E. Campbell, la célèbre entreprise de pompes funèbres. Mon réflexe est immédiat : voilà une scène qui ferait bien dans mon roman !

Cependant, la source principale de ma satisfaction provient du plaisir que j'ai eu à exprimer des idées compliquées, idées qui généralement font l'objet de livres de plus de cinq cents pages. Je me souviens de l'instant précis où le thème m'est venu. J'assistais à un dîner avec quelques couples qui habitent le quartier. Deux de mes amis discutaient ferme, sans doute de choses et d'autres. En les observant, j'ai pensé : « Et s'ils avaient une liaison ? Comment arriveraient-ils à la garder secrète ? Que se passerait-il ? »

Auparavant, il m'avait fallu des années pour écrire mes livres. Ce roman n'est peut-être pas excellent, mais au moins je l'ai fini en un mois.

Comme je l'ai vu en février, les stages ont du bon. Le brillant Scott McCloud suggère un remède similaire dans *Faire de la bande dessinée* : « Dessinez une bande dessinée de vingt-quatre pages en vingt-quatre heures. Pas de scénario. Pas de préparatifs... Une formidable thérapie de choc quand on est en mal d'inspiration. »

Cette approche a libéré ma créativité, car, prise de l'envie incontrôlable d'écrire un roman – ce qui arrive à beaucoup d'auteurs, même si l'on en parle peu –, je me suis assise devant mon clavier et me *suis mise* au travail.

Et, à ma grande surprise, la rédaction de *Bonheur* m'a amusée. En général, quand j'écris, je ne cesse de remettre chaque phrase en question. Mais vu le délai d'un mois, pas le temps de faire de l'introspection. Je ne peux pas me livrer à mon autocritique habituelle. Comme le dit une amie : « Ton bouquin est sans doute nul, mais ne t'en fais pas ! » Ainsi, je mets en pratique ma résolution de mars : « À quelque chose malheur est bon ! » Mon manuscrit terminé, ça me démange de le corriger – mais je résiste. Je ne le relis même pas. Ce sera pour un autre jour.

Écrire un roman fournit le « climat de progression » qui, j'en suis de plus en plus convaincue, constitue un élément essentiel au bonheur. Principe que j'ai inclus dans ma Première Vérité Éclatante tout en ignorant à quel point il était primordial. Dans une vie, il est rare de connaître une satisfaction aussi intense que celle du travail accompli. Quand je demande à mes blogueurs s'ils ont connu la même expérience, voici certaines de leurs réponses :

Je me suis fixé une tâche importante et suis étonné de l'avoir menée à bien. J'ai participé à un groupe Youtube appelé « Le défi des 100 jours ». Chaque jour, pendant cent jours, j'ai tourné une vidéo. Je n'en avais jamais fait pour Youtube mais j'avais une caméra et j'ai filmé. Je me suis promis de me concentrer sur quelque chose de positif et de le diffuser quotidiennement. Cela est sans doute plus facile que de le faire une fois par semaine car ça devient une routine. Bien que le défi ait tourné autour d'une « loi de l'attraction » (à laquelle je n'ai pas été sensible), je me suis senti plus heureux de tourner que de me faire de nouveaux amis.

J'ai décidé que cette année, je m'entraînerais pour participer à un triathlon. J'ai fait partie d'une équipe où l'on s'est exercés presque tous les jours pendant deux mois. Après l'épreuve, je me suis inscrit pour un second triathlon. En fait, je suis quelqu'un qui se prélasse au lit et s'adonne à la lecture, mais j'ai toujours pensé que ce serait une bonne chose de participer à un triathlon avant d'avoir quarante ans (dans deux ans). L'entraînement est formidable et je le recommande à tous les gens qui y ont pensé.

Apprendre l'italien en moins de 7 mois ! On me l'a proposé et j'ai sauté sur l'occasion. Je n'en savais pas un mot quand j'ai commencé et je devais le parler couramment au bout des sept mois. Je n'en suis qu'à la moitié, mais je peux déjà tenir des conversations avec des Italiens. C'est une tâche difficile et j'ai failli renoncer plusieurs fois, mais c'est formidable et amusant.

En sortant de dépression, j'ai construit moi-même un canot en bois en six semaines. C'était à la fois un symbole de victoire et une thérapie. J'ai été ravi de le terminer et chaque fois que je le mets à l'eau, je vis des moments inoubliables. De plus, il m'a permis de m'inscrire à un club nautique, de naviguer dans des endroits magnifiques et tranquilles et de rencontrer des gens intéressants. Tout cela ajoute à mon bonheur.

Je rédige un mémoire. J'ai commencé à travailler comme infirmière à mi-temps afin de mon consacrer à l'écriture et j'en suis très heureuse. J'en suis au milieu de mon manuscrit. Ce qui m'a poussée dans cette voie a été une maladie qui a changé ma vie. J'ai passé des mois avec des béquilles sans savoir si je pourrais jamais remarcher normalement. Il était fort possible que je sois handicapée à vie. Après ça, après de telles heures de désespoir, on fait le tri. Et on se rend compte que l'existence est bien trop courte pour ne pas s'adonner à sa passion. C'est ce que je fais maintenant.

En mûrissant, j'apprends combien il est important de faire ce qu'on aime pour être heureux. Mon but final est de gagner ma vie en faisant ce qui me plaît. J'ai vingt-deux ans et je suis depuis deux ans dans le monde des affaires mais ma passion est de créer et de fabriquer des bijoux. Je commence petit, pour ma famille et mes amis, mais je viens de lancer un site Internet, etsy.co. Il y a longtemps que j'aime dessiner des bijoux mais ce n'est que depuis peu que je m'adonne à ma passion. Bien sûr, je ne peux pas encore en vivre, mais j'espère que ça changera un jour ! Parfois je suis frustré de voir que je n'en suis qu'au stade embryonnaire. Mais ma vision me pousse à continuer et à ne pas abandonner. Cravacher pour satisfaire ma passion est tellement satisfaisant et m'apporte tant de bonheur.

Tous les goûts sont dans la nature. Vous aimez peut-être essayer de nouvelles recettes de cuisine, faire du camping au milieu d'une nature protégée, organiser votre soixantième anniversaire, suivre les progrès de votre équipe de base-ball favorite. Moi, j'aime écrire des romans.

ORGANISER SON TEMPS

Bien que la lecture soit une de mes priorités et l'activité qui m'apporte indéniablement le plus de plaisir, je n'y pense pas vraiment. Je désire simplement attribuer plus de temps à cette occupation – plus je lis, plus je suis heureuse. Dans ce but, je m'autorise à lire tout ce qui me plaît. Samuel Johnson a remarqué : « Si on lit sans appétit, la moitié de votre esprit est occupée à se concentrer ; il ne reste qu'une moitié pour s'occuper de ce qu'on lit. » Les recherches le confirment. En voulant savoir ce qui aidait les élèves de 4ᵉ et de 3ᵉ à retenir ce qu'ils lisaient, on s'est aperçu que leur intérêt pour un passage était bien plus important que sa lisibilité – *trente fois* plus important !

En plus des livres que je lis pour mon Opération Bonheur, comme *L'Hypothèse du bonheur* de Jonathan Haidt, *Plan B* d'Anne Lamott et des biographies de Tolstoï, je me plonge dans *The Private Life of a Country*

House de Lesley Lewis. Pour le plaisir encore, je relis *La Foire aux Vanités* de William Makepeace Thackeray et *L'Héritier de Redcliffe* de Charlotte Mary Yonge et l'œuvre de Laura Ingalls Wilder, plutôt que de lire des ouvrages récents. À mes yeux rien ne vaut une deuxième ou une troisième lecture ! Je me force à faire des listes de livres. Je demande aux autres ce qu'ils aiment (une façon de nouer des liens d'amitié : les gens sont ravis de me voir noter leurs suggestions). Je suis le conseil d'un membre de mon club de livres pour enfants et m'abonne à *Slightly Foxed*, une revue trimestrielle anglaise qui publie des critiques de lecteurs. En plus, je note les conseils que recommande le supplément littéraire du magazine *The Week*.

En fait, ce qui m'empêche de lire davantage n'est pas le *choix* des livres mais le manque de *temps*. Et plus je lis, et plus j'ai envie de lire. Bien sûr, quand j'entends quelqu'un se plaindre du manque de temps, la première remarque qui me vient à l'esprit est : « Regardez moins la télévision ! » Ce qui est logique quand on sait que l'Américain moyen passe entre quatre et cinq heures par jour devant le petit écran.

Je demande à Jamie :

— Tu trouves qu'on passe trop de temps devant la télé ?

— Mais on la regarde à peine.

— Quand même. Tu dirais cinq à six heures par semaine ? Et seulement ce que nous avons enregistré ou des DVD.

— Je ne suis pas d'avis de supprimer la télé. Il y a de très bonnes choses quand on sait choisir.

Il a raison. C'est sympa de voir un film ou une pièce quand les filles sont couchées. Et c'est plus intime que de lire car partager les mêmes émotions nous rapproche.

Je décide désormais de ne plus lire les ouvrages qui ne me plaisent pas. Auparavant, je me faisais un point d'honneur de finir tout ce que j'avais commencé – mais c'est du passé. De même, il fallait que je conserve tous les livres que j'avais achetés et je les empilais un peu partout dans la maison. Je sabre dans le lot et nous déposons plusieurs gros cartons chez un bouquiniste. J'accepte mon étrange répugnance à lire des ouvrages sur l'injustice (ou à voir des films et des pièces sur le même sujet). Je ne me forcerai plus jamais à lire *Oliver Twist, Othello, Du silence et des ombres, Reviens-moi, La Route des Indes, Une histoire birmane, Crime et châtiment* ou *Arthur et George, etc.* Et je m'en trouverai mieux.

PEU IMPORTE LE RÉSULTAT

Quand je lis, j'adore prendre des notes – souvent sans aucune arrière-pensée. Je coche des pages, fais d'étranges listes, réunis des exemples sans but défini, copie des passages entiers. J'aime travailler pour un vague projet qui verra le jour dans un avenir plus ou moins lointain. Je m'oblige à faire des compilations de mots étrangers dont ni la traduction ni le concept n'existent en anglais.

Prendre des notes me demandant beaucoup de temps et d'énergie, j'ai tendance à y mettre un frein. D'autant que ça me semble sans intérêt et égoïste. Mais pour suivre mes résolutions du mois et mon Premier Commandement : « Sois toi-même ! », je m'y autorise la conscience tranquille, « peu importe le résultat ».

De façon perverse, ce n'est qu'après m'être dit : « Bon, Gretchen, prends toutes les notes que tu veux » que je comprends à quel point elles me sont utiles. Mon premier livre, *Power Money Fame Sex*, est né d'une foule de notes que j'avais engrangées. Quand j'ai eu la chance d'écrire *Profane Waste*, qui traitait de personnes qui choisissaient de détruire ce qu'elles possédaient, j'ai pu nourrir le livre d'exemples passionnants issus de notes accumulées pendant des années sans raison apparente. Comme cette manie n'entrait pas dans la catégorie du « travail sérieux », je ne l'ai pas jugée à sa juste valeur.

Si les passions sont tellement divertissantes c'est que le résultat n'entre pas en ligne de compte. On fait les choses juste pour la gloire, on peut bricoler, inventer, sans se soucier d'être efficace ou d'accomplir quoi que ce soit. Si on vous demande pourquoi vous avez adoré travailler sur une vieille voiture pendant des années alors qu'elle ne marche toujours pas, vous vous en moquez. Le « climat de progression » apporte de grandes joies. Mais en même temps, le bonheur peut venir de l'absence de contrainte liée à cette sensation. Ce n'est pas surprenant : souvent, le contraire d'une grande vérité peut être vrai.

MAÎTRISER UNE NOUVELLE TECHNOLOGIE

Écrire des livres me fait un plaisir fou. Enfant, j'ai passé des heures à remplir mes Livres blancs. Avant de devenir écrivain professionnel, j'ai rédigé deux romans totalement nuls. Toute ma vie, j'ai offert à ma famille et à mes amis des petits opuscules. Et quand je songe aux projets scolaires à accomplir avec Eliza, ils tournent tous autour des livres.

Par exemple, nous concevons un livre qui réunit ses meilleurs dessins. Elle me dicte les légendes que je tape sur mon ordinateur avant de les imprimer. Puis nous les découpons et les collons sous les dessins, en faisons des photocopies couleur et les réunissons dans des albums à spirale. Non seulement nous nous amusons bien, non seulement ils feront de merveilleux souvenirs, mais nous en avons offert pour Noël à ses grands-parents. Ils représentent un moment dans la vie d'Eliza et me permettent de jeter une énorme quantité de dessins sans le moindre remords. (J'avoue cependant que quand j'en ai parlé sur mon blog, un de mes lecteurs a réagi : « Comment avez-vous osé jeté des dessins originaux de votre fille ? À votre place, j'aurais, comme vous, fait des photocopies, mais j'aurais conservé les originaux dans un album. Les originaux sont irremplaçables. En lisant votre blog, j'en ai eu le souffle coupé. »)

Récemment, un site m'intrigue : sur Lulu.com, on propose de publier ses manuscrits soi-même. Ainsi, pour trente dollars, il me serait possible de publier un livre avec sa jaquette ? J'en parle à Jamie, qui me répond par un grognement :

— Qui se servirait d'un tel site ?

— Tu veux dire qui a suffisamment de documents chez lui pour en faire un livre ?

— Exactement.

— Tu te fiches de moi ? Et *moi* alors ? Si ça marche, j'ai de quoi remplir douze bouquins !

Enfin une façon d'utiliser toutes les notes que j'ai accumulées sans but précis. Pour un coup d'essai, je prendrai le journal des dix-huit premiers mois de la vie d'Eliza (encore un livre écrit sans que je m'en rende compte). Je m'assieds devant mon ordinateur, prête à « ne plus lever le nez pendant des jours et des jours » et pressée d'en finir. À ma grande surprise, tout est terminé en vingt minutes !

Quand, quelques semaines plus tard, il m'arrive par la poste, je n'en crois pas mes yeux ! Voici le journal de mon bébé ! Et c'est un *vrai* livre ! Je pense immédiatement aux prochains : un livre de mes citations favorites ayant trait à l'essence de la biographie, des livres de mes citations favorites traitant des sujets les plus divers. Puis aux ouvrages qui suivront. Quand j'aurai terminé mes recherches sur le bonheur, j'imprimerai un livre de mes citations favorites sur le sujet, en y ajoutant peut-être quelques illustrations. Puis un ouvrage réunissant mes blogs et surtout mon roman *Bonheur.* Je continuerai par mon journal « une phrase par jour » et j'en ferai des copies pour mes filles. Enfin, tous les livres que j'ai en tête sur le bonheur et que me refuserait un éditeur.

Shutterfly est un site en ligne qui produit des livres de photos. Il me faut un peu de temps pour imaginer comment l'utiliser mais quand je trouve la solution, j'envoie un superbe album illustré à mes parents et beaux-parents. Bien sûr, ça me revient assez cher, mais je me souviens que je ne fais qu'appliquer un certain nombre de mes résolutions : « Maîtriser une nouvelle technologie », « Acheter ce qui sert vos buts », « Offrez-vous de petits plaisirs » et « Soyez le gardien des souvenirs heureux ».

Après avoir dépassé le stade douloureux de l'apprentissage, je m'amuse beaucoup. La nouveauté de ces nouvelles technologies et leur maîtrise – par moments j'ai cru devenir folle – m'apportent d'énormes satisfactions et m'ouvrent de nouvelles voies pour vivre ma passion des livres.

Depuis le début de l'année, les résolutions de septembre sont les plus faciles et les plus agréables à mener à bien. Une fois encore j'ai la preuve que je suis plus heureuse quand j'accepte mes goûts et mes dégoûts, et non ce que je m'*impose.* Je suis enchantée de me laisser aller à prendre des notes et à faire des livres, selon une habitude qui remonte à l'enfance au lieu d'essayer de me réprimer. Comme l'a écrit Montaigne : « Les manières les moins contraintes et les plus naturelles de l'âme sont les plus belles ; les meilleures activités sont les moins forcées. » J'ai besoin d'accepter ma vraie nature tout en me poussant de l'avant. Cela peut sembler paradoxal, mais au fond de moi-même je connais la différence entre le manque d'intérêt et la peur de l'échec. Je l'ai vue en mars, avec mon blog. Bien que nerveuse en le lançant, je savais que j'aimerais le tenir. Je me suis rendu compte alors que le travail que j'effectuais pour mes Livres blancs, réunissant des informations intéressantes, copiant des citations, mélangeant texte et images saisissantes revenait… à tenir un blog ! Ouais ! Résultat ? Je décide d'arrêter de travailler sur mon nouveau Livre blanc. Depuis mai, je m'étais bien amusée en retrouvant les plaisirs de mes jeunes années, et puis j'en ai eu assez. Mon blog a pris le relais pour aérer les informations diverses que je me sentais dans l'obligation de réunir.

Le dernier jour de septembre, je découvre une chose importante : ma Quatrième Vérité Éblouissante. Ce jour-là, Jamie et moi dînons avec un type que nous connaissons à peine. Il me demande sur quoi je travaille et après lui avoir décrit l'Opération Bonheur, il me dit poliment qu'il n'est pas d'accord :

— Je partage le point de vue de John Stuart Mill : « Quand vous vous demandez si vous êtes heureux, vous cessez de l'être. »

Je suis impressionnée par son savoir mais, réfléchissant jour et nuit au bonheur, j'ai maintenant des idées bien arrêtées. J'ai envie de taper sur la table et de crier : Non ! non, non ! Au lieu de quoi, je lui souris et réponds d'une voix douce :

— Oui, vous n'êtes pas le seul à le penser. Mais je pense le contraire.

Je peux lire ce qu'il pense dans ses yeux : *John Stuart Mill* contre *Gretchen Rubin* ! Voyons ? Qui a raison ?

Dans mon cas, depuis que je réfléchis au bonheur, je suis bien plus heureuse. Ce dont John Mill parlait, c'est de ce que le psychologue hongrois Mihaly Csikszentmihalyi a défini comme un état de « *flow* », ou « courant ». Dans cet état, on est tellement absorbé par ses différentes tâches quotidiennes qu'on oublie le parfait équilibre entre défis et savoir-faire. Mais je crois que Mill voulait dire – et c'est l'avis général – que penser au bonheur vous absorbe : on ne s'occupe plus des autres et de son travail, mais uniquement de sa propre satisfaction. Ou alors Mill croyait que le bonheur était la conséquence d'aboutissements comme l'amour ou le travail, mais ne devait pas être un but en soi.

Bien sûr, rester assis en attendant d'être heureux n'est pas suffisant ; il faut se donner du mal en agissant avec plus d'amour, en trouvant un travail satisfaisant, etc. Pour moi la question de savoir si je suis heureuse ou pas est cruciale : elle m'amène à cultiver mon bonheur par différentes actions choisies avec discernement. De même, ce n'est qu'en *prenant conscience* de mon bonheur que je le *savoure*. Le bonheur dépend partiellement de circonstances extérieures, mais surtout de la façon dont on appréhende ces circonstances.

Cette année, j'ai beaucoup réfléchi à ce problème avant de découvrir ma Quatrième Vérité Éclatante : *On n'est pas heureux tant qu'on ne se croit pas heureux.* Très vite, ensuite, son corollaire s'est imposé : *On est heureux si l'on se croit heureux.*

Quoi qu'en pense John Stuart Mill, cela veut bien dire s'interroger sur son bonheur.

10

Octobre : faire attention

La pleine conscience

---

* Méditer avec les koan
* Examiner les Vraies Règles
* Nouvelles façons de stimuler l'esprit
* Noter ce qu'on mange

Quand je dis que je travaille sur un livre sur le bonheur, on me répond en général : « Vous devriez ne pas négliger le bouddhisme. » (Autre commentaire : « Alors, vous descendez une bouteille de vin tous les soirs ? ») *L'Art du bonheur* du dalaï-lama m'est le plus souvent recommandé.

Intéressée depuis toujours par le bouddhisme, je désire me documenter sur la vie et la religion de Bouddha. Bien que j'admire nombre de ses enseignements, je ne me sens pas proche du bouddhisme, qui conseille surtout le détachement comme remède aux souffrances. Sans proscrire l'amour et l'engagement, il les considère comme des entraves qui nous enchaînent à des vies de chagrin – ce qui n'est pas faux. Pour ma part, j'adhère à la tradition occidentale qui s'attache aux grandes passions et aux liens puissants. Je ne veux pas me détacher mais étreindre. Pas me relâcher, mais approfondir. La tradition occidentale met également l'accent sur l'expression et la perfection de l'âme individuelle. Le contraire, au fond, de la philosophie orientale.

Cependant, l'étude du bouddhisme me fait prendre en compte l'importance de certains concepts jusque-là négligés, le plus important d'entre eux étant la pleine conscience – ou, dans ce cas précis, la réflexion sans a priori.

Certaines tendances personnelles m'en éloignent. Je cours plusieurs lièvres à la fois ce qui m'écarte de ce que je fais. Je suis souvent en pilote automatique – arrivant à la maison sans même savoir que je me suis rendue de A à B. (Quand je suis au volant, ça me fait peur : je n'ai aucun souvenir de l'itinéraire que j'ai suivi.) Je me nourris de mes angoisses et de mes espoirs au lieu de me concentrer sur le moment présent. Je casse ou renverse des choses, car je ne fais pas attention. Quand on me présente quelqu'un, j'oublie son nom immédiatement. J'ai fini de manger avant même d'avoir goûté aux mets.

En septembre, un étrange incident m'a rappelé l'importance de la pleine conscience. Après un agréable week-end en famille où nous avons assisté à trois anniversaires en deux jours, j'emprunte le couloir après avoir couché mes filles. Soudain, en me dirigeant vers mon bureau pour consulter mes e-mails, j'ai la sensation de reprendre possession de mon corps. Comme si j'étais partie de moi-même pendant quinze jours. Le couloir ne m'est pas familier et pourtant il fait partie de ma vie habituelle. Cette impression est terriblement dérangeante. Si je reviens chez moi, où étais-je partie ? Je dois absolument me concentrer sur le présent.

La pleine conscience présente de nombreux avantages. Pour les chercheurs, elle calme l'esprit, attise les fonctions du cerveau, apporte clarté et précision aux faits présents, aide à se débarrasser des habitudes malsaines, calme les esprits et met de bonne humeur. Elle réduit le stress et les douleurs chroniques. Elle rend plus heureux, moins vindicatif, plus ouvert aux autres. Elle est aussi recommandée par les bouddhistes – ainsi que par toutes sortes de spécialistes du bonheur – comme exercice spirituel. Pourtant, je n'arrive pas à m'y mettre. Je fais du yoga deux fois par semaine, mais le cours n'est pas axé sur l'aspect mental de cette pratique.

Une amie me gronde gentiment :

— Je n'arrive pas à croire que tu ne fasses pas de la méditation. Si tu étudies le bonheur, tu *dois* essayer.

Elle y consacre régulièrement des retraites de dix jours. Elle continue sur sa lancée :

— Si tu ne veux pas essayer c'est que tu en as vraiment besoin.

— Tu as sans doute raison, mais je ne peux pas m'y résoudre. Ça ne m'attire pas du tout.

Chaque Opération Bonheur est unique. Six jours par semaine, j'utilise mon blog pour afficher des infos ou des questions – une tâche qui ne viendrait pas à l'esprit de bien des gens. Mais de là à rester assise sans parler pendant un quart d'heure quotidiennement ? Je deviendrais chèvre ! Une autre amie m'encourage vivement à passer plus de temps au grand air. Leurs suggestions me laissent froide. Quand j'ai débuté mon Opération Bonheur, je m'étais promis de tout essayer, mais je me suis vite aperçue que c'était à la fois irréalisable et peu réjouissant. J'essaierai peut-être quand j'en serai à l'Opération Bonheur II, mais pour le moment je m'en tiens à des méthodes qui me sont plus naturelles.

Si l'on ne veut pas pratiquer la méditation, il existe d'autres façons de s'atteler à la pleine conscience. En utilisant ma Liste de Bonnes Résolutions, j'agis plus consciemment en révisant mes actes et mes pensées. Je remplis ma liste à la fin de la journée, quand la maison est en paix et que je suis seule, et certaine de ne pas être dérangée. Mais, me connaissant bien, mon autocritique ressemble plus à une conversation avec Jiminy Cricket qu'à une communion avec l'univers. Ce mois-ci, je désire trouver d'autres méthodes pour m'aider à me concentrer et à ne pas laisser mon esprit vagabonder. Je veux également stimuler mon cerveau et l'habituer à penser selon des critères différents de ceux qui me sont familiers – et particulièrement à ne plus avoir de comportements et de réactions automatiques et à réveiller des parties assoupies de mon intellect.

MÉDITER AVEC DES KOAN

Sans me mettre à méditer, je trouve certains aspects du bouddhisme tout à fait fascinants. Son symbolisme, la façon dont Bouddha est parfois représenté par une chaise vide, deux traces de pas, un arbre ou un pilier de feu, afin de montrer qu'il a dépassé le stade de la forme. J'adore les listes chiffrées qui émaillent le bouddhisme : les Trois Refuges, l'Octuple Sentier, les Quatre Nobles Vérités, les Huit Symboles de bon augure – parasol, poisson rouge, vase au trésor, lotus, conque, nœud sans fin, bannière victorieuse, roue du dharma.

L'aspect qui m'étonne le plus est l'étude des koan zen. Un koan est une question ou une affirmation qu'on ne peut déchiffrer en faisant appel à la logique. Les moines bouddhistes zen méditent à l'aide de koan afin de se détacher de la raison dans leur quête de l'illumination. Voici le koan le plus célèbre : « Deux mains applaudissent et il y a un bruit. Quel bruit est produit par une seule main ? » Autre exemple : « Si vous rencontrez Bouddha, tuez-le ! » Ou encore : « Quel était votre visage avant la naissance de vos parents ? » Ni la raison ni les mots n'expliquent un koan ; la méditation des koan favorise la réflexion spirituelle car il n'est pas possible de saisir leur sens par la logique conventionnelle.

Après avoir étudié quelques koans, je m'aperçois que j'ai déjà une liste de koans personnels – sauf que je ne leur ai pas donné ce nom. Depuis des années, sans bien savoir pourquoi, je conserve des bouts de phrases plutôt énigmatiques. Et de temps à autre, je me les remémore. J'ai un certain nombre de ces citations irrationnelles. Quelques-unes de mes préférées ?

De Robert Frost : « La meilleure issue est toujours à travers. »

De J.M. Barrie : « Dès le début nous sommes brisés. »

De sainte Thérèse de Lisieux : « Je choisis tout. »

De Francis Bacon et Héraclite : « La lumière sèche est la meilleure. »

De saint Marc (4.25) : « Il sera donné davantage à celui qui a déjà. Et celui qui n'a rien, même cela lui sera retiré. »

De Gertrude Stein : « J'aime les chambres avec vue mais j'aime m'asseoir le dos à la fenêtre. »

D'Elias Canetti : « Kant brûle. »

De T.S. Eliot : « Ne demandez pas : "Qu'est-ce que c'est ?" Allons voir. »

De Virginia Woolf : « Elle avait le sentiment qu'il était très très dangereux de vivre ne serait-ce qu'un jour. »

Ces petites phrases me hantent. Elles flottent dans ma tête à de drôles de moments – sur un quai de métro ou pendant que mon ordinateur s'allume – et semblent souvent d'actualité.

Le koan personnel qui me fait le plus réfléchir est un proverbe espagnol cité par Samuel Johnson dans *La Vie de Johnson*, de Boswell : « Qui veut rapporter la richesse des Indes doit la porter avec lui. » J'ai lu cette phrase il y a des années et, depuis, elle ne cesse de me revenir à l'esprit. Plus tard, je trouve dans le *Journal* de Thoreau un écho à Johnson : « C'est en vain qu'on rêve de beauté lointaine… Je ne trouverai jamais dans les étendues sauvages du Labrador de plus grande beauté que dans les recoins de Concord, sauf à l'y importer. »

Avec le temps, je commence à saisir le sens de ces deux koan qui ont de profondes implications dans mon Opération Bonheur. Je suis en train de monter les marches qui mènent à ma chère bibliothèque quand je songe : « Celle qui veut rapporter la richesse des Indes doit l'emporter avec elle. » Ce n'est pas à l'extérieur que je trouverai des sources supplémentaires de bonheur. La clé ne se situe ni aux Indes ni au Labrador mais sous mon propre toit. Si je veux trouver le bonheur, je dois le porter en moi.

Ressasser mes koan ne me rapproche pas du satori, cet état d'illumination permanente promise par le zen (d'après ce que je comprends) mais excite mon imagination. Car les koan, m'obligeant à remettre en question mes connaissances générales, me poussent à *penser la pensée*. Ceci m'apporte le délicieux plaisir intellectuel de me colleter avec un problème aussi vaste qu'épineux.

EXAMINER LES VRAIES RÈGLES

Une des difficultés de la réflexion spirituelle est d'éviter de tomber dans le piège des réflexes mécaniques, de la répétition. Au lieu d'avancer dans la vie sous pilote automatique, je veux réexaminer les principes que j'ai établis inconsciemment.

Mes recherches sur la science cognitive me conduisent aux heuristiques, soit des règles empiriques rapides pour résoudre un problème ou prendre une décision. Un exemple : si vous voyez deux objets mais n'en reconnaissez qu'un, vous attribuerez une plus grande importance à celui qui vous est familier. Ainsi, si vous avez entendu parler de Munich mais pas de Minden, vous penserez que Munich est la plus grande des deux villes.

La plupart du temps, les heuristiques sont bien commodes, mais dans certaines situations nos instincts cognitifs nous induisent en erreur. Ainsi, bien des personnes considèrent qu'un événement a plus de chances de survenir si elles en ont déjà entendu parler. C'est vrai pour l'éventualité d'une tornade (est-ce jamais arrivé à Manhattan ?) mais cela peut fausser le jugement quand les exemples qu'elles connaissent semblent multiplier les risques. Ainsi, une de mes amies fait très attention à ne pas manger d'œufs crus. Elle a failli piquer une crise de nerfs en apprenant que sa belle-mère avait laissé ses enfants manger de la pâte à cookies. Pourquoi une telle réaction ? Parce que sa tante a attrapé une salmonellose vingt-cinq ans plus tôt. En revanche, cette même amie refuse de boucler sa ceinture de sécurité en voiture.

Sans qu'ils entrent parfaitement dans la rubrique « heuristiques », je possède toute une collection de principes divers et variés que je nomme les Vraies Règles. Je les applique pour prendre des décisions et établir des priorités, souvent sans m'en rendre compte car elles traversent mon esprit à la vitesse de la lumière.

Mon père parle souvent des Vraies Règles. Aussi, quand je suis entrée à l'université, il m'a dit : « Souviens-toi de cette Vraie Règle : si tu es prête à être réprimandée, on te donnera des responsabilités. »

Voici quelques-unes des règles que j'utilise couramment :

- Mes enfants sont ma priorité absolue.
- Fais de l'exercice tous les jours.
- Jamie est ma priorité, pour les petites et les grandes questions.
- « Oui » arrive immédiatement ; « non » n'arrive jamais.
- Travaille quotidiennement.
- Quand c'est possible, prends des légumes.
- J'en sais autant que la plupart des gens.
- Je suis pressée.
- Accepte d'aller aux fêtes ou sorties auxquelles tu es invitée.
- Mes parents ont presque toujours raison.
- Si tu hésites à inclure du texte, abstiens-toi.
- Ne pioche jamais dans les assiettes d'amuse-gueules, ne mange jamais de gâteaux aux fêtes d'enfants.
- Si tu hésites quant à ce que tu dois faire, travaille.

Ces Vraies Règles sont difficilement compatibles les unes avec les autres ! Comment mes enfants, Jamie et mon travail sont-ils tous prioritaires ? De plus, le fait que Jamie applique la Règle : « Évite les mondanités sous toutes leurs formes » explique certaines de nos prises de bec conjugales.

Certaines Vraies Règles sont particulièrement utiles. Comme celle que ma mère m'a enseignée : « Ce qui tourne mal peut faire d'excellents souvenirs. » Voilà qui est réconfortant ! Par exemple ma mère s'est donné un mal fou pour organiser mon mariage avec Jamie, jusque dans les moindres détails. Elle a même illustré de vaches et de pantoufles rouges les invitations pour symboliser Kansas City. La cérémonie s'est déroulée parfaitement, à l'exception d'un léger détail. Sur le programme, le compositeur de la musique était orthographié « Hayden » au lieu de « Haydn » ! Près de quinze ans plus tard, le souvenir de ce « e » superfétatoire me fait encore sourire ! J'ai lu quelque part que les shakers faisaient exprès d'introduire un léger défaut dans ce qu'ils fabriquaient pour montrer que l'homme ne pouvait égaler la perfection divine. Un défaut peut ajouter à la perfection.

Par ailleurs, certaines de mes Vraies Règles sont inutiles. « Je suis pressée » me traverse l'esprit des dizaines de fois par jour – sans rien m'apporter. Je la modifie et elle devient : « J'ai du temps pour accomplir ce qui est important. » En remettant en question mes Vraies Règles au lieu de les appliquer automatiquement, je m'assure qu'elles reflètent mes véritables priorités.

Suis-je la seule à penser ainsi ? Quand je pose la question à mes amies, elles comprennent immédiatement ce dont je parle et me livrent leurs vraies règles :

• Toujours dire bonjour.
• Que ferait ma mère à ma place ?
• Ne te lève pas à 5 heures et ne t'endors pas à 8 heures (que ce soit du matin ou du soir).
• Fini de s'ennuyer.
• C'est bon de changer.
• Commençons par le commencement (se nourrir avant une interview pour un job, par exemple).
• Choisis la belle vie.
• Achète ce qui te fait plaisir, c'est toujours moins cher que de dîner au restaurant.
• Les choses s'arrangent toujours.
• Use-le jusqu'au bout, sers-t'en ou passe-t'en.

Ma sœur Elizabeth m'offre une Vraie Règle très utile : « Les gens réussissent en groupe. »

Scénariste pour la télévision à Los Angeles, elle est plongée dans un milieu compétitif et envieux. Jamie et moi nommons *drôle d'impression,* ce mélange de compétitivité et de doute personnel que nous éprouvons quand un de nos pairs remporte un énorme succès. Un ami d'Elizabeth ayant écrit le scénario d'un film qui fait un malheur, je lui demande :

— Ça te fait une *drôle d'impression* que ton copain ait remporté un tel succès ?

— Un peu, mais je me suis souvenue que « Les gens réussissent en groupe ». Pour lui c'est formidable, et son succès m'aidera sans doute dans ma carrière.

En revanche, j'ai une amie dont le frère n'est qu'un rabat-joie. Si une chose positive arrive à quelqu'un, il a peur que cela diminue ses propres chances. Du coup, le bonheur des autres fait son malheur.

Est-ce si vrai que ça que les gens réussissent en groupe ? Je le pense – mais ça n'est pas prouvé –, et en tout cas, on peut dire que les gens qui le croient sont plus heureux.

Jamie a une Vraie Règle bien à lui : « La première fois n'est pas forcément la bonne. » Aussi, quand un de ses amis ne décroche pas le boulot qu'il espérait ou l'appartement qu'il guignait, Jamie lui dit : « La première fois n'est pas forcément la bonne. Patience, tu verras que finalement tu seras content que ce truc n'ait pas marché. »

Une fois encore, l'important n'est pas de savoir si sa Règle est exacte, mais si elle rend plus heureux. Autre Règle qui me laisse sceptique : On trouve un objet perdu là où on le cherche en dernier.

Rassembler de Vraies Règles est un exercice amusant et utile car, en les examinant de près, je prends conscience de les appliquer. Donc, en décidant consciemment de la meilleure façon d'agir selon mes valeurs, je suis plus à même d'œuvrer vers mon objectif final.

Faire preuve de plus de discernement en matière de réflexion a des effets positifs. Je me rends compte qu'en utilisant mon cerveau autrement, je profiterai pleinement des moments présents et prendrai mieux conscience de moi-même. Je mets donc en pratique plusieurs stratégies.

Je commence par coller des notes dans l'appartement pour me rappeler l'état d'esprit dans lequel je désire évoluer. J'écris au-dessus de mon portable : « Concentre-toi et observe. » Dans ma chambre : « Ne pense pas trop. » Dans la salle de bains : « Tendre et légère. » Mais Jamie rectifie : « Légère et excentrique. » Dans mon bureau : « Enthousiaste et créative. » J'allume également l'oiseau gazouilleur bleu que j'ai acheté en mai pour me rappeler que je dois être reconnaissante pour tout ce qui m'arrive. Un lecteur de mon blog a adopté une stratégie similaire pour rester attentif.

Je passe mes journées à entrer des codes dans mes programmes d'ordinateur. Je ne retiens pas ces codes mais, plusieurs fois par jour, je dois les ressaisir.

Un jour, je me suis rendu compte qu'à force de répéter les mêmes codes, ils s'enracinaient en moi. Comme un mantra. Disons que mon code est « tennis » (j'y joue), et bien que je ne pense pas à ce mot tout le temps, je m'aperçois que c'est mon activité favorite et que j'y consacre beaucoup de temps et d'efforts. En fait, c'est ma principale occupation en dehors de mon travail.

Plus tard, j'ai changé mes codes pour qu'ils reflètent les buts vers lesquels je tends. Ils me rappellent constamment mes objectifs, mes rêves ou ce que je désire accomplir. Cela ressemble à vos pense-bêtes. Ou équivaut à répéter des pensées positives.

Je décide ensuite d'essayer l'hypnose, une autre voie pour me cultiver l'esprit. Ma curiosité a été piquée par une amie « ultra-influençable » et les histoires ahurissantes de ce qu'elle faisait sous hypnose. Je commence donc le mois d'octobre en prenant le train pour Old Greenwich afin de faire la connaissance de Peter, cousin de ma prof de yoga et hypnotiseur.

Je ne sais que penser de l'hypnose. Ses partisans prétendent que sous hypnose, avec sa concentration, sa relaxation forcée, sa suggestibilité accrue, on répond mieux aux instructions données. Ce qui permet d'éliminer les mauvaises habitudes et de repartir sur des comportements plus sains. Autre théorie : les changements seraient dus à l'« effet Hawthorne », expérimenté en janvier (l'étude d'un comportement peut amener à sa transformation) ou à l'« effet placebo ». Quoi qu'il en soit, ça vaut la peine d'essayer.

En montant dans la voiture de Peter, je m'aperçois que je ne sais pas grand-chose sur lui. Je me sens donc légèrement mal à l'aise dans une petite ville du Connecticut à côté d'un inconnu, en route pour l'appartement qui abrite aussi son bureau. Heureusement, Peter est un personnage authentique.

Je commence par des exercices de relaxation ; puis nous parlons des objectifs que je me suis fixés avant de venir le voir. Ils sont plus ou moins importants – me débarrasser de l'envie de grignoter au milieu de la nuit ou exprimer ma reconnaissance quotidienne. Puis vient la séance d'hypnose. Peter me demande d'imaginer que mon corps s'alourdit, d'écrire des nombres avec mes yeux, de visualiser ma main gauche s'élevant dans les airs (ma main ne bouge pas d'un centimètre). Lentement, il m'indique comment changer mes comportements.

Quand je deviens irritable, je devrai me rappeler de prendre les choses avec le sourire. L'humour et la tendresse vont plus loin que la mauvaise humeur.

Quand je commence à m'énerver parce qu'on s'occupe mal de moi – un fonctionnaire, une infirmière, un pharmacien –, je prendrai un ton amical, coopératif. Et lâcherai du lest.

Quand je m'assiérai devant mon ordinateur, quand je me mettrai à table, quand je marcherai dans la rue, je serai heureuse d'être en bonne santé, d'aimer autant mon travail, d'avoir une famille aussi formidable, de mener une vie aussi confortable – d'où découle cette impression de légèreté, d'enthousiasme, de tendresse.

Quand j'entendrai les gens parler, je les écouterai à fond pour suivre leurs raisonnements, rire à leurs blagues, engager un dialogue en profondeur. Plus question de leur couper la parole ou de montrer des signes d'impatience.

J'arrêterai d'utiliser des phrases comme « je sais » ou « ça m'interpelle » et des expressions argotiques. Si je m'entends les utiliser, je respirerai à fond, ralentirai mon débit et choisirai bien mes mots.

Après le dîner, j'éteindrai dans la cuisine et je n'y retournerai plus. Fini de grignoter entre les repas. Si j'ai faim, je mangerai des fruits ou des légumes.

Peter compte à rebours et suggère que je me réveille en me sentant « rafraîchie ». La séance a duré vingt minutes et il l'a enregistrée sur une cassette.

— Écoutez la bande tous les jours. Surtout *pas* avant de vous coucher. Vous devez être relax, concentrée et bien éveillée.

— Ça marche vraiment ?

— J'ai obtenu des résultats étonnants.

Je ressors mon vieux Walkman et achète les piles idoines. J'écoute la bande quotidiennement, en imaginant que je mets en pratique les buts que je me suis fixés.

Trouvant cet exercice totalement ridicule, Jamie s'amuse à se moquer de moi. Il me casse les oreilles avec des plaisanteries du genre : « Que va-t-il arriver si je te demande de nasiller comme un canard ? » Il m'est facile de ne pas tenir compte de ses moqueries, mais elles me découragent à la longue. J'espérais que l'hypnose serait un raccourci pour m'améliorer mais j'ai un mal fou à me concentrer sur cette bande.

Pourtant je fais de mon mieux et je crois que ça m'aide. Un jour par exemple, je suis sur le point de piquer une crise car après avoir passé cinq heures à composer un album de photos sur Shutterfly, tout disparaît de l'écran au moment où j'y mets la dernière touche. En appelant le service Clientèle, je suis près de hurler. Mais une petite voix me murmure : « Je prendrai un ton amical, coopératif. » Aussitôt dit, aussitôt fait. (Bien sûr, ça me calme de voir mon album réapparaître comme par magie.) J'arrête aussi de piquer du sucre de canne dans le sucrier. Pas joli-joli, mais c'est une de mes mauvaises habitudes. À mes yeux, l'hypnose est moins le résultat de la suggestibilité que d'un effort de concentration. La bande me fait prendre conscience de mes pensées et de mes actes et m'amène à changer de comportement par des exercices mentaux. Mais le moyen importe peu, tant que ça marche !

Étape suivante : j'essaie le yoga du rire. Créée par un médecin indien, cette combinaison de yoga et de rire s'est développée rapidement dans le monde entier. Il est souvent cité pour sa contribution au bonheur. Il associe applaudissements, chansons, respirations et stretching pour calmer l'esprit et le corps. Les rires simulés provoqués par les exercices se transforment souvent en rires sincères.

À New York, comme je l'ai dit, tout est possible. Je trouve facilement une classe de yoga du rire près de chez moi. Un mardi soir je me présente dans la salle de conférences en sous-sol d'un cabinet de kiné. Nous sommes bientôt une douzaine à nous exercer à respirer selon la méthode du yoga et à rire. Nous faisons le lion, le *ho-ho-ho ha-ha-ha*, le rires-pleurs et plusieurs autres exercices. Je remarque que l'humeur de plusieurs participants s'améliore. Deux d'entre eux sont pris de fous rires. Pas moi. Le prof est sympathique et expérimenté, les gens sont aimables, les exercices paraissent adéquats, mais je me sens mal à l'aise.

En arrivant, je m'étais promis de venir trois fois, mais en partant je décide que le yoga du rire, même s'il remporte un tel succès et contribue au bonheur, n'est vraiment pas ma tasse de thé.

Étape suivante : le dessin. Comme je n'ai pas tenu un crayon ou un pinceau depuis le lycée, je me dis qu'un cours de dessin pourra réveiller une partie longtemps endormie de mon cerveau. En plus, si la pleine conscience implique un développement de la conscience sans a priori, ces leçons vont constituer un challenge idéal. Ne pas critiquer mon manque de dons artistiques sera difficile.

La méthode « Dessiner avec le côté droit du cerveau » modifie la façon de traiter l'information visuelle, de manière que tout un chacun puisse apprendre à dessiner. Parfait. Il m'est facile de trouver un professeur qui enseigne cette méthode dans son appartement au centre de SoHo. Je m'inscris en « m'offrant une petite folie » et pendant cinq jours, je prends le métro chaque matin pour suivre les cours qui débutent à 9 heures 30 et se terminent à 17 heures 30.

Ce premier autoportrait date de mon premier cours. Plus tard, quand je l'ai montré à une amie elle a remarqué : « Allons, avoue ! Tu as fait exprès de le rater pour que tes progrès paraissent fantastiques. » Pas du tout. J'avais fait de mon mieux.

Ce dessin date du dernier cours. Mon prof m'a aidée pour les parties difficiles. Ça ne me ressemble pas beaucoup, mais au moins, on dirait un être humain.

La nouveauté et les défis stimulent le bonheur. Hélas, nouveauté et défis apportent aussi fatigue et frustration. Pendant les cours, je suis intimidée, agressive, sur la défensive et parfois tellement paniquée que cela m'angoisse. Le soir, je suis vidée, mon dos me fait mal. Pourquoi suis-je tellement stressée ? Sans doute à force de suivre les instructions de mon prof, de cligner des yeux, de mesurer, pouce tendu, de tracer des lignes obliques sans trembler, tout cela m'épuise physiquement et moralement. Au bout de trois jours, une des élèves a une crise de nerfs et quitte la classe. Pourtant, c'est drôlement satisfaisant d'apprendre quelque chose de nouveau – de progresser. Le dessin stimule une partie de mon cerveau jusque-là inactive. Autres bénéfices ? Retourner en classe développe mon sens de l'observation. Je découvre des quartiers que je connais mal, la beauté fascinante de New York. Mes journées s'écoulent selon un tempo différent. J'adore rencontrer de nouvelles têtes. Et je fais des progrès ! Je dessine ma main, une chaise, mon portrait – pas très ressemblant, c'est vrai, mais où j'ai quand même l'air d'un être humain.

La classe de dessin illustre bien un des Secrets de l'Expérience : « Le bonheur n'apporte pas toujours la gaieté. » Certaines activités qui contribuent à mon bonheur à long terme ne sont pas toujours réjouissantes sur le moment ; elles peuvent même être désagréables.

Étape suivante : la musique, autre partie engourdie de mon cerveau. D'après les recherches, écouter de la musique est une des façons les plus rapides et les plus simples d'améliorer son humeur et d'accroître son énergie. La musique stimule les parties du cerveau qui déclenchent l'impression de bonheur et détendent le corps. Plus étonnant, au cours d'une opération, elle diminue le rythme cardiaque et la tension du patient, calme ses angoisses.

Pourtant il y a longtemps que je me suis fait une raison : je n'ai pas l'oreille musicale. J'aimerais aimer la musique, mais ce n'est pas le cas. Parfois, il m'arrive de tomber amoureuse d'une chanson, et ça tourne vite à l'obsession. La dernière en date se nomme *Under the Bridge* des Red Hot Chili Peppers.

L'autre jour, alors que j'écrivais dans un café, j'entends une chanson que j'avais beaucoup aimée : *Praise You* de Fatboy Slim. En rentrant à la maison, je la mets sur mon iPod et la réécoute pendant que je range mon bureau. Cet air me rappelle à quel point Jamie est l'homme de ma vie. Bien sûr, nous avons connu des moments difficiles, mais aussi de grandes joies. Oui, je dois le lui dire plus souvent. Quelle belle résolution pour février, le mois dédié à notre mariage !

Je pense à nouveau à Jung, qui jouait avec des cubes pour retrouver les plaisirs de son enfance. Quand j'étais petite, je dansais dans ma chambre sur la musique de mon disque favori. Comme je ne savais pas encore lire, j'avais demandé à ma mère de faire une marque sur le microsillon de *Casse-Noisette* pour que je le reconnaisse. Mais en grandissant j'ai cessé de danser. Et si je recommençais à danser dans ma chambre ?

Comme je me refuse à être vue, je dois attendre longtemps avant d'avoir l'occasion de jouer les ballerines. Finalement, un dimanche après-midi, je dis à Jamie d'emmener les filles chez ses parents sans moi. Quand l'appartement est vide, je vais dans ma chambre, éteins les lumières, baisse les stores et branche mon iPhone. Je suis une mauvaise danseuse ? J'ai l'air d'une idiote ? Tant pis !

Je m'amuse beaucoup. Oui, j'ai l'air d'une idiote, mais je me sens euphorique et en pleine forme.

J'analyse ce que je pense de la musique. Selon le Premier Commandement : « Sois toi-même », j'avoue que ce n'est pas la musique en général que je n'aime pas mais mes goûts. Je voudrais apprécier la musique plus sophistiquée, comme le jazz, le classique ou le rock ésotérique. Au lieu de quoi, j'apprécie la musique d'ascenseur ! Enfin, je suis qui je suis !

Danser m'aide à me concentrer sur ce qui se passe autour de moi. Je fais plus attention à la musique et au lieu de me boucher les oreilles, je les ouvre grandes.

NOTER CE QU'ON MANGE

Je désire également appliquer mes principes de concentration dans un domaine plus terre à terre : mes habitudes alimentaires. Prendre conscience de ce qu'on mange permet de se nourrir plus sainement. La meilleure façon d'y parvenir est de noter tout ce qu'on ingurgite. Sans ça, il est facile d'*oublier* les chocolats volés sur le bureau d'une collègue, les restes pris dans les plats en débarrassant la table. Une étude a montré que les personnes au régime qui notaient ce qu'elles mangeaient maigrissaient deux fois plus vite que les autres.

Depuis longtemps, je m'en veux de manger n'importe quoi. Aussi, je décide d'avoir dorénavant une alimentation plus saine et d'en profiter pour faire un léger régime afin de perdre quelques kilos (ce qui n'a rien d'original – près de sept Américains sur dix souhaitent la même chose). Noter ce que je mange me semble relativement facile et, de toutes mes résolutions, la plus aisée à tenir. Je m'achète donc un petit carnet.

— Moi aussi, j'inscris tout ce que je mange, me dit une amie avec qui je déjeune en sortant son agenda. Je le mets à jour dès que j'avale quelque chose.

— On dit que ça aide à mieux se nourrir et à perdre du poids. Je vais vérifier si c'est vrai.

— C'est bien de tout marquer. Je le fais depuis des années.

Les propos de ma copine me rassurent. D'autant qu'elle est mince et en pleine forme alors… qu'elle s'alimente d'une manière terriblement excentrique. Ce qu'elle commande devant moi en est la preuve :

— Je prendrai la salade grecque hachée menu, sans assaisonnement, sans olives ni feuilles de vigne, plus une portion de poulet rôti plus une portion de brocolis vapeur.

Quand les plats arrivent, elle mélange le tout dans son assiette. Une vraie *plâtrée*, mais saine et peut-être même savoureuse, qu'elle attaque de bon appétit. J'ai la même salade devant moi mais sans le poulet ni les brocolis. Avant de commencer nous saupoudrons nos assiettes d'édulcorant en poudre (un truc à elle qui peut sembler infâme mais qui, faute de vinaigrette, relève une salade sans la sucrer).

— Je refuse de me mettre au régime, dis-je.

— Oh ! Moi aussi ! Mais note tout dans ton carnet. Au bout d'une semaine, tu verras ce que tu as ingurgité.

J'essaie. Mais il y a un hic : j'oublie de noter des aliments. J'ai lu quelque part qu'il faut vingt et un jours pour adopter de nouvelles habitudes, mais je n'y crois pas. Jour après jour, je fais de mon mieux, mais j'oublie la moitié des choses. Là encore, un problème d'attention. Pourtant cet exercice n'est pas inutile. Je prends conscience de ce que je fourre dans ma bouche machinalement, un morceau de pain ou un peu des lasagnes d'Eleanor.

Surtout je me rends compte de toute la nourriture « light » que j'avale. Alors que je prétends ne rien manger entre les repas, la fausse nourriture que j'ingurgite se chiffre en tonnes. Tous ces trucs basses calories ! Biscuits salés, cookies, brownies, friandises de toutes les couleurs, tablettes de chocolat... Je les adore car quand j'ai faim dans la journée, c'est plus rapide que de m'asseoir dans ma cuisine ou dans un café pour avaler une bonne soupe ou une salade.

Et je persévère tout en sachant que ces « en-cas » sont nuls sur le plan nutritionnel et sans doute mauvais pour la santé. Bien sûr, je m'en veux et me sens coupable et ridicule. Mais je continue ! Ou presque.

Car je supprime les tranches de dinde froide sous cellophane ! Immédiatement, j'ai l'impression d'être plus légère. Comme en juillet, où je me concentrais sur l'argent, tenir ma résolution « Renoncer à quelque chose » me fait du bien. Qui aurait pensé qu'une telle abnégation pourrait être agréable ?

Je mets ma sœur au courant et elle me répond intelligemment :

— Ton régime alimentaire est plutôt sain dans l'ensemble, alors pourquoi te priver des petits en-cas que tu aimes tant ? Essaie plutôt de te limiter.

— Impossible ! Je me connais trop bien !

Quand il s'agit de nourriture, je suis tout à fait d'accord avec Samuel Johnson qui remarquait : « L'abstinence m'est aisée, la modération trop difficile. » En d'autres termes, je peux me priver mais certainement pas me restreindre.

J'absorbe donc des litres de Coca light et de sodas et je me bourre de friandises que je considère comme saines. Par contre, fini les cochonneries achetées à la sauvette au coin de la rue, ce qui est un premier pas dans la bonne direction. Place aux bananes, amandes, céréales, sandwichs au thon, pita...

Cette prise de conscience m'aide à me débarrasser de mes mauvaises habitudes. Soudain attentive à ce que je mange, je trouve plus facile de stopper mes automatismes. Il m'arrivait d'avaler n'importe quoi jusqu'à trois fois par jour. Or je m'aperçois aujourd'hui que ce genre de comportement pesait sur mon bonheur. J'étais honteuse et mal dans ma peau. C'est désormais du passé.

Mes bonnes résolutions d'octobre m'apportent une grande dose de bonheur et me font découvrir un phénomène important : je suis en passe de devenir un tyran.

Je supporte de plus en plus mal les gens négatifs, les pessimistes qui n'ont aucune raison de l'être, les grincheux. D'où une envie souvent irrésistible de les sermonner. Au lieu de suivre ma résolution de juin : « Laisser tomber les gens qu'on déteste », je les juge.

Mon désir d'être une évangéliste du bonheur me conduit à me mêler des affaires des autres. Quand un type me dit qu'il déteste les conversations oiseuses et que, pendant un dîner barbant, il passe son temps à faire des calculs compliqués dans sa tête, j'ai envie de le remettre sur la bonne voie. Ou encore quand une jeune femme m'avoue qu'elle suit les cours de l'école dentaire parce que les horaires des dentistes lui conviennent mais qu'elle rêverait de devenir fleuriste, car c'est là sa vraie passion, je peux à peine à me contenir. Je voudrais lui crier : « Arrêtez ! Vous vous trompez ! Je vais vous expliquer pourquoi ! » Je deviens casse-pieds. Dans une scène digne d'un film de Woody Allen, je manque de me battre au sujet du zen. « Vous semblez très *attaché* à la théorie du *non-attachement* », dis-je d'un air narquois.

Je ne cesse d'interrompre les gens, de parler à tort et à travers. Je suis si profondément plongée dans mon Opération Bonheur que je ne laisse plus personne ouvrir le bec.

Plus précisément, je veux obliger mes amies à ranger leur fouillis. L'ordre règne chez moi, et je me souviens avec émotion du plaisir fou que j'ai eu à m'attaquer à un placard rebelle.

Un soir, Jamie me met en garde :

— Tu as de bonnes intentions, mais tu vas blesser les gens à force d'insister pour qu'ils rangent leur maison.

— Mais chaque fois que j'aide quelqu'un à se débarrasser de son fouillis, il est ravi !

— Conseille-les, mais vas-y mollo ! Sinon, les gens risquent de le prendre mal.

Récemment, en entrant chez une amie je lui ai immédiatement proposé de l'aider à ranger (tout en me disant que j'y allais un peu fort).

Je l'avoue à Jamie :

— D'accord, tu as raison, je vais mettre la pédale douce.

Je téléphone à ma sœur et lui demande :

— Est-ce que je t'ennuie à te parler sans arrêt du bonheur ?

— Mais pas du tout !

— Tu me trouves plus heureuse ?

— Absolument.

— Comment le sais-tu ?

— Tu as l'air plus détendue, plus relax. Tu t'énerves moins. Non pas que tu te sois tellement énervée..., s'empresse-t-elle d'ajouter.

— J'essaie d'être plus calme. Mais si tu dis « moins », c'est que ça m'arrive encore trop.

— Tu vois plus souvent le côté drôle des choses, c'est évident.

— Par exemple ?

— Quand il s'est agi de choisir une coiffure pour Eliza à mon mariage. Dans le temps, tu en aurais fait tout un fromage et maintenant tu la laisses faire ce qui l'amuse, sans trop t'inquiéter. À propos, je ne t'ai pas encore dit que je tente de suivre certaines de tes résolutions.

— Formidable ! Lesquelles ?

Je suis folle de joie à l'idée que mon travail sur le bonheur influence quelqu'un.

— D'abord, je fais beaucoup plus de gym : Pilates, marche à pied, exercices à la barre. Comme je n'ai jamais eu de violon d'Ingres, la gym devient mon passe-temps favori. Je suis en meilleure forme et j'ai l'impression d'évoluer. Et comme depuis des années mon dentiste me tanne pour que j'arrange mes dents, j'ai enfin vu un orthodontiste pour un traitement correcteur Invisalign. Je dîne plus souvent à la maison, ce qui est plus sain et plus économique et je pars presque tous les week-ends, dépensant ainsi de l'argent pour des choses qui me font plaisir.

— Et tu es plus heureuse ?

— Oh, à 100 % ! Ça m'a étonnée moi-même.

11

Novembre : être satisfait de son sort

Les dispositions d'esprit

> • Rire de bon cœur
> • Vive la politesse !
> • Ne pas être avare d'éloges
> • Prévoir une zone refuge

L'année de mon Opération Bonheur est presque terminée et il me faut inclure dans mes bonnes résolutions de novembre tout ce dont je n'ai pas encore parlé. Heureusement, tout entre dans une seule catégorie. Au lieu de ne m'occuper que de mes *actes*, je dois me concentrer sur mes *dispositions d'esprit*. Si j'en suis capable, il me sera facile d'appliquer mes résolutions.

L'écrivain anglais Samuel Pepys a souvent parlé du bonheur. Dans son journal, à la date du 23 février 1662, il a noté : « Par la grâce de Dieu, j'ai vingt-neuf ans, je suis en très bonne santé, content de vivre, et si je suis satisfait de mon sort, je peux me considérer comme un homme heureux, ce dont je rends grâce à Dieu. Et maintenant mes prières et au lit. »

L'expression de Pepys « si je suis satisfait de mon sort » me frappe. Il est facile de survoler ces mots sans y attacher d'importance. Pourtant, on n'est pas heureux si on ne se croit pas heureux, et donc, sans « être satisfait de son sort », nul ne peut être heureux. C'est la Quatrième Vérité Éclatante.

Suis-je satisfaite de mon sort ? Pas vraiment. Ambitieuse, déçue, angoissée, rarement contente, j'ai souvent tendance à me plaindre. Dans certaines circonstances, cela m'est utile car je suis ainsi poussée à mieux travailler et à atteindre mes objectifs. Mais c'est l'exception qui confirme la règle. Ainsi, lorsque Jamie m'offre un gardénia en pot (ma fleur favorite), je râle parce qu'il est trop gros. Ou encore, quand en rentrant de la quincaillerie, je m'aperçois que les ampoules que je viens d'acheter ne sont pas de la bonne taille, je pique ma crise.

Il est plus facile de gémir que de rire, plus facile de crier que de plaisanter, plus facile de demander que d'être satisfait de ce qu'on reçoit. M'obliger à être satisfaite de mon sort va m'aider à changer d'attitude, du moins je l'espère. En tout cas sur certains points précis.

D'abord, je veux rire plus souvent. Cela me rendra plus heureuse et rendra les gens autour de moi plus heureux aussi. D'autant qu'au cours de ces dernières années, mon humeur s'est assombrie. J'ai l'impression que je ris moins, que je souris plus rarement. Il faut savoir qu'un enfant sourit quatre cents fois par jour, un adulte dix-sept fois seulement. Et moi ? La plupart du temps je dois être bien au-dessous de cette moyenne.

Je désire également être plus gentille. La gentillesse me semblait être une qualité sans grand intérêt (un peu comme la fiabilité et le sérieux) mais en étudiant le bouddhisme, voyant l'accent qu'il met sur la bonté, je suis convaincue d'avoir négligé une vertu importante. Je veux pratiquer la bonté. Mais c'est une notion bien vague et très difficile à mettre en œuvre. Comment agir pour ajouter de la bonté à mon quotidien ?

Première résolution de base : m'efforcer d'être plus polie. Non seulement me tenir mieux à table (j'en ai besoin) mais montrer plus de considération envers les autres. Un peu de politesse engendrera peut-être un peu plus de bonté, du moins en apparence. Et – qui sait ? – ça pourrait devenir authentique. Je dois également perdre mon sale caractère, typique des New-Yorkais. Chaque fois que je vais voir mes parents à Kansas City, je remarque que les gens du Midwest sont plus aimables, moins pressés ; les vendeurs bavardent avec les clients (et non entre eux) et sont plus serviables, les conducteurs permettent aux piétons de traverser sans leur causer de crises cardiaques. Bref, je veux prendre le temps nécessaire pour rendre les contacts agréables.

Autre souhait : cesser d'avoir l'esprit aussi critique, de tout juger, d'être aussi tatillonne. Quand j'étais jeune, mes parents insistaient pour que ne soyons positives et enthousiastes – au point que ma sœur et moi nous plaignions d'avoir à jouer la comédie. Aujourd'hui, je trouve qu'ils avaient raison de nous interdire les remarques sarcastiques et stériles : l'ambiance de la maison était tellement plus détendue.

D'ailleurs, afin de m'aider à être plus calme et plus gaie, je vais m'obliger à chasser de mon esprit les sujets qui m'irritent.

Tout ceci est-il suffisant pour occuper ce mois de novembre ? La réponse me vient de Schopenhauer (pourtant un pessimiste célèbre) : « Un homme peut être jeune, beau, riche et honoré ; si l'on veut juger de son degré de bonheur, on doit se demander s'il est gai. »

Ce mois, je le dédie à la gaieté.

À ce stade, je ne doute plus de la force de mon Troisième Commandement : « Fais comme si… », si je veux me sentir heureuse et décontractée, je dois agir ainsi, c'est-à-dire rire à gorge déployée.

Rire n'est pas seulement une activité agréable. Cela augmente les défenses immunitaires et le seuil de la douleur, réduit la tension. Le rire contribue à développer de nouveaux liens amicaux, à réduire les conflits, à améliorer les relations en famille, au travail ou avec des inconnus. Quand on rit ensemble, on a tendance à parler plus facilement, à se toucher, à s'observer les yeux dans les yeux.

Je me promets de trouver des raisons de m'amuser, de rire de bon cœur, d'apprécier l'humour des autres Terminés les sourires de convenance ; fini de me précipiter pour raconter *ma* blague sans laisser mes amis rire jusqu'à plus soif de la précédente ; abandonnée ma tête d'enterrement quand on se moque de moi. Un des plaisirs de l'existence est de faire rire – même Jamie a l'air content de lui quand je ris à ses plaisanteries et j'ai le cœur serré quand mes filles m'observent de près pour voir si je ris.

L'autre matin, après qu'Eleanor m'a répété pour la dixième fois la même blague, je remarque qu'elle boude :

— Qu'est-ce qui t'arrive, choupinette ?

— Tu n'as pas ri !

— Dis-la-moi encore une fois.

Et j'éclate de rire.

Mais surtout, je veux me moquer de *moi-même*. Jusqu'à présent, je me suis prise bien trop au sérieux.

Alors que les rares fois où je ris de moi-même, je trouve ça bon pour le moral.

J'y pense, quand je me retrouve coincée dans un bar à soupes derrière deux dames âgées qui n'arrivent pas à se décider. L'une d'elles interroge la serveuse :

— Est-ce que je peux goûter à la soupe épicée aux lentilles ?

Elle trempe ses lèvres dans une coupelle.

— Trop fort ! Et si j'essayais la soupe épicée à la saucisse ?

On lui tend une autre coupelle.

— Elle est trop forte aussi !

La serveuse ne dit rien mais je sais ce qu'elle pense. Madame, évitez les soupes épicées !

Je suis ravie de rester patiente mais les grognements derrière moi m'indiquent que tout le monde n'est pas à l'unisson.

À ce moment, l'une des deux femmes dit quelque chose de drôle et s'esclaffe. Son amie l'imite. Je me joins à elles. Les autres clients font de même. Incroyable comme la capacité de cette femme à se moquer d'elle-même a transformé une atmosphère tendue en interlude distrayant.

Pourtant, il m'est difficile de rire – de moi-même ou de quoi que ce soit. Je n'arrive pas à concevoir un exercice ou une stratégie pour y parvenir. J'envisage de **regarder** un spectacle de variétés tous les soirs à la **télévision** ou de louer des DVD comiques, mais ça me **semble** forcé. Il ne faut quand même pas que ça devienne **une** corvée ! Suis-je tellement dépourvue d'humour que je doive recourir à ces mesures extrêmes ? Je me raisonne enfin : « Écoute, et ris ! » Je m'oblige donc à ralentir pour réagir comme les gens s'y attendent.

Chesterton avait raison, il est difficile de prendre les choses à la légère. Cela demande une certaine discipline. Il me faut du courage pour écouter les devinettes bêtas d'Eliza et pouffer à ses plaisanteries. De la patience pour me tordre quand Eleanor sort sa tête de derrière un coussin pour la millième fois. Mais elles sont si heureuses de me voir rire que je suis ravie de leur faire ce plaisir. Au bout d'un moment, je n'ai même plus à me forcer.

Je m'oblige également à faire plus attention aux choses que je trouve drôles. Par exemple les phrases du genre « X est le nouveau Y », dont voici quelques exemples :

« Dormir est le nouveau sexe. »

« Le petit déjeuner est le nouveau déjeuner. »

« Halloween est le nouveau Noël. »

« Mai est le nouveau septembre. »

« La vulnérabilité est la nouvelle force. »

« Lundi est le nouveau jeudi (pour faire des plans après le travail). »

« Trois est le nouveau deux (nombre d'enfants). »

« La quarantaine est la nouvelle trentaine et onze est le nouveau treize (âge). »

Pourquoi je trouve ces phrases drôles ? Je n'en ai aucune idée.

J'ai l'occasion de me moquer de moi-même quand un critique parle d'un de mes livres comme d'un « nouveau genre populaire » et de « document *racoleur* ».

— Regarde ! dis-je à Jamie en lui jetant le journal à la figure. J'appartiens à un genre ! Et pas n'importe lequel ! Le genre *racoleur*, façon journaliste !

— En quoi est-ce racoleur ?

— Passer un an sur un sujet.

— Je ne vois pas où est le mal. Thoreau est allé vivre à Walden Pond pendant un an, en fait deux ans, mais c'est la même idée.

— Du coup mon Opération Bonheur paraît conventionnelle et *bête*. De plus, je ne suis pas la seule à traiter du *bonheur* dans un document fait pour l'épate ! Je suis conventionnelle, bête et inutile !

Puis je me rappelle – je ne dois pas me laisser aller. Rester sur la défensive, être angoissée ne mène pas au bonheur. Mais rire de bon cœur, me moquer de moi-même, me recadrer, voilà la conduite à tenir.

Je reprends ma conversation avec Jamie sur un mode plus léger :

— Je fais partie d'un mouvement littéraire sans le savoir ! J'ai loupé la vague « .com », je sais à peine utiliser un iPod, je ne regarde pas *Project Runaway*, l'émission télé des jeunes designers, mais pour une fois j'ai tapé dans le mille !

Je me force à rire et me sens immédiatement mieux. Jamie se met à rire lui aussi. Il semble soulagé de ne pas avoir à me remonter le moral.

« Rire de bon cœur » ne s'arrête pas au rire. Répondre aux autres en riant m'oblige à être moins orgueilleuse, moins sur la défensive, moins égocentrique. Ça me rappelle un des moments clés de l'existence de sainte Thérèse quand elle a décidé de « rire de bon cœur ». Typique de sa nature hors du commun, elle a précisé qu'un banal incident avait été le point de départ de sa vie spirituelle. Chaque année, à Noël, elle se faisait une joie d'ouvrir les cadeaux laissés dans ses chaussures. Mais quand elle a eu quatorze ans, elle a entendu, du haut de l'escalier, son père se plaindre : « Enfin, c'est la dernière année ! » Habituée à être chouchoutée et câlinée par sa famille, la jeune Thérèse avait l'habitude d'éclater en sanglots à la moindre contrariété. Mais ce matin-là, elle a connu ce qu'elle a décrit comme « une complète conversion ». Elle a retenu ses larmes et au lieu de négliger ses cadeaux ou d'aller bouder dans sa chambre, elle a couru jusqu'à la cheminée pour ouvrir gaiement ses présents. Son père s'est mis à rire avec elle. Thérèse a alors compris que la réaction adéquate à la vilaine remarque de son père était de rire de bon cœur.

VIVE LA POLITESSE !

Au cours de mes recherches, je fais le test de personnalité conçu par l'ethnologue Daniel Nettle dans son livre *Personality*. Le résultat me pousse à mieux appliquer les règles de savoir-vivre. Ce test, qui ne comprend que douze questions, fournit une évaluation précise de la personnalité en utilisant les « Cinq Principes » reconnus comme les plus fiables. D'après ces cinq facteurs, on peut s'identifier à cinq principaux modèles.

1. Extraversion : réaction à une récompense.
2. Névrose : réaction à une menace.
3. Caractère consciencieux : réaction aux inhibitions (contrôle de soi, programmes).
4. Affabilité : respect envers autrui.
5. Ouverture d'esprit : champ des associations mentales.

Pour moi l'extraversion est synonyme d'attitude amicale mais, d'après ce test, un haut degré d'extraversion signifie que les gens réagissent positivement et manifestent avec force leur joie, leur désir, leur excitation, leur enthousiasme. Et bien qu'il m'arrive souvent de qualifier une personne de névrosée, j'avoue ne pas connaître la définition exacte de ce mot. J'apprends donc que les personnes dotées d'une tendance élevée à la névrose ont des réactions négatives très fortes – peur, angoisse, honte, culpabilité, dégoût, tristesse, souvent dirigées contre elles-mêmes.

Après avoir répondu aux douze questions, je découvre mon score :

Extraversion : faible-moyen.
Névrose : faible-moyen.
Caractère consciencieux : élevé.
Affabilité : faible (pour une femme ;
    si j'étais un homme, je serais faible-moyen).
Ouverture d'esprit : élevé.

J'estime mes résultats assez exacts. Comme je m'en suis rendu compte en avril dans le métro, lorsque je suis « neutre », je ne suis ni particulièrement gaie ni spécialement triste. Je suis faible-moyen. Étant très consciencieuse, je suis heureuse de voir que j'ai un score élevé pour l'ouverture d'esprit. J'ignorais quelle note j'obtiendrais. Plus significatif : mon affabilité faible ne me surprend pas. Pourtant, quand j'en parle à certaines de mes amies, toutes se récrient : « Mais tu es très agréable à fréquenter ! » Des réactions d'amies loyales, sûrement plus affables que moi.

« Rien, a écrit Tolstoï, ne peut rendre notre vie et la vie des autres plus belles que la bonté perpétuelle. » La bonté, dans la vie quotidienne, prend la forme d'une certaine politesse que j'ignore trop souvent, comme le test l'a prouvé. Je bouscule les gens sur les trottoirs, je ne me lève pas pour céder ma place dans le métro, j'aime à passer la première et n'offre mon aide que rarement.

Plus précisément, je dois me montrer plus polie dans mes conversations. Je suis une Mme Je-sais-tout qui balance : « Un des aspects les plus intéressants dans les romans d'Angela Thirkell est qu'elle les situe dans le Barsetshire, le comté imaginaire décrit par Anthony Trollope. » Je suis une « encore plus » : « Si *vous* croyez que vous avez eu une matinée de fou, écoutez donc le récit de *ma* matinée ! » Je suis aussi un rabat-joie : « Vous avez aimé ce film ? Je l'ai trouvé d'un ennui mortel ! »

Pour corriger ces travers, je saute sur l'occasion de faire des commentaires qui montrent que le point de vue des autres m'intéresse :

« Vous avez raison. »

« Vous avez une bonne mémoire. »

« Racontez-nous cette histoire où vous... »

« Je n'y avais pas pensé. »

« Je comprends votre point de vue. »

« Qu'est-ce que vous en pensez ? »

En cherchant à rectifier le tir, je m'aperçois d'un défaut que je dois corriger de toute urgence : je suis trop agressive. En effet, dès que quelqu'un exprime son point de vue, je cherche la façon de le contredire. Ainsi, lorsqu'on me dit : « Pendant les cinquante prochaines années, les relations entre les États-Unis et la Chine seront déterminantes », je me gratte la tête pour chercher des exemples contraires. Pourquoi ? Juste pour le plaisir de ne pas être d'accord ? Je ne sais pas grand-chose sur le sujet. Mes études de droit ont sûrement accentué cette disposition d'esprit. On m'a appris à tout remettre en question, et j'étais fière d'exceller en cette matière, une qualité ou un défaut commun à la majorité des avocats.

Dans la vie de tous les jours, je contrôle assez bien ce travers, mais dès que je bois un ou deux verres, je deviens nettement plus agressive et j'en oublie les règles du savoir-vivre. Rentrée chez moi, douillettement couchée, je m'interroge à voix haute sur la soirée qui vient de s'écouler. « Ai-je été aussi odieuse que ça ? » ou « Pourquoi me suis-je montrée aussi négative ? » Et Jamie me rassure rarement.

Ce mois-ci, je suis déterminée à me contrôler dans ce domaine. En cessant de boire ? L'idée ne me traverse pas l'esprit. Mais quand Jamie se voit interdire l'alcool en raison de son hépatite C, je décide de diminuer ma consommation.

J'en ressens une telle amélioration que je décide d'arrêter tout à fait (un choix qui ne me surprend pas car depuis mes recherches de février, je sais que l'exemple de Jamie me donne cinq fois plus de chances de réussite). Je suis immédiatement plus heureuse. Le goût du vin ou de la bière ne me manque pas. Les alcools forts non plus, car je les ai toujours détestés. Et je préfère utiliser cette réserve de calories pour savourer de bons petits plats. Ce qui me manque c'est l'idée de boire. Une des choses que j'adore chez Winston Churchill c'est sa passion pour le champagne et les cigares. Mais comme me le souffle un de mes Secrets de l'Expérience : « Ce que d'autres trouvent amusant peut ne pas vous faire rire. » Je dois accepter le fait que l'alcool n'a plus droit de cité dans ma vie. Et c'est tant mieux, car il m'apportait bien des désagréments.

Une autre raison me conforte dans mon abstinence. J'étais brusque parce que l'alcool me donnait envie de dormir. Il est bien plus facile d'être polie et d'un commerce agréable quand on n'est pas au bord de l'épuisement. Comme je le remarque ces derniers mois : il m'est plus facile d'être heureuse et polie quand je veille à mon bien-être physique : m'habiller chaudement quand il fait froid (même quand on se moque de mes caleçons longs, de mes pulls superposés, de mes tasses de thé bouillant), me nourrir quand j'ai faim (j'ai l'impression de manger plus souvent que les autres adultes), éteindre quand le sommeil me gagne et prendre des analgésiques quand j'ai une migraine.

Ne pas être avare d'éloges

Je veux rire plus souvent, me montrer plus aimante, plus enthousiaste. Je sais qu'il n'est pas gentil de tout critiquer mais c'est amusant. Pourquoi est-ce si jubilatoire ? Critiquer me donne l'impression d'être plus intelligente et plus sophistiquée, et il a été démontré que les gens à l'esprit critique sont souvent perçus comme des personnes averties. Dans une étude, on voit que les critiques littéraires à la dent dure sont considérés comme plus compétents et meilleurs spécialistes que leurs collègues plus coulants. Une autre étude montre que face à la critique, on a tendance à penser que son agresseur est plus intelligent que soi. De même quand une personne va à l'encontre de l'unanimité d'un groupe, elle en réduit la force. Je vois de telles personnes à l'œuvre. Alors qu'un groupe constate à l'unanimité qu'un prof « fait du très bon boulot » ou que ce « restaurant est formidable », un détracteur, par ses propos négatifs, peut faire retomber l'ambiance comme un soufflé. Tout critiquer présente des avantages et ne pose aucune difficulté. Les louanges sont plus risquées.

En examinant mes réactions vis-à-vis d'autrui, je m'aperçois que j'ai une certaine admiration pour les gens qui ont la critique facile. Pourtant, il n'est pas facile d'aimer la compagnie de quelqu'un qui dénigre tout. Je préfère les gens enthousiastes, dynamiques, gais et plus tolérants.

Un soir, par exemple, nous faisons la surprise à une amie de l'emmener à un concert de Barry Manilow, l'un de ses artistes préférés. Comment peut-elle aimer ce chanteur qui n'a rien de transcendant ? Il serait plus facile de se moquer de sa musique ou de l'apprécier au second degré que de le trouver formidable comme le fait mon amie. L'enthousiasme demande du courage. D'autant que nos jugements sont influencés par l'opinion des autres. Aussi quand mon amie me déclare : « Quelle musique épatante, c'était un concert exceptionnel ! », *son* enthousiasme me fait plaisir.

Ça me plairait d'avoir ce genre d'entrain. Pour cela je commence par m'interdire certaines déclarations aussi négatives qu'inutiles du genre : « Je n'ai pas envie d'y aller », « Ce plat est trop riche » ou « Il n'y a rien à lire dans ce journal. » Et m'efforce de chercher des moyens d'être sincèrement enthousiaste.

Ainsi, un après-midi, Jamie me propose d'aller au cinéma. Nous laissons nos filles à la garde de ses parents et quand nous revenons, ma belle-mère me demande :

— Comment était le film ?

Au lieu de répondre en haussant les épaules : « Pas terrible », je me lance :

— C'était formidable de pouvoir aller au cinéma en milieu d'après-midi.

Une réponse qui a de bonnes chances de rendre tout le monde heureux.

Il faut une bonne dose d'humilité pour apprécier les êtres et les choses. J'avoue que je regrette mon sentiment de supériorité quand je n'avais à la bouche qu'humour cinglant, sarcasmes, commentaires cyniques, remarques blessantes. La volonté d'être séduit demande de la modestie, une certaine innocence qui peut sembler mièvre et sentimentale.

Pour la première fois, j'apprécie les gens qui se sont donné l'enthousiasme pour règle de vie. Une prière attribuée à saint Augustin demande de « protéger ceux qui sont joyeux » :

> *Prends soin de tes malades, Ô Christ Notre Seigneur. Fais reposer ceux qui sont las, apaise ceux qui souffrent. Aie pitié des affligés. Protège ceux qui sont joyeux. Tout pour l'amour de toi.*

A priori, je suis étonnée qu'une prière sur les mourants et les êtres dans la douleur s'inquiète également des personnes joyeuses. Pourquoi se faire du souci pour elles ?

Mais quand je commence à être plus modérée dans mes jugements, je comprends tout le bonheur que j'ai reçu des gens heureux et combien d'efforts ils déploient pour être tout le temps encourageants et de bonne humeur. *Il est facile d'être dur, difficile d'être gentil.* Nous, les rabat-joie, pompons l'énergie et la joie de vivre des gens heureux ; ils sont nos bouées de sauvetage et nous comptons sur eux pour amortir nos angoisses et tempérer notre agitation perpétuelle. Mais notre part d'ombre nous pousse à les provoquer pour qu'ils cessent d'être aussi enthousiastes, aussi optimistes. Pour qu'ils descendent de leur nuage rose, et voient que la pièce est stupide, l'argent gâché, la réunion sans intérêt. Au lieu de protéger leur joie, nous la détruisons. Pour quelle raison ? Je n'en ai aucune idée. Mais c'est dans notre nature.

Je cite la prière de saint Augustin sur mon blog et plusieurs lecteurs qui se disent joyeux me répondent.

J'ai presque eu envie de pleurer – faisant partie des gens heureux. Je suis bien d'accord que ça peut être fatigant, alors qu'un rien suffit pour montrer sa satisfaction.

Je fais partie de ces gens qui se réveillent de bonne humeur – pourtant ma vie est parfois pénible – parce que c'est mon choix. Pour des raisons que je ne comprends pas, cela agace les gens que je sois de bonne humeur. Mais en même temps, ils veulent se nourrir de mon énergie. Parfois, c'est crevant.

Gretchen, moi aussi je suis quelqu'un de joyeux. Je l'ai choisi. Je viens de connaître une rupture qui m'a traumatisée parce que mon petit ami ne supportait plus de me voir toujours heureuse. Tout en puisant dans ma bonne humeur comme s'il se noyait. J'avais de plus en plus l'impression qu'il voulait me faire couler. Il fallait que je parte ou que je m'enfonce. J'ignorais que quelqu'un pouvait me comprendre.

Ces commentaires me rappellent que le bonheur des gens heureux n'est ni inépuisable ni inattaquable. Je fais donc un effort pour employer ma bonne humeur à soutenir ceux que je connais.

Pour tenir ma résolution : « Ne pas être avare d'éloges », je me résous à utiliser la manière forte de la Semaine d'Extrême Gentillesse et du mois mobilisé pour rédiger mon roman. Une semaine à jouer Pollyanna, l'héroïne de la littérature enfantine, devrait accélérer ma transition. Dans le best-seller du même nom publié en

1913, Pollyanna joue à toujours trouver – quoi qu'il lui arrive – une raison pour se réjouir. Pour moi, ce sera une semaine sans commentaires acides.

Le lendemain matin, alors que je pense à ma « Semaine Pollyanna », je trahis déjà ma bonne résolution. À peine réveillée, j'accable Jamie de reproches :

— Tu ne réponds *jamais* à mes mails, tu n'as pas répondu à celui d'hier ! Résultat : je n'ai pas pu organiser nos sorties. A-t-on besoin, oui ou non, d'une baby-sitter pour jeudi ?

Le lendemain, je recommence. Toute la famille est assise, avant le départ pour l'école, quand Eleanor porte une main à sa bouche, en un geste que nous trouvons adorable jusqu'à ce qu'elle commence à émettre des drôles de bruits.

Je crie :

— Vite ! Allez chercher une serviette, elle va être malade !

Eliza fonce dans la cuisine mais quand elle en ressort, Eleanor a eu le temps de vomir son petit déjeuner sur elle, sur moi et sur la moquette.

— Jamie, va chercher une serviette !

Il est resté assis, comme hypnotisé. Lorsque Eliza et lui reviennent de la cuisine, nous pataugeons dans le vomi.

Furieuse, je me lâche :

— Franchement, tous les deux, *vous* n'êtes pas des rapides ! On aurait pu s'épargner bien des tracas si vous m'aviez apporté des serviettes en quatrième vitesse.

Pourquoi être aussi négative ? Mon commentaire est nul. Et, à cause de ma sortie, Jamie et les filles sont encore plus mal à l'aise.

Le soir, je me rattrape un peu. À vrai dire, je suis si fatiguée que je me couche à 21 heures. Dormir est une méthode infaillible pour ne pas dire de vacheries. Mais quand j'annonce à Jamie : « Je suis si fatiguée que je vais me coucher », est-ce que je me plains ou est-ce que j'énonce la simple vérité ? Je crois me plaindre. Je pourrais en effet trouver une phrase plus positive. Du genre : « J'ai tellement envie de dormir que je pense éteindre de bonne heure. »

Durant la Semaine Pollyanna, j'ai le plus grand mal à tenir ma bonne résolution. Aussi, me souvenant des stratégies utilisées en octobre, dès le troisième jour, je noue un large bracelet orange autour de mon poignet, un pense-bête omniprésent. Malgré son efficacité, je me plains à une amie qu'il est trop lourd et trop encombrant ! Alors que je me suis juré de n'émettre aucune critique ! Mais j'ai des moments de triomphe. Je ne me mets pas en colère quand l'Internet tombe en panne. Je ne bougonne pas quand Jamie prépare des desserts trop riches, trois soirs de suite. Et lorsque Eliza heurte le mur avec la poussette d'Eleanor et fait une grosse marque, je ne profère aucune remarque. Enfin, quand Eleanor s'empare de mon tube de rouge à lèvres et le laisse tomber dans les toilettes, je me contente de dire : « Oh ! Tu ne l'as pas fait exprès ! »

Bien sûr, pendant toute cette semaine, je ne réussis pas à m'abstenir de tout commentaire négatif – ce serait irréalisable – mais je pense que l'exercice m'est bénéfique. Il met en lumière mes mauvaises habitudes et ses effets se prolongent longtemps après la fin de la semaine.

PRÉVOIR UNE ZONE REFUGE

L'être humain est ainsi fait qu'il souffre de « préjugés négatifs ». Il réagit plus fort aux mauvaises nouvelles qu'aux bonnes, aux insultes qu'aux éloges. En février, j'ai appris que dans un mariage il faut cinq actions bienveillantes pour compenser un seul acte agressif. Ainsi, la douleur de perdre une certaine somme d'argent est plus forte que le plaisir de gagner le même montant. Figurer sur la liste des best-sellers pour *Forty Ways to Look at Winston Churchill* m'a moins bouleversée qu'une seule mauvaise critique.

Une des conséquences de l'attitude négative est de songer à des choses stériles ou destructrices quand on a l'esprit qui tourne à vide. Ruminer des agressions, des conflits, des deuils mène à la déprime. Les femmes sont plus souvent dépressives que les hommes en raison de leur tendance à ruminer des idées noires. Les hommes s'en sortent mieux par l'action. Cela leur permet de changer d'humeur. Car ressasser sa mauvaise humeur l'aggrave au lieu de la dissiper.

Je remarque ma fâcheuse tendance à broyer du noir. Pour cesser, j'invente l'idée d'une « zone refuge ». Un jour, en retournant à mon ancienne faculté de droit, un écriteau où il est inscrit « zone de refuge » me frappe. Située à côté d'un ascenseur, elle doit sans doute être utilisée par les personnes en chaise roulante ou par les handicapés. Maintenant, quand je suis déprimée, je cherche une « zone refuge » mentale.

À l'abri dans ma zone refuge, il m'arrive de me souvenir du discours élogieux de Churchill sur Neville Chamberlain. Ou des facéties de Jamie. Peu de temps après notre mariage, il était entré dans notre chambre en slip, m'avait annoncé : « Je suis un LORD of the DANCE[1] ! » et il avait sauté à pieds joints autour du lit, les bras collés le long du corps. J'en ris encore. Une amie m'avoue qu'elle pense à ses enfants. Une autre amie – qui n'est pas

---

1. Référence à un groupe éponyme de danseurs irlandais. *(N.d.T.)*

écrivain – invente des petites histoires dans sa tête. Quand Arthur Llewelyn Davies, le père des garçons qui ont servi de modèles à *Peter Pan*, se remettait d'une opération au cours de laquelle on lui avait enlevé une joue et une partie du palais, il avait écrit à J.M. Barrie, l'auteur du roman :

Voici les choses auxquelles je pense.

> Michael allant à l'école.
> Un petit village en Cornouailles
>   et la robe bleue de S.
> Le jardin de Burpham.
> La vue de Kirby au-delà de la vallée.
> Jack se baignant.
> Peter répondant à des taquineries.
> Nicholas dans le jardin.
> George toujours.

Ces phrases ne veulent rien dire pour nous, mais pour lui c'étaient des zones refuges.

À la fin novembre, je remarque l'une des principales leçons tirées de mon Opération Bonheur : la volonté de tenir mes résolutions et de faire ce qui me rend le plus heureuse me rend heureuse *et* me fait agir plus éthiquement. *Faire le bien, se sentir bien. Se sentir bien, faire le bien.*

Au cours du mois, l'une des cibles de mes remarques négatives est la coiffure d'Eliza. Pour Jamie et moi, elle est bien plus mignonne quand ses cheveux lui arrivent au-dessus des épaules, mais elle nous supplie de les laisser pousser.

— D'accord, dis-je, mais promets-moi de les brosser longuement et de ne pas les laisser te manger le visage.

Une mise en garde commune à des millions de parents mais totalement inutile. Elle promet mais ses cheveux tombent tout le temps devant ses yeux. D'où mes ordres peu suivis d'effet :

« Eliza, coiffe-toi, tu as l'air horrible ! »

« Eliza, fais-toi une raie sur le côté, pas au milieu du crâne ! »

« Eliza, mets-toi une barrette ou un bandeau pour maintenir tes cheveux en arrière. »

« Eliza, je ne te crois pas quand tu me dis que tu t'es brossé les cheveux. »

Ces commentaires ne plaisent ni à elle ni à moi. Il faut absolument que je change de disque. Aussi, au moment où je vais encore intervenir sur le même sujet, je lui demande de m'apporter sa brosse. Je lui brosse les cheveux ni trop vite, ni trop brutalement (comme j'aurais tendance à le faire quand je perds patience), et lui déclare :

— Choupinette, tes cheveux sont splendides.

Elle me regarde, surprise.

Je recommence.

— Laisse-moi te brosser. J'adore te coiffer.

Eliza n'arrive toujours pas à arranger ses cheveux convenablement, mais ça me dérange beaucoup moins.

12

Décembre : tendre vers la perfection

Le bonheur

> • Tendre vers la perfection

Depuis onze mois, j'accumule les bonnes résolutions. En décembre, je veux tendre vers la perfection en les appliquant toutes. Et tout le temps. Je veux que ma liste soit couverte de bons points. Un défi effrayant car il demande une somme énorme de discipline mentale et de maîtrise de soi, sans compter le *temps*.

Je me mets donc à ranger, éliminer, trier, éteindre les lampes. Je chante dès l'aube, ris à gorge déployée, prends en compte les opinions d'autrui, tourne sept fois ma langue dans ma bouche. J'affiche des blogs, demande de l'aide, m'oblige à me remuer, à sortir des sentiers battus. J'écris dans mon journal à une phrase. J'assiste aux réunions d'écrivains et aux clubs de lecture enfantine. J'écoute les cassettes de mon hypnotiseur. Je ne mange pas de cochonneries. Je n'achète que des choses utiles.

Bien sûr, ce n'est qu'un vœu pieux. Malgré toute ma volonté, la perfection m'échappe et je ne parviens pas à tenir toutes mes résolutions. Et pourtant ! Quand je les applique, elles donnent d'excellents résultats. Je pense souvent à ce que Samuel Johnson écrivait dans son journal en 1764, lui qui était aussi doué pour prendre de bonnes résolutions que pour ne pas les tenir :

« Il y a maintenant cinquante-cinq ans que je complote pour mener une vie meilleure. Je n'ai rien accompli. Il est temps d'avancer, car les jours me sont comptés. MON DIEU, faites que j'y voie clair et que je mette en pratique mes résolutions. »

D'accord, je ne parviens pas à la perfection, même pendant une seule journée. Mais je ne baisse pas les bras. Mon Opération Bonheur m'a appris à ne jamais désespérer. Si je suis déprimée, je n'ai qu'à appliquer les recettes pour me remonter le moral : faire de la gym, travailler, ne pas me laisser dépérir de faim, évacuer une corvée de ma liste, rencontrer des gens, prendre du bon temps avec ma famille. Parfois, rien ne marche, mais au moins j'ai la satisfaction d'avoir essayé, ce qui n'est pas si mal.

Plus important, je m'aperçois avec plaisir que je ne prêche pas dans le désert. Plusieurs lecteurs m'envoient sur mon blog leurs propres Opérations Bonheur. D'autres semblent essayer ma méthode et mes résolutions, ce dont je me sens très gratifiée.

Merci pour votre Tableau de Bonnes Résolutions. Mon mari et moi allons créer un mois de résolutions. Je pense que ces exercices nous amuseront et nous rapprocheront après une période sentimentalement difficile. Nous n'avons pas encore établi notre liste (ce qui montre que notre travail nous empêche de passer des moments importants ensemble), nous avons seulement décidé de nous y mettre bientôt. Mais j'ai déjà pensé à des résolutions simples : une soirée en tête à tête, exprimer sa tendresse, faire ensemble quelque chose de nouveau, l'écouter plus attentivement, faire l'école buissonnière un après-midi, se balader en voiture (l'endroit idéal pour bavarder sérieusement). Nous venons de nous rendre compte que nous vivons ensemble depuis si longtemps qu'au fil des ans nous négligeons des tas de petites choses qui nous rendraient plus heureux si nous y faisions attention.

L'Opération Bonheur de Gretchen Rubin est une grande source d'inspiration. J'adore son idée d'étudier ce qui nous rend heureux puis de l'appliquer à nos vies. L'Opération Bonheur de chacun doit être unique, mais je suis certaine que tous comportent des points communs. Gretchen a mis ses lecteurs au défi d'élaborer leur propre projet, eh bien je relève ce défi !

J'ai mis une amie à contribution et j'essaie de convaincre mon mari de se joindre à nous. Nous ferons le chemin ensemble.

Une chose m'intéresse en particulier : comment appliquer les principes du bonheur aux enfants. Je vais explorer ce domaine.

Surtout, ce qui me rend le plus heureuse est de partager ce que j'apprends avec d'autres. Je l'afficherai donc sur mon blog. Ça va être amusant !

Désirant montrer ma reconnaissance envers les personnes qui sont importantes pour moi, je veux que vous sachiez combien votre blog a amélioré ma vie. Vos résolutions m'ont amené à prendre de bonnes résolutions personnelles. Voici les trois buts que je me suis fixés pour être à la fois précis et agrandir le cercle de mes amis :

1. M'inscrire à un cours ;
2. Faire du volontariat ;
3. Devenir membre d'un groupe.

Je me suis vite inscrit à deux cours afin de poursuivre mon éducation. Je me suis également porté volontaire auprès d'une troupe de scouts à laquelle j'appartenais quand j'étais plus jeune. Cela a occupé le plus clair de mes loisirs pendant les six premiers mois de l'année. Récemment, je me suis inscrit à un club d'aviron.

Il est évident que ces trois résolutions m'ont comblé. J'ai rencontré des amis importants dans mon cours d'économie, appris à motiver et à diriger un groupe avec mes scouts, élargi mon cercle de relations au club d'aviron (tout en faisant de l'exercice). Quand on me demande « ce que je fabrique », je réponds que j'applique mes résolutions. Mais surtout, je suis plus heureux, et plus satisfait de ma vie.

Je viens de m'inscrire à un troisième cours et envisage de faire partie d'un club de dégustation de vins. Cinq fois par semaine je fais de la marche et je reste motivé en appliquant certaines de vos suggestions (j'adore celle de votre père disant qu'il suffit d'enfiler ses chaussures et d'aller jusqu'à la boîte aux lettres).

J'ai énormément appris grâce à vos recherches et votre expérience, et je tiens à vous dire que vous n'avez pas travaillé pour rien. L'impact sur mon existence a été immédiat et je suis certain qu'il durera pendant des années, et pourquoi pas toute ma vie. On dit que si l'on peut influencer une personne, cela en vaut la peine. Eh bien, vous avez réussi !

En trouvant votre blog, la lumière s'est faite et j'ai pensé que notre groupe aimerait votre Opération car nous sommes à la recherche du bonheur. J'avais raison ! Tout le monde a sauté de joie et nous sommes prêts à commencer. Nous nous retrouverons lundi prochain pour étudier certains de vos Commandements et je leur présenterai vos Tableaux de Résolutions. Comme vous le dites, chaque Opération semble différente, dépendant de l'intéressée mais en lisant votre blog plus avant, je m'aperçois que nous recherchons tous la même chose… le bonheur !

Faire son bonheur, rédiger ses propres Commandements, appliquer ses résolutions, voilà qui est absolument génial ! Jusqu'à maintenant notre groupe s'était contenté d'améliorer notre vie mais sans prendre les choses en main.

Nous verrons ce qui va se passer maintenant mais nous sommes déjà très excités à l'idée de « faire nos devoirs », c'est-à-dire élaborer nos propres Commandements.

Le week-end dernier, ma fille et une de ses amies m'ont retrouvée chez ma mère. Ma fille a vingt-huit ans, ma mère quatre-vingt-six ans, et moi, je suis au milieu. Ma fille et son amie Jane ont commencé à parler de l'Opération Bonheur et de certains principes qu'elles ont appris. Jane a repris l'idée de jouir de ce que l'on a – la jolie vaisselle, la robe qu'il ne faut pas garder pour plus tard, etc. Ma mère, qui est une femme très économe, nous a parlé de tasses en porcelaine dont elle avait hérité et qu'elle conservait dans un carton, faute de vaisselier. J'ai suggéré d'aller dans des magasins de meubles pour en trouver un et – surprise ! – elle a accepté. Dans la seconde boutique, nous avons pris des renseignements pour une vitrine. Mais en sortant, maman a repéré un fauteuil massant avec chauffage incorporé. Finalement, j'ai payé la moitié du prix du fauteuil (cadeau de Noël) et commandé la vitrine.

Nous savons tous que le bonheur ne réside pas dans la possession des choses. Pourtant, je suis ravie qu'à quatre-vingt-six ans ma mère puisse profiter de choses qu'elle aime vraiment. Depuis que son fauteuil lui a été livré, elle ne s'assied nulle part ailleurs. Quand elle recevra la vitrine, on s'amusera à exposer les trésors familiaux. Merci de nous avoir mises sur la voie !

Je suis ravie de savoir que mon blog contribue au bonheur de personnes que je ne connais pas. Bien sûr, c'était bien mon intention, mais je ne savais pas si ça marcherait.

Plusieurs amis me posent la même question :

— Ton année touche à sa fin. Alors, tu es plus heureuse ?

— Absolument.

— Mais comment le sais-tu ? s'inquiète un mathématicien. As-tu pris des mesures systématiques au cours de l'année ?

— Ma foi, non.

— Tu n'as pas demandé à Jamie de te donner tous les jours une note et d'établir des courbes de ta bonne ou mauvaise humeur ?

— Non.

— Alors, tu n'es peut-être pas plus heureuse ! Tu le *crois* seulement.

— Bon, c'est peut-être mon imagination.

Je réfléchis et j'ajoute très vite :

— Non, je *sais* que je suis plus heureuse.

— Comment ?

— Je le *sens* !

Ce qui est la pure vérité.

Ma Première Vérité Éclatante établit que si je veux être plus heureuse, je dois examiner ma vie et penser à ce que veut dire *me sentir bien, me sentir mal, me sentir en phase avec moi-même, me placer dans un climat de progression*. J'ai travaillé sur ces éléments, et la différence est énorme.

Personnellement, le plus riche des enseignements fut de découvrir le sens de *me sentir mal*. Ce qui me rend le plus heureuse est l'élimination des réactions négatives causées par des critiques injustes, des moqueries, des ragots. Ou encore par le fouillis, les cochonneries alimentaires, l'abus de l'alcool et tutti quanti. Contrôler ma langue de vipère me comble. Désormais, j'arrive à changer de ton juste avant d'exploser de colère ou même au milieu d'une phrase. Et à rire lorsque je râle contre

Jamie quand il a oublié de payer l'assurance ou ne cherche pas un livre de la bibliothèque qu'il a égaré. En même temps, je me *sens bien* plus souvent – je ris plus en famille, prends facilement la parole dans mon club de littérature enfantine, j'écoute la musique que j'aime dès que j'en ai l'occasion. J'ai appris à profiter de chaque instant de bonheur que m'offre l'existence.

Me sentir en phase avec moi-même a été très important quand j'ai eu du mal à décider de quitter le barreau pour l'écriture, mais ça ne m'a guère influencée ces derniers mois. Cependant, en ce début décembre, je me fixe le but de *me sentir en phase avec moi-même* pendant l'année à venir : en m'impliquant dans les greffes d'organes. Bien sûr, nous espérons tous que Jamie n'aura jamais besoin d'une greffe de foie, mais son hépatite C fait que je m'intéresse de très près au sujet. Si je peux contribuer, même modestement, à développer le don d'organes dans ce pays, je transformerai une situation personnelle douloureuse en cause nationale. Dans ce but, je commence à réunir une liste de noms et de contacts. Ce travail ne me donne aucun plaisir mais je sais qu'il m'aide à *me sentir en phase avec moi-même.*

Ce qui me surprend le plus dans ma Première Vérité Éclatante est l'importance du *climat de progression.* Je n'y ai pas prêté beaucoup d'attention quand j'en ai fait le quatrième composant du bonheur. Mon Opération Bonheur me prouve que ce climat de progression est un facteur essentiel. Alors qu'instinctivement je suis intimidée par la nouveauté et les défis, ceux-ci sont pourtant la clé du bonheur, même pour un être aussi peu aventureux que moi. Mes correspondants m'ont ainsi montré que l'atmosphère d'évolution est une source primordiale de bonheur. Ma maîtrise en ce domaine me comble, tout en m'incitant à aller toujours de l'avant.

On me pose souvent cette question :

— Et Jamie ? Il a changé ? Il est plus heureux ?

Je sais une chose : si je le lui demande, il m'enverra sur les roses ! Pourtant, un soir, je n'y résiste pas :

— Tu crois que mon Opération Bonheur t'a rendu plus heureux ? Tu crois que tu as changé ?

— Pas du tout !

Ce n'est pas vrai, il *a changé* ! Sans que j'aie à le harceler, il s'occupe de tas de choses qu'il ne faisait pas avant, comme de préparer les vacances ou de gérer nos finances. Il prend en charge des petites corvées – répondre à mes mails ou jeter les couches usées. Ce qui ne serait jamais arrivé il y a un an. Il s'est souvenu de ma date de naissance et m'a même souhaité « joyeux anniversaire » en se réveillant. Et puis il a organisé une soirée en mon honneur, m'a offert un cadeau et a pris des photos (une grande première).

Sans que je m'en aperçoive sur-le-champ, il a surtout digéré mes propos sur le bonheur. Un jour, alors que nous faisons nos courses en famille, je surprends Jamie disant à Eliza :

— Quand on arrivera au Container Store, tu vas voir une chose très intéressante. Ta maman va acheter pour cinq dollars quelque chose qui la rendra très heureuse. De toutes petites choses peuvent rendre quelqu'un très heureux, peu importe le prix.

L'objet en question ? Un porte-éponge que l'on fixe à l'évier avec des ventouses. J'en cherchais un depuis que j'ai découvert son extrême utilité chez mon frère et ma belle-sœur. Jamie avait raison, j'étais ravie de mon acquisition. Pourtant, il y a douze mois, il n'aurait jamais fait une telle remarque. Mais parmi tout ce qu'il a accompli pour me rendre plus heureuse, un de ses e-mails surtout m'est allé droit au cœur. Juste avant, je lui avais passé un savon parce qu'il avait manqué à sa parole en oubliant de passer un coup de fil.

De : Rubin James
À : Gretchen Rubin
Sujet : Ne sois pas fâchée. Voir ci-dessous.

Je l'avoue. Quand j'ai commencé mon Opération Bonheur, j'ai eu peur, si je cessais d'enquiquiner Jamie, que toutes les corvées me retombent dessus. Ce n'est pas le cas. Il n'y a peut-être pas de relation de cause à effet – il est possible que mon travail n'y soit pour rien – mais, à la maison, l'atmosphère est nettement plus détendue. Une observation peu scientifique ! Je ne vois sans doute que ce que j'ai envie de voir. Mais je m'en fiche !

Si je crois que je suis plus heureuse, je le suis ! C'est la Quatrième Vérité Éclatante. Et sans doute la dernière qui me soit apparue, mais en réalité je l'avais pressentie dans l'autobus quand j'ai eu l'idée de l'Opération Bonheur. Je ne suis pas heureuse à moins de le penser, et en m'efforçant de prêter attention à mon bonheur, j'en prends conscience.

Bien que la Première Vérité Éclatante ait été extrêmement précieuse pour me montrer la façon de changer ma vie, la Seconde Vérité Éclatante a été plus importante car elle m'a fait comprendre l'essence du bonheur.

Une des meilleures façons d'être heureux *soi-même* est de rendre *les autres* heureux.

Une des meilleures façons de rendre *les autres* heureux est d'être heureux *soi-même*.

La Deuxième Vérité Éclatante me montre clairement que se donner du mal pour être heureux n'a rien d'égoïste, comme l'a dit Robert Louis Stevenson :

« Aucune obligation n'est aussi sous-estimée que l'obligation d'être heureux. »

Quand je suis malheureuse, je me sens découragée, prostrée, sur la défensive, renfermée sur moi-même. Plus grave, quand je suis en colère ou que j'en veux à la terre entière, je me cherche des excuses pour être encore plus en colère. Mais quand je suis heureuse, j'ai tendance à avoir le cœur léger et à me montrer généreuse, créative, aimable, encourageante et serviable.

Pour ma sœur Elizabeth, décembre est un mois de folie. Elle prépare avec son associée une émission pilote pour la télévision (une chance unique), elle vient d'acheter une maison avec son fiancé, Adam, elle planifie leur mariage et elle vient d'apprendre qu'elle souffre du diabète. J'aimerais faire quelque chose pour elle quand, soudain, je sais comment l'aider. Je lui passe un coup de fil :

— Devine !

— Devine quoi ? fait-elle, au bout du rouleau.

— Je suis désolée que tu sois aussi débordée, aussi – je marque une pause – j'ai décidé de faire tes courses de Noël à ta place !

— Vraiment, Gretchen, tu ferais ça ? Ça serait formidable !

Elizabeth doit être vraiment stressée pour ne pas discuter.

— Je le ferai avec plaisir !

Ce qui est vrai. Entendre le soulagement dans sa voix me comble de bonheur. Lui aurais-je proposé de me charger de son shopping si je n'étais pas heureuse ? Non ! Me serait-il venu à l'esprit de l'aider ? Sans doute pas.

La Troisième Vérité Éclatante est une autre sorte de vérité. « Les jours sont longs mais les années sont courtes » me rappelle de vivre dans le présent, d'apprécier les saisons, de jouir de cette époque de l'année avec son atmosphère de fête, les chemises de nuit décorées de cerises des filles et nos coutumes familiales.

Le soir, avant de me coucher, je cours dans tous les sens pour organiser le programme du lendemain ou alors je m'écroule dans mon lit avec un livre. Jamie, lui, a un rituel charmant. Nous l'appelons « la tendre vision ». Une fois par mois à peu près, il me propose une « tendre vision ». Nous allons regarder Eliza et Eleanor en train de dormir.

L'autre soir, il tente de m'arracher à mon ordinateur :

— Non, j'ai trop de boulot. Il faut que je finisse tout ça avant demain. Vas-y seul !

Mais il insiste tellement que je l'accompagne jusqu'au seuil de la chambre d'Eleanor. Nous la regardons avec tendresse, petit corps délicat serré entre des piles de livres dont elle ne peut se passer.

— Un jour, dis-je à Jamie, nous nous rappellerons ces moments uniques et nous aurons du mal à croire que nos filles étaient si jeunes. On se dira : « Tu te souviens, quand Eleanor buvait encore dans sa tasse mauve et Eliza ne quittait pas ses chaussons rouges ? »

Il serre ma main tendrement :

— Nous dirons : « C'étaient des jours heureux ! »

Les jours sont longs mais les années sont courtes.

Au cours de l'année, on m'a souvent demandé le secret du bonheur. Selon les cas, je répondais : « Faire de l'exercice » ou « Dormir » ou « Faire le bien pour se sentir bien » ou « Renforcer ses liens avec autrui. » Mais fin décembre, je m'aperçois que l'aspect le plus utile de mon Opération Bonheur n'est pas dans ces résolutions, ni dans la Quatrième Vérité Éclatante, ni dans mon nouveau savoir, ni dans les livres savants que j'ai lus. Le plus important pour moi est de tenir mon Tableau des Bonnes Résolutions.

Au début, mon Tableau n'était qu'une sorte de jeu. Mais très vite, il est devenu d'une importance primordiale. En effet, le plus difficile n'est pas de prendre de bonnes résolutions (quoique dans certains cas j'aie du mal à trouver la bonne résolution), c'est de *les tenir* ! L'envie de changer n'a pas de sens si l'on ne trouve pas une façon d'exercer ce changement.

En disposant d'un moyen de contrôle, mon Tableau des Bonnes Résolutions m'incite à persévérer. Des mots d'ordre comme « Réjouis-toi », « Donne des preuves d'amour », « Évite certaines personnes » me traversent l'esprit sans arrêt et me font changer d'attitude. Quand ma voisine à la bibliothèque soupire bruyamment, j'essaie d'« Imiter un maître spirituel ». Sainte Thérèse de Lisieux raconte qu'elle a fait des efforts terribles pour ne pas perdre son sang-froid alors qu'une nonne faisait des gargouillis avec sa bouche pendant les offices. Même si je ne tiens pas mes résolutions à la perfection, je m'améliore et j'en suis plus heureuse.

En remarquant que bien des gens parlent de « but » au lieu de « résolution », je m'aperçois que les deux mots sont loin d'être synonymes. On se fixe un but, on tient une résolution. Courir un marathon est un excellent but. C'est précis, facilement mesurable et une fois que c'est fait, c'est fait. Chanter le matin, faire plus d'exercice entre dans la catégorie des résolutions. On ne se réveille pas un matin en pensant qu'on a terminé. Se fixer un but fournit le climat de progression que nécessite le bonheur, mais on peut se décourager facilement s'il est hors de portée. De plus, qu'arrive-t-il quand on a atteint son but ? Après un marathon, par exemple. On cesse de s'entraîner ? On se fixe un nouveau but ? Avec les résolutions, on s'attend à autre chose. J'essaie chaque jour d'appliquer mes bonnes résolutions. Parfois je réussis, parfois j'échoue, mais le matin, je repars de zéro. Comme je n'espère jamais en voir la fin, je ne me décourage pas.

Au fil des mois, je m'aperçois de l'importance de mon Premier Commandement : « Sois toi-même. » Bien des grands esprits à travers les âges ont montré qu'un de nos soucis majeurs devrait être de découvrir notre vraie nature. J'ai dû construire mon bonheur sur mon caractère. J'ai dû intégrer ce qui me rend heureuse, pas mes simples espoirs. J'ai été incroyablement surprise de voir combien il est difficile de se connaître soi-même. Alors que j'ai été agacée par l'insistance des philosophes sur ce qui me semblait aller de soi, je me rends compte aujourd'hui que je vais passer le reste de mes jours à me demander comment « être moi-même ».

Drôle, non ? Ce mois-ci, alors que mon Opération Bonheur touche à sa fin, je me demande *pourquoi* j'ai entrepris une telle tâche. Bien sûr, j'ai eu dans l'autobus cette sorte d'illumination : vouloir être plus heureuse dans ma vie. C'est avec une grande joie et un certain soulagement que j'ai abandonné mon traintrain ordinaire pour réfléchir à des sujets essentiels – mais qu'est-ce qui m'a fait tenir le coup pendant douze mois ?

Jamie me dit ce qu'il en pense :

— Ton Opération Bonheur a eu pour but de mieux contrôler ta vie.

Vrai ou pas ?

Peut-être. L'impression de contrôler mon existence est un élément primordial de mon bonheur – un meilleur indicateur que l'argent, par exemple. Une certaine autonomie, la possibilité de choisir comment vivre sa vie ou passer son temps sont d'une importance extrême. Sélectionner mes bonnes résolutions puis les tenir m'ont permis de mieux contrôler mon temps, mon corps, mes actes, mon environnement, et même mes pensées. Contrôler ma vie a fait partie de mon Opération Bonheur et a contribué grandement à mon bonheur.

Mais quelque chose de plus profond a cheminé en moi. Au début, je n'en ai pas eu conscience, mais peu à peu je me suis aperçue que je me préparais à quelque chose d'affreux, à un combat terrible, à affronter le Jugement dernier. Mon Tableau des Bonnes Résolutions me sert de conscience. Je me demande si un jour je repenserai à cette année passée en m'étonnant de ma... naïveté. « Comme c'était facile d'être heureuse, *en ce temps-là* ! » songerai-je peut-être un matin pluvieux. Et je serai tellement contente d'avoir fait tout ce qui était en mon pouvoir pour profiter de la vie que je mène.

L'année s'achève et je suis vraiment satisfaite. Après toutes mes recherches, j'ai trouvé ce que je savais depuis longtemps : je peux changer ma vie sans changer ma vie. Quand je fais l'effort de chercher mes pantoufles rouges, je découvre que je les ai aux pieds. L'oiseau bleu chante sur le rebord de ma fenêtre.

Postface

Jamie a suivi le traitement pour l'hépatite C en prenant du VX-950. Mauvaise nouvelle : il n'en a retiré aucune amélioration. Bonne nouvelle : son foie continue à tenir le coup.

Ma sœur contrôle son diabète.

Pour l'anniversaire de mon blog, j'ai réuni les principales contributions qui m'ont été envoyées en un livre grâce à Lulu.com.

Quand mon club de littérature enfantine a réuni vingt membres, nous n'avons plus accepté de nouveaux candidats et j'ai créé un second club pour les plus enthousiastes.

J'ai tourné deux films d'une minute pour Internet : *Les années sont brèves* (www.theyearsareshort.com) et *Les Secrets de la vie adulte* (www.secretsofadulthood.com).

En plus de Jamie et de ma belle-mère, j'ai convaincu mon beau-père et huit amis de s'inscrire à mon club d'haltères.

J'ai contacté plusieurs personnes qui s'occupent activement de dons d'organes et, après une longue période d'initiation, je fais désormais partie du Réseau de dons d'organes de New York.

Avec un ami, nous avons écrit un scénario, trouvé des costumes, photographié nos enfants dans Central Park pour illustrer une nouvelle de l'auteur de Peter Pan, *The Boy Castaways of Black Lake Island.*

Après avoir cessé de manger des cochonneries, j'ai ajouté à ma liste noire le Tasti D-Lite, cette délicieuse glace au yaourt.

Je me lève à 6 h 15 au lieu de 6 h 30 pour commencer la journée plus calmement.

En collaboration avec la dessinatrice Chari Pere, j'ai créé une bande dessinée *Gretchen Rubin and the Quest for Passion.* Écrivez-moi à www.happiness-project.com si vous en désirez un exemplaire.

Pour aider les personnes dans leur Opération Bonheur, j'ai créé The Happiness Project Toolbox, www.happinessprojecttoolbox.com, pour réunir sur un seul site tous les outils qui m'ont le plus aidée dans mon livre.

J'ai fait la connaissance, à un cocktail, de David Greenberg, le célèbre critique de livres et nous avons sympathisé.

En juin, j'ai organisé entre une amie et un copain une rencontre qui a abouti à un mariage.

J'ai vendu mon Opération Bonheur à un éditeur.

Et maintenant, je peux vivre heureuse jusqu'à la fin de mes jours…

Remerciements

Si Opération Bonheur m'a appris une chose, c'est bien de dire merci. Malheureusement, je ne peux citer le nom de toutes les personnes qui m'ont aidée pour ce livre.

Cependant, durant l'année de l'élaboration d'*Opération Bonheur*, certaines personnes ont joué un rôle particulièrement important. Bien sûr, Freda Richardson et Ashley Wilson. Lori Jackson et tout Inform Fitness. Les membres de mon premier club de littérature enfantine : Anamaria Allessi, Julia Bator, Ann Brashares, Sarah Burnes, Jonathan Burnham, Dan Ehrenhaft, Amanda Foreman, Bog Hugues, Susan Kamil, Pamela Paul, Savid Saylor, Elizabeth Schwartz, Jenny Smith, Rebecca Todd, Sthephanie Wilchfort, Jessica Wollman, Amy Zilliax, et surtout Jennifer Joel ; et aussi mon second club de littérature enfantine : Chase Bodine, Betsy Bradley, Sophie Gee, Betsy Glieck, Lev Grossman, Caitlin Macy, Suzanne Myers, Jesse Scheidlower, et surtout Amy Wilensky. Mon groupe stratégique d'écrivains : Marci Alboher, Jonathan Fields, A.J. Jacobs, Michael Melcher et Carrie Weber. Mon club de littérature adulte a devancé mon Opération Bonheur mais a été une source fructueuse d'idées et de moments délicieux : Ann Brashares, Betsy Cohen, Cheryl Effron, Patricia Farman-

347

Farmaian, Sharon Greenberger, Samhita Jayanti, Alisa Kohn, Bethany Millard, Jennifer Newstead, Claudia Rader, Elizabeth Schwarz, Jennifer Scully, Paula Zakaria, et particulièrement Julia Bator.

Merci pour leurs précieux commentaires pendant l'élaboration d'*Opération Bonheur* à : Delia Boylan, Susan Devenyi, Elizabeth Craft Fierro, Reed Hundt, A.J. Jacobs, Michael Melcher, Kim Malone Scott, Kamy Wicoff, et surtout Melanie Rehak.

Merci à toutes les personnes qui y ont collaboré à des titres divers : la lointaine Jayme Stevens, la graphiste Charlotte Strick, la dessinatrice Chari Pere ; Tom Romer, Lauren Ribando et l'équipe de design de Choping Block Web ; Melissa Parrish et Tanya Singer de RealSimple.com ; Verena Pfetten et Anya Strzemien du *Huffington Post* ; et Michael Newman de *Slate*.

Merci mille fois à tous les amis qui suivent mon blog qui m'ont donné tant de conseils, d'aide et de réconfort – comme Leo Babauta, Therese Borchard, Chris Brogan, Ben Casnocha, Tyler Cowen, Jackie Danicki, Dory Devlin, Erin Doland, Asha Dornfest, Kathy Hawkins, Tony Hsieh, Guy Kawasaki, Danielle LaPorte, Brett McKay, Daniel Pink, J.D. Roth, Glen Stansberry, Bob Sutton, Colleen Wainwright, et tous ceux du réseau LifeRemix… je pourrais continuer encore longtemps. J'espère vous rencontrer un jour en chair et en os.

Je ne peux remercier suffisamment les lecteurs de mon blog, surtout ceux que je cite. Avoir eu la chance d'échanger des idées sur le bonheur avec tant de lecteurs a été précieux – et amusant.

Un immense merci à mon agent, Christy Fletcher, et à Gail Wilson, mon éditrice – travailler sur ce livre a été un tel *bonheur*.

Et surtout, merci à ma famille. Elle est mon soleil.

Votre Opération Bonheur

Chaque Opération Bonheur est unique, et rares sont les personnes qui peuvent s'en passer. J'ai commencé la mienne en janvier et elle a duré un an – j'espère cependant qu'elle durera toute ma vie. Mais la vôtre peut débuter quand vous le voulez et s'achever quand vous le désirerez. Vous pouvez commencer petit (en mettant vos clés toujours au même endroit) ou voir grand (rétablir de bonnes relations familiales). Ça dépend de vous.

Afin de choisir vos bonnes résolutions, songez à la Première Vérité Éclatante et répondez à ces questions :

— Quand vous sentez-vous *bien* ? Quelles activités trouvez-vous amusantes, satisfaisantes, stimulantes ?

— Quand vous sentez-vous *mal* ? Qu'est-ce qui vous irrite, vous met en colère, vous ennuie, vous frustre, vous angoisse ?

— Qu'est-ce qui vous empêche d'être *en phase avec vous-même* ? Aimeriez-vous changer de boulot, de ville, de situation familiale ou d'autre chose ? Êtes-vous déçu par ce que vous êtes ? Votre vie est-elle le reflet de vos valeurs ?

— Vivez-vous dans un *climat de progression* ? Dans quels éléments de votre vie trouvez-vous de quoi progresser, apprendre, vous remettre en question, vous améliorer ?

Répondre à ces questions vous fournira les axes des changements à considérer. Après avoir décidé des domaines sur lesquels vous voulez faire porter vos efforts, précisez votre champ d'action et choisissez des résolutions dont les résultats sont aisément mesurables. Cela vous permettra d'évaluer vos progrès. Les résolutions concrètes sont plus faciles à tenir que celles qui sont trop abstraites. Ainsi, « Être un parent plus aimant » est plus difficile à tenir que « Je me lèverai un quart d'heure plus tôt afin d'être habillée quand les enfants se réveilleront. »

Une fois que vous vous êtes fixé vos résolutions, trouvez une façon d'évaluer vos progrès. Je me suis inspirée du Tableau des Vertus de Benjamin Franklin pour mon Tableau des Bonnes Résolutions. Mais vous pouvez préférer faire partie d'un groupe, tenir un journal d'une phrase ou commencer un blog.

Autre exercice pratique : dressez une liste des Commandements qui guideront votre comportement. Pour moi, le Commandement le plus important est : « Sois toi-même ! »

Pour vous aider, j'ai créé le site Happiness Project Toolbox, (www.happinessprojecttoolbox.com). J'y ai réuni tous les outils qui m'ont le plus aidée dans mon Opération Bonheur. Là, vous pourrez enregistrer et évaluer vos résolutions, écrire un journal, faire une liste de vos Commandements, partager vos Secrets de l'Expérience, établir la liste de vos livres, citations, films, musique, images favoris. Tout sera tenu secret ou divulgué, selon votre choix, et vous pourrez également lire les outils d'autrui. (Souvent fascinants.)

Si vous désirez fonder un groupe envoyez-moi un mail sur mon blog et je vous enverrai un kit de démarrage. Si vous cherchez un groupe dans votre ville, consultez la page Gretchen Rubin sur Facebook.

Quelques lectures supplémentaires

Les livres admirables sur le bonheur ne manquent pas. Cette liste ne couvre pas les ouvrages essentiels, mais reflète mes goûts personnels.

L'HISTOIRE DU BONHEUR

Aristote, *Éthique à Nicomaque*
Bacon, Francis, *Essais de morale et politique*
Boèce, *De la consolation de la philosophie*
Cicéron, *La Philosophie d'Épicure*
Le dalaï-lama, *L'Art du bonheur*, Robert Laffont, 1999
Delacroix, Eugène, *Journal*
Hazlitt, William, *Essai sur les principes de l'activité humaine*
James, William, *Les Formes multiples de l'expérience religieuse*
La Rochefoucauld, François de, *Maximes*
Montaigne, *Essais*
Plutarque, *Vies parallèles*
Russell, Bertrand, *La Conquête du bonheur*, Payot, 1949
Schopenhauer, Arthur, *Parerga et Paralipomena*
Sénèque, *Lettres à un stoïque*
Smith, Adam, *Théorie des sentiments moraux*

LA SCIENCE ET L'EXERCICE DU BONHEUR

Gilbert, Daniel Todd, *Et si le bonheur vous tombait dessus*, Robert Laffont, 2007

Lyubomirsky, Sonja, *Comment être heureux... et le rester*, Flammarion, 2008

Schwartz, Barry, *Le paradoxe du choix*, Marabout, 2009

Seligman, Martin, *Changer, oui c'est possible*, Éditions de l'Homme, 1999

Seligman, Martin, *La Force de l'optimisme*, Inter-Éditions, 2008

L'OPÉRATION BONHEUR VUE PAR D'AUTRES

Botton, Alain de, *Comment Proust peut changer votre vie*, 10/18, 2001

Frankl, Victor, *Découvrir un sens à sa vie*, Éditions de l'Homme, 1988

Gilbert, Elizabeth, *Mange, prie, aime*, Calmann-Lévy, 2008

Jung, Carl, *Ma vie : souvenirs, rêves et pensées*, Gallimard, 1967

Krakauer, Jon, *Into the Wild : voyage au bout de la solitude*, Presses de la Cité, 2007

Maugham, Somerset, *Le Bilan*

Thoreau, Henry David, *Walden ou la Vie dans les bois*

LES RELATIONS HUMAINES

Faber, Adele, et Mazlish, Elaine, *Parler pour que les enfants écoutent et écouter pour que les enfants parlent*, Éditions du Phare, 2002

MES ROMANS FAVORIS SUR LE BONHEUR

Colwin, Laurie, *Rien que du bonheur*, Autrement, 2008
Frayn, Michael, *Tête baissée*, Gallimard, 2000
Hornby, Nick, *Haute fidélité*, 10/18, 2010
McEwan, Ian, *Samedi*, Gallimard, 2006
Patchett, Ann, *Bel canto*, Rivages, 2005
Robinson, Marilynne, *Gilead*, Actes Sud, 2007
Wallace Stegner, *En lieu sûr*, Phébus, 2003
Léon Tolstoï, *Anna Karenine*
Léon Tolstoï, *Guerre et paix*
Léon Tolstoï, *La Mort d'Ivan Ilitch*
Léon Tolstoï, *Résurrection*
Von Armin, Elizabeth, *Elizabeth et son jardin allemand*,
   10/18, 1999

LES LIVRES QUI M'ONT LE PLUS INFLUENCÉE

Franklin, Benjamin, *Mémoires*
Johnson, Samuel : tous ses écrits
Thérèse de Lisieux, *Histoire d'une âme*

TABLE

Gerd Gigerenzer
*Le Génie de l'intuition. Intelligence et pouvoirs
de l'inconscient*, 2009

Christopher Hitchens
*dieu n'est pas Grand. Comment la religion empoisonne
tout*, 2009

Jack Kornfield
Bouddha mode d'emploi, 2011

Satish Kumar
Tu es donc je suis. Une déclaration de dépendance,
2010

John Lane
*Les Pouvoirs du silence. Retrouver la beauté,
la créativité et l'harmonie*, 2008

Martha Lear
*Mais où sont passées mes lunettes ? Comment gérer
au quotidien les petits troubles de la mémoire*, 2009

Roberta Lee
SuperStress. La solution, 2011

Richard David Precht
*Qui suis-je et, si je suis, combien ? Voyage
en philosophie*, 2010
Amour. Déconstruction d'un sentiment, 2011

Mark Rowlands
*Le Philosophe et le Loup. Liberté, fraternité, leçons
du monde sauvage*, 2010

Brenda Shoshanna
Vivre sans peur. Sept principes pour oser être soi, 2011

Adam Soboczynski
*Survivre dans un monde sans pitié. De l'art
de la dissimulation*, 2011

Cet ouvrage a été imprimé en France par

BUSSIÈRE

à Saint-Amand-Montrond (Cher)
en octobre 2011

Composé par Nord Compo Multimédia
7, rue de Fives, 59650 Villeneuve-d'Ascq

N° d'édition : 5039/01 – N° d'impression : 111841/1
Dépôt légal : novembre 2011